D0921650

« RÉPONSES »

Collection dirigée par Joëlle de Gravelaine

DU MÊME AUTEUR

chez le même éditeur

LA CONSCIENCE DU CORPS (1971)

MOSHE FELDENKRAIS

LA PUISSANCE DU MOI

Traduit de l'américain par Martine Thomas

ÉDITIONS ROBERT LAFFONT
PARIS

Titre original : THE POTENT SELF

ISBN 2-221-04901-2
(édition originale :
ISBN 0-06-250320-0 Harper & Row Publishers, Inc., New York)

PRÉFACE

Le présent n'est qu'un moment fugitif, un instant qui, sitôt révolu, nous échappe et dépasse les limites de l'imagination. La plupart des gens se comportent comme si leur avenir était irrémédiablement compromis par leur passé. Ils en sont persuadés : le passé enchaîne ; et, comme pour mieux vérifier leurs craintes, ils vivent dans le passé et ne cessent de se répéter.

Le présent est le temps dans lequel nous vivons, et ce que nous faisons de nous-mêmes aujourd'hui est de loin le plus important. Le passé se projette dans le futur à travers nous ; demain est fait de notre réalité d'aujourd'hui. Si nous ne changeons rien à notre attitude envers la vie, les lendemains seront tous les mêmes, à une date près. Le passé appartient à l'Histoire. Le futur, nous l'ignorons. Tous deux ne se définissent que par rapport au présent.

N'essayez pas d'oublier le passé ; en l'oubliant, vous vous oubliez vous-mêmes. Tout est inscrit en nous, dans notre corps, même si nous croyons avoir gommé de notre mémoire certains détails qui nous dérangent. Aussi lourd qu'il soit, il vous servira à établir, aujourd'hui, les bases d'un avenir plein de promesses. Quand vous l'aurez accepté, quand vous serez en paix avec lui, il ne vous tourmentera plus. Si nous voulons aller dans le sens de la vie, il ne faut jamais cesser de mûrir. Telle est ma conviction. Loin d'être un aboutissement en soi, la maturité est un processus qui toujours évolue et, à partir des divers éléments de notre passé, constitue les nouveaux schémas propres à répondre à nos besoins actuels et à ceux de notre milieu.

De prime abord, la sexualité peut sembler revêtir une importance indue, occuper une place excessive. Le lecteur attentif ne manquera pas de constater qu'il n'est pas question ici d'en faire le problème essentiel du comportement humain. Mon propos, en tant que professeur, est de donner à mes élèves les moyens de parvenir à une maturité sexuelle plus grande et non de les pousser au dévergondage propre au sujet immature. Cette maturité intervient en fin de développement, raison pour laquelle la sexualité représente la plus vulnérable de nos fonctions. Elle est empreinte des conséquences de nos habitudes passées, si souvent mal adaptées et pavées de maladresses, auxquelles échappent les fonctions plus précoces. Tout blocage intervenant au cours de l'enfance ou de l'adolescence ne peut qu'affecter la sexualité en voie de maturation. De la même façon, il est impossible d'envisager un meilleur usage de soi avant d'avoir retrouvé une spontanéité sexuelle. Beaucoup se croient satisfaits en la matière, qui pourtant ne se sentent pas vivre pleinement. Ils estiment qu'ils ont raté leur vie, et que celle-ci est sans intérêt. Ils n'ont jamais, sans doute, vécu leur sexualité dans la spontanéité et, quoi qu'ils en disent, en toute sincérité, n'ont jamais exploité pleinement et joyeusement leur « pleine puissance ». Ils végètent dans une médiocrité dont ils ne peuvent s'extraire sans l'apprentissage d'un sain usage de soi conduisant à une puissance active, spontanée et totale. Et cela n'est possible qu'en devenant, parallèlement, un être lui-même actif et ouvert à l'évolution.

La sexualité d'un sujet sain de corps et d'esprit est plus épanouie que celle d'un sujet dont la conduite est compulsive. Son désir n'est jamais obsessionnel. Spontanéité et efficacité vont de pair avec une sexualité libérée. L'ambition de ce livre est de permettre au lecteur de s'épanouir, afin de rendre à ses préoccupations sexuelles la place qu'elles méritent. Une place cruciale et honorable s'il en est, mais en son temps et à son heure.

Introduction

AIME-TOI COMME TU AIMES TON PROCHAIN

L'admirable injonction : « aime ton prochain comme toi-même » est au cœur de toutes les religions. Nous lui devons beaucoup et elle demeure l'objectif premier de tous les humanistes. Pourtant, ce principe peut aussi être inversé.

Les intentions les plus louables aboutissent à des résultats opposés si elles obéissent à des attitudes compulsives. Les peuples religieux cédant au fanatisme ont fait suffisamment de mal dans le passé et aujourd'hui encore pour contrecarrer les bienfaits des éthiques religieuses.

Notre éducation est nourrie de l'idée qu'il faut aimer son prochain comme soi-même, mais ces principes sont inculqués avec une telle rigueur et un tel absolutisme qu'ils étouffent toute spontanéité. Beaucoup se font accepter non parce qu'ils vivent en bonne intelligence avec leurs voisins, mais parce qu'ils sont incapables de s'affirmer. Ils ne savent rien refuser par peur des autres. Ils sont bons malgré eux et s'en repentent aussitôt. Ils se mettent dans les pires situations parce qu'ils sont incapables de faire valoir leur point de vue, quand bien même celui-ci est justifié.

Cette bonté impulsive est le symptôme d'une agressivité refoulée. Elle en est aussi le résultat. Le sujet s'identifie si totalement à l'autre qu'il lui prête ses propres sentiments d'angoisse face au fait d'être rejeté ou contredit, la même humiliation, la même solitude et aliénation qu'il éprouve lui-même. Il n'est pas payé de retour et se retrouve souvent avec peu ou pas d'amis véritables. Il se met sans cesse dans des situations qui font de sa vie un tissu d'amertume. Jamais la société n'accepterait pour un autre de ses membres le mal qui est fait à celui-là. Il se traite lui-même comme un chien, avec la dureté et l'exigence sadique qu'il n'ose pas employer envers les autres de crainte de ne pouvoir se maîtriser. Il a souvent encore plus peur de lui-même que des représailles. Mais, curieusement, cette attitude se manifeste en général à propos de questions banales, qui n'appellent aucune préméditation et font partie du quotidien. Dans les circonstances graves, en principe il se prépare, fait des efforts prodigieux pour surmonter son handicap, et saute de joie quand les résultats dépassent ses espérances. Parfois il lui arrive de tout réussir avec le même bonheur pendant plusieurs jours, mais le premier faux pas le plonge dans le découragement total. Les amis les plus proches en sont consternés car rien, à leurs yeux, n'apparaît justifier ces excès d'exaltation et de dépression.

Je dresse ici un tableau assez noir, à seule fin de décrire les tendances qui habitent beaucoup de gens sensibles et bien élevés, dont les qualités de discrétion et de considération pour autrui (qualités par ailleurs remarquables quand elles sont spontanées) ne servent qu'à les exclure. Si seulement ils se rendaient compte qu'« aimer son prochain comme soi-même » ne signifie pas forcément qu'ils sont *pires* que leur prochain mais méritent, eux aussi, le respect, un grand pas serait déjà accompli.

La raison de ce «sermon» est simple: si l'on veut changer, encore faut-il se donner les moyens d'y parvenir. Le tout est d'avoir la manière. Si l'on veut obtenir de quelqu'un qu'il vous écoute, il faut savoir s'y prendre, expliquer calmement ce que l'on attend de lui, et avoir un objectif précis. Quelle que soit la difficulté, il s'y pliera de bonne grâce. Dans le cas contraire, il se braquera et refusera d'obtempérer, même si ce qui lui est demandé est par ailleurs loin d'être désagréable. Personne n'aime se faire bousculer, à commencer par nous-mêmes. Si, au départ, nous nous accusons de paresse, de faiblesse et de maladresse, nous provoquerons à nouveau cette réaction de refus. Charité bien ordonnée commence par soi-même. Il faut savoir se guider sans obstination, sans être tendu, et uniquement pour des raisons objectivement valables. Les enfants sont les seuls à n'avoir pas d'autre choix que d'obéir à tout, même aux ordres les plus déraisonnables. C'est ce que l'on appelle apprendre la discipline. Mais les adultes ne doivent pas se traiter en enfants. Il faudrait être aussi poli à l'égard de soi-même qu'envers les autres, et, dans les moments graves, se sentir tout aussi gêné de s'encombrer avec des détails sans intérêt. Il faudrait savoir qu'il est aussi malvenu de se critiquer sans cesse que de critiquer son prochain — qui, du reste, ne le tolérerait pas — car personne, pas même soi, n'accueille la critique de grand cœur. Vouloir faire preuve de volonté plutôt que de jugement ne mène qu'à la rigidité, aussi bien physique que mentale. Bouddha, Confucius, Moïse et Jésus-Christ ont changé la vie de millions de gens en leur demandant parfois l'impossible. Mais jamais ils ne les ont houspillés. Ils se sont toujours adressés à eux humainement comme ils se traitaient eux-mêmes. Ils font l'admiration de tous, y compris d'incroyants comme moi, non à cause de leur volonté mais de leur attitude réfléchie et équilibrée. Bons et équitables, ils avaient une juste compréhension des exigences de leur époque, et manifestaient cette même compréhension envers eux-mêmes.

Tout doit s'apprendre comme s'il s'agissait, à chaque fois, d'un événement majeur de la vie. Poings serrés, mâchoire contractée, sourcils froncés sont autant de manifestations d'impuissance. Ces défauts ne constituent pas une barrière infranchissable, à condition de manifester une véritable joie de vivre. Il faut faire l'effort d'apprendre, et cet effort ne sera profitable que si vous êtes prêts à savoir transformer le sourire en éclat de rire naturel et spontané.

L'effet cumulatif d'un enseignement en soi compulsif, et parfois sadique, a abouti à la notion selon laquelle rien ne saurait être valable sans effort. Dès l'enfance on nous apprend à nous forcer. Si un enfant montre trop de facilité, on lui fera sauter une classe ou on le surchargera de travail, à seule fin d'enseigner à ce malheureux « ce que signifie *véritablement* la vie » : aller au-delà du simple nécessaire uniquement pour être le meilleur, et ne devoir être satisfait de soi que si l'on se sent au bout de ses limites. Cette habitude nous a été à ce point inculquée que, lorsque nous faisons quelque chose simplement, nous avons l'impression que c'est un hasard et que ça ne devrait pas être aussi facile. Comme si la vie n'était pas censée être facile. Nous allons même jusqu'à *refaire* la même chose, en nous assurant, cette fois, de nous donner autant de mal qu'à l'accoutumée pour nous convaincre de l'avoir *vraiment* fait. Cette habitude est difficile à éliminer, car l'environnement culturel est là pour l'entretenir. Elle est même saluée comme un signe de forte volonté. Mais la volonté n'est nécessaire qu'en l'absence *d'aptitude*. Apprendre, selon moi, ne consiste pas à exercer sa volonté, mais à acquérir la faculté d'inhiber les actes parasites, et celle de gérer des motivations claires, que confère une bonne connaissance de soi.

Ce n'est sans doute pas un hasard si tous les créatifs ont leur propre façon de faire. Les peintres, les mathématiciens, les compositeurs et tous ceux qui font un travail intéressant n'ont pas la science infuse. Il leur a fallu apprendre à peindre, à raisonner et à composer, mais ils l'ont fait autrement, et non comme on le leur avait enseigné au départ. Ils ont beaucoup travaillé avant d'en arriver à bien se connaître et à jouir d'une spontanéité qui leur permette d'exprimer leur personnalité. De tels êtres n'échappent pas à la compulsion, loin de là ; mais la valeur qu'ils en retirent vient du caractère authentiquement spontané de leur création, d'où la différence.

J'espère que les pages qui vont suivre seront de quelque secours à tous ceux qui ont envie « d'apprendre à apprendre ».

L'énergie

Nous retenons les idées — bonnes ou mauvaises, à condition qu'elles s'intègrent dans la vision globale que nous avons du monde. La psychologie moderne a pris son essor avec l'avènement de la théorie thermodynamique et celle du *potentiel,* établies par les plus grands scientifiques de l'époque. Le principe selon lequel l'énergie ne peut ni se créer ni se détruire s'est alors largement répandu, du moins parmi les gens *normalement cultivés*; de là à établir une analogie avec l'énergie et la libido, le pas fut vite franchi. Ainsi donc, l'énergie émotionnelle pouvait-elle, également selon eux, s'accumuler et se conserver; et, puisqu'elle était indestructible, elle ne pouvait que s'extérioriser ou se sublimer. Rien n'a beaucoup changé depuis et, parmi les grands noms de la psychologie, il s'en trouve encore qui, ne voyant pas le caractère tendancieux de cette analogie, font sans le vouloir la même erreur à propos d'un certain nombre de manifestations émotionnelles telles que l'agressivité.

Or, ce qui passe pour être de l'énergie en matière de pulsions émotionnelles n'est qu'une forme d'expression. L'agressivité est un *comportement,* et non une énergie. L'agressivité n'explose pas pour avoir été trop longuement contenue. Cela est faux. Elle n'est pas protégée par un écran qui la retiendrait pendant qu'elle s'accumule, et nulle part, pas même dans le système nerveux, il n'existe de *lieu* prévu à cet effet.

Il ne saurait donc être question de sublimer l'énergie de la libido, puisque celle-ci ne s'accumule pas sous forme d'énergie. Sans activité sexuelle, il n'y a plus ni sécrétion glandulaire, ni fabrication de sperme. Il s'agit là d'un mécanisme d'autorégulation tout à fait normal. La tension relative à la libido est sans doute moins grande après une année d'abstinence qu'après une quinzaine de jours. (Ces problèmes se soignent toujours en quelques jours ou en quelques semaines selon l'âge et la santé du sujet.)

Certains comportements passent pour de l'agressivité refoulée. C'est le cas par exemple quand la sécurité affective ne s'obtient qu'au prix d'une humilité excessive. (Autrement dit, lorsque l'effacement apparaît comme le meilleur moyen de se faire accepter, compte tenu de l'expérience, et que, parallèlement, s'imposer implique une telle angoisse que la moindre tentative dans ce sens s'accompagne toujours d'un sentiment de panique.) Mais il serait erroné de croire que le comportement névrotique résulte d'une agressivité refoulée. Si tel était le cas, il suffirait de libérer l'agressivité en faisant de la boxe, en hurlant, en tapant de toutes ses forces (à condition de prendre toutes les précautions nécessaires pour ne pas blesser une tierce personne), pour s'en trouver transformé.

Le processus est en fait si complexe qu'il se prête à toutes sortes d'interprétations. Le défoulement, cela est vrai, a un effet positif. Mais, à mon avis, cet effet n'est pas dû à une baisse de pression de l'agressivité accumulée, mais plutôt à la confiance en soi qu'un individu a pu développer à force d'exercer une fonction qu'*a priori* il ne maîtrisait pas. Les cavaliers apprennent à monter sur des piquets en bois avant de s'aventurer sur de vrais chevaux. La valeur thérapeutique d'une méthode se juge à ce qu'elle contribue ou non à l'acquisition d'une maîtrise que le sujet ne possède pas encore.

Cette contribution peut se limiter à une légère augmentation de la confiance en soi, mais si l'acquisition se fait de façon positive — par l'inhibition d'éléments parasites, par exemple, ou par une meilleure conception de la manœuvre à adopter dans l'action — on pourra en attendre un progrès. L'aspect positif de cette démarche démasque le caractère fallacieux de l'analogie avec l'énergie, qu'il est donc urgent de discréditer.

Il ne fait aucun doute, dès lors, que de se battre contre son ombre ou de se défouler en râlant ne réussira jamais à transformer un individu effacé et/ou agissant compulsivement en un modèle de créativité et d'évolution. (Mais cela montre en même temps qu'une telle démarche a son utilité au départ pour trouver le moyen de rendre l'effacement de soi moins nécessaire à la sécurisation.)

Le vécu entretient — ou exclut — un certain nombre de sentiments, de facultés et de fonctions. Cela est vrai, mais il n'y a aucune raison pour que les fonctions privilégiées monopolisent toute l'énergie. Les cas de pseudo-sublimation de la libido nous en apportent la preuve. Imaginons qu'un jeune homme, ayant renoncé à vivre sa sexualité, produise par ailleurs une création poétique dans laquelle il puisse exprimer sa libido en langage riche et symbolique. Au départ, la théorie de la sublimation semble se vérifier. Mais ce n'est qu'une vue superficielle des choses. En effet, il suffirait que ce poète rencontre le succès pour améliorer sa situation financière et son cercle d'amis. Sa sexualité sera alors vraisemblablement stimulée. Il se pourrait même qu'elle rejoigne très vite la qualité de sa créativité, et qu'il se consacre pleinement aux deux. Si l'on en croit le principe de la sublimation (et donc l'analogie avec l'énergie), théoriquement ce renouveau ne peut s'expliquer que par la libération d'une autre source d'énergie concentrée ailleurs.

Le fonctionnement de l'organisme ne peut pas se comparer à une suite de manifestations énergétiques telles qu'elles sont décrites en physique. Ce n'est qu'une façon de parler. La vérité est beaucoup plus simple : chacun s'intéresse à ce qui lui apporte une meilleure sécurité affective, et se détourne de ce qui peut la mettre en péril. Le choix se fait en fonction de l'état du système nerveux et de son support — le corps —, ainsi que du milieu qui peut, quant à lui, agir positivement sur l'évolution du système nerveux ou au contraire l'amener à se limiter à un fonctionnement routinier. Quand le sujet a perdu confiance en lui au point de ne plus essayer de peur de se tromper, l'échec est inévitable, même dans le meilleur des cas. Il ne faut pas cependant tomber dans le piège et croire à l'explication trop facile d'une pulsion émotionnelle refoulée, car elle implique des solutions erronées, faisant l'impasse sur l'amélioration de soi, et, de ce fait, ne permet aucun changement effectif. Nous pensons que la perspicacité, la clairvoyance et autres prises de « conscience » suffisent à créer la brêche permettant de canaliser l'énergie. Mais cela ne sert qu'à dévoiler les fonctions qui, pour avoir été exclues, n'ont pas été développées. Il faut donc aller plus loin, et le plus tôt sera le mieux.

Note de l'auteur

Les termes suivants ont été employés ici dans un sens plus rigoureux qu'à l'ordinaire.

Adaptation : celle d'un poisson à la vie aquatique, ou d'un bovin à la vie en troupeau, adaptation d'un ours polaire à la couleur de la neige ; c'est-à-dire l'adaptation phylogénétique de l'espèce, par mutation et par des conditions environnementales différentielles sélectives.

Adaptation acquise : aux conditions d'un camp de concentration, à la vie urbaine, au port de chaussons de danse, aux traditions, à l'usage de la cuillère ; c'est-à-dire ontogénétique, grâce à l'expérience personnelle de l'individu.

Inconscient : qualifie le besoin d'affection d'un petit enfant, l'instinct de vie d'un nouveau-né, c'est-à-dire tous les besoins, les pulsions, les élans émotionnels sans référence au vécu.

Refoulé : qui a été conscient et ne peut plus l'être. Qui est présent mais ne peut pas se reconnaître, comme la tension exercée pour l'expression du langage, qui était à l'origine intentionnelle et délibérée. Se dit de tout ce qui a été appris et intégré au point d'être devenu automatique et habituel au-delà de toute conscience. Ce qui est réprimé n'est pas inconscient mais refoulé.

1.

LE POTENTIEL HUMAIN

L'intelligence a donné lieu à de nombreuses définitions. Tantôt « capacité d'abstraction », tantôt « pouvoir d'acquisition des connaissances », « pouvoir d'adaptation », ou bien encore « aptitude à saisir des relations complexes ». Les notions mêmes de « capacité » et de « pouvoir » restent si vagues qu'elles pourraient se prêter à bien d'autres définitions encore, mais aucune n'a encore jamais fait l'unanimité. L'intelligence n'a donc pas réussi, jusqu'ici, à se définir elle-même.

Être intelligent, c'est-à-dire avoir un potentiel permettant de répondre à tous les critères que nous venons d'énoncer, ne suffit pas. Certains, pourvus d'une intelligence soi-disant « médiocre », mais sachant l'utiliser à bon escient, réussissent généralement là où des intelligences prétendues supérieures ont échoué. *Un bon usage de soi permet seul un bon exercice de nos facultés.*

Les psychologues contemporains semblent actuellement penser que l'intelligence est une qualité héritée. En d'autres termes, si nous ne sommes pas nés intelligents, nous ne pouvons pas le devenir. Je suis convaincu, pour ma part, que cette théorie sera tôt ou tard discréditée, mais cela n'a que peu de valeur pratique pour l'instant. Il n'en demeure pas moins que notre potentiel d'abstraction, d'adaptation et de compréhension des situations complexes peut être développé puisque la plupart d'entre nous n'ont jamais appris à l'utiliser pleinement.

Afin d'illustrer mon propos sur la nature de l'intelligence, nous allons examiner un certain nombre de fonctions propres à l'être humain, car, et c'est bien là l'essentiel, l'intelligence n'est rien d'autre qu'un mode de fonctionnement.

Imaginons un instant une étude sur l'équitation. Le fait de savoir monter à cheval est-il une qualité héréditaire ou non? Le résultat de nos recherches dépendrait entièrement du type de société prise en compte. Dans une société valorisant les bons cavaliers, nous trouverions des gens pour affirmer que Alexandre le Grand ou Attila étaient des «cavaliers-nés» dont les qualités physiques, le caractère et l'assiette ne sauraient s'acquérir quel que soit le nombre d'heures passées à cheval. Un sondage, établi auprès de familles de chevaliers et de familles ordinaires, ferait apparaître statistiquement un lien entre l'équitation et le rang social. Nous trouverions un Q.E. (quotient d'équitation) plus élevé chez les fils de rois, suivis des chevaliers, des soldats, des citadins et enfin des intellectuels.

De nos jours, la valorisation porte sur l'intelligence, et nous trouvons un quotient intellectuel supérieur chez les parents dont les enfants ont accédé à un niveau social plus élevé. La même corrélation pourrait être établie à partir du caractère plus ou moins dépensier de ces mêmes enfants. Ce type de sondage n'a qu'un intérêt: démontrer la valeur de la méthode déductive, et prouver qu'elle peut signaler une corrélation chaque fois qu'elle se présente.

Cependant, si à partir d'un coefficient de corrélation élevé nous en déduisions que le Q.E. ou la propension à la dépense sont des caractères innés, nous serions aussi loin de la réalité que lorsque nous affirmons que le Q.I. * est héréditaire.

Dans l'ensemble, les caractères héréditaires sont assez équitablement répartis. Rares sont les individus qui pèsent deux fois plus lourd, courent deux fois plus vite ou ont deux fois plus de force qu'un individu moyen. L'inverse est également vrai. L'intelligence, telle qu'elle est évaluée par le Q.I., ne fait pas exception. Le quotient intellectuel moyen est de 100, mais les Q.I. de 200 sont encore plus rares que ceux de 50.

L'hérédité ne suffit pas à justifier l'énorme disparité qui existe entre les individus dans la plupart des catégories sociales. De plus, les variations de Q.I. auxquelles on peut aboutir à partir de diverses méthodes de pensée et d'entraînement peuvent amener à des différences comparables et souvent plus importantes que celles attribuées à l'hérédité. Il n'y a pas, à mon sens, de différence essentielle entre ce que nous appelons un génie et les autres, sinon que le soi-disant génie est celui qui sait faire le meilleur usage de ses dons, parfois avec l'aide de la chance, le plus souvent en la favorisant. Une fois la bonne méthode trouvée et le nouveau schéma établi, rien n'empêche quiconque de faire aussi bien sinon mieux que l'initiateur de la méthode lui-même.

Il n'est pas de génie que ses successeurs n'aient supplanté. Il suffit pour cela d'être à même de mieux exprimer ses possibilités, qu'il s'agisse de penser, de jongler, de nager ou de jouer la comédie, ce qui prouve bien que nous possédons en nous tous les éléments propres à la créativité. Un génie n'a rien de plus que nous, sinon qu'il sait coordonner tous ces éléments entre eux. En d'autres termes, non seulement nous

---

* Q.I. : coefficient intellectuel (N.d.T.).

manquons de méthode, mais de plus nous n'en sentons pas le besoin.

Cela est très important, car si nous ne pouvons pas changer grand-chose à l'hérédité, nous pouvons en revanche améliorer considérablement les moyens de libérer la créativité qui est en nous.

Parmi les hommes célèbres, certains ont reconnu ne devoir l'essentiel de leur talent qu'à leur art de s'utiliser eux-mêmes. Dans ses *Confessions,* par exemple, Jean-Jacques Rousseau insiste à maintes reprises sur son manque de dons « naturels » et attribue le succès de son œuvre à un long travail de recherche sur lui-même, qu'il a mis longtemps à acquérir. Il dit y être parvenu en écartant toute subjectivité, c'est-à-dire toute émotion, de ses lectures. Sa méthode consistait à essayer de présenter les idées d'un auteur aussi clairement et aussi fidèlement que possible. Ce faisant, il découvrit au bout du compte que l'expression de sa propre pensée progressait de pair avec sa capacité à formuler les idées des autres. Cette méthode lui permit par la suite d'aller beaucoup plus loin qu'il ne l'avait fait jusque-là.

Rousseau disait « ne rien pouvoir faire à force de trop le désirer ». Nombreux sont ceux qui ne savent pas trouver la cause *véritable* de leur incompétence ou de leur échec. La raison en est bien souvent non pas le manque de compétence en soi mais le mauvais usage que nous en faisons. Il faut se garder de l'inertie comme de la précipitation, et observer un juste milieu. Si nous ne pouvons rien changer à notre hérédité, du moins pouvons-nous, dans une large mesure, contrôler nos désirs et les moyens dont nous disposons pour les libérer de nos inhibitions plus ou moins conscientes. Nous pouvons apprendre à contrôler aussi bien l'état de tension de notre corps que celui de notre système nerveux afin que les fonctions d'autorégulation et de régénération puissent gouverner en alternance, créant ainsi un équilibre instable qui leur permet d'agir efficacement.

Il nous arrive parfois d'être incapable de mener à bien tout projet, qu'il s'agisse d'écrire une lettre ou de témoigner notre amour à quelqu'un. La colère et l'amour ont beaucoup en commun lorsqu'ils sont impuissants. Le *désir* de faire est excessif dans les deux cas, et ne peut s'exprimer en raison de motivations extérieures et contradictoires, d'égale intensité. Nous savons, par exemple, qu'il faudrait écrire, et cependant nous ne le faisons pas. Chaque fois qu'il y a impossibilité à agir, le sentiment de ce que nous « devrions faire » domine par rapport à ce que nous « voulons faire ». Le désir de manger, de penser, de bouger, d'avoir des relations sexuelles est dû à des tensions génétiques spécifiques au corps, alors que le sentiment du « devoir » moral est éminemment personnel et dépend du vécu de chacun.

Les fonctions génétiques sont paresseuses et leur modification ne peut se faire sans un changement profond et prolongé de l'environnement biologique. En revanche, tout ce qui relève de l'expérience personnelle est particulièrement sujet à altérations et *a priori* susceptible d'être influencé par tout nouveau contexte personnel.

Le manque de conviction peut également être un frein à l'action. Nous estimons alors « devoir faire » quelque chose plutôt que de le « vouloir ». Dans ce cas nous ne faisons rien car le sentiment du devoir contient en soi les éléments du refus. « Je devrais » ou « je ne devrais pas » sont facteurs d'inhibition.

Nous connaissons encore si mal le fonctionnement du système nerveux qu'il serait bien présomptueux d'en énoncer les propriétés de façon catégorique. Autant demander à un alchimiste de se prononcer sur l'utilisation de l'uranium ou même du carbone.

Nous considérons, à tort, que le système nerveux, une fois formé, ne varie plus sinon pour croître comme le ferait un arbre, alors qu'en réalité il est capable d'une croissance contrôlée. L'être humain tel que nous le connaissons aujourd'hui est le résultat d'une croissance menée dans des conditions bien précises et rigoureusement sélectionnées pour obtenir ce résultat.

La conception la plus courante de l'Homme est une conception statique et les sujets qui ont grandi dans un milieu formé par ce concept sont en général incapables de se libérer des limites dont leur système a été nourri. Même les meilleurs d'entre nous s'accrochent à tout ce qui peut justifier cette conception statique de l'individu. Tout, depuis l'âme jusqu'à l'intelligence, en passant par l'instinct, l'inconscient et le corps, se doit d'être héréditaire et par conséquent fixe les limites de l'homme. Et, bien sûr, ces limites ne sont autres que celles du moment présent. J'espère, quant à moi, démontrer que la machine humaine est essentiellement mue par une force dynamique, que le comportement humain l'est tout autant et que, par conséquent, la « nature humaine » est une entité dynamique composée d'une somme d'éléments héréditaires et d'expérience personnelle. J'espère également démontrer que la plupart de nos limites sont imputables au vécu de chacun plutôt qu'à l'hérédité.

2.

COMPULSION ET SPONTANÉITÉ

Les mots exigent des définitions précises pour éviter toute erreur d'interprétation. Je mange parce que j'ai faim. S'agit-il là d'un acte spontané ou suis-je poussé par la faim ? Je sens ou j'aperçois une friandise appétissante. Je la prends. S'agit-il là d'un acte spontané ou suis-je poussé à le faire par la promesse d'une gratification ? Le désir vient-il de moi ou non, le problème reste entier, tout comme celui, plus important encore, de savoir si la démarche qui s'ensuit est spontanée ou compulsive.

Nous agissons souvent de manières bien différentes : tantôt sans retenue, tantôt au contraire au prix d'un effort sur nous-même. Il nous arrive aussi parfois d'agir sans nous en rendre compte. En général, tout cela importe peu, sauf pour la personne qui agit.

La spontanéité est une notion à la fois relative et subjective et seul un observateur averti saurait reconnaître un acte spontané d'un autre. Tout dépend en fait de la résistance intérieure que nous opposons à l'accomplissement de ces actes. Lorsque nous appelons quelqu'un « chéri », par habitude, mais sans sincérité, nous dépouillons le mot de toute sa valeur. Il n'y aura aucun retard ni aucune hésitation à le prononcer, mais nous le ressentirons comme une contrainte du fait de notre résistance intérieure. Celle-ci varie généralement selon le contexte personnel de chacun et son mode de réflexion. Pour certains, tuer un poulet ne pose pas plus de problème que de le manger. Cela peut paraître impossible à d'autres, incapables de l'avaler tant leur émotion sera grande. Ce sont les mêmes qui, pourtant, commanderont un poulet rôti le lendemain au restaurant et le mangeront sans la moindre arrière-pensée.

Ces exemples peuvent paraître triviaux mais ils sont cependant révélateurs de l'importance du vécu dans la formation du comportement spontané. De plus, ils démontrent qu'il est courant d'avoir des structures conflictuelles parallèles, cloisonnées par des compartiments pour ainsi dire étanches. Toutefois, il est des circonstances où ces compartiments doivent s'ouvrir et la contradiction apparaître, sous peine de ne plus pouvoir vivre en paix avec soi-même. Le comportement spontané, tel que nous l'avons défini, n'est donc possible que dans un contexte suffisamment stable. Lorsque tel est le cas, nous ne sommes pas conscients des conflits qui nous habitent puisque nous ne les faisons jamais éclater.

Faute de savoir comment les résoudre, nous risquons de nous trouver un jour face à une crise dans laquelle ceux qui nous entourent, sans y être personnellement impliqués (et donc ne vivant pas le même conflit), demeureront parfaitement indifférents.

L'amour, le matérialisme, l'objection de conscience, la guerre, les entreprises privées, l'universalité du savoir humain, le secret scientifique, ainsi de suite, n'ont pas de solution universelle. Chacun d'entre nous raisonne à leur propos selon son vécu et son mode de réflexion. Ce qui est important pour les uns le sera moins pour d'autres et l'expérience d'autrui ne sert guère à résoudre les problèmes personnels. Au contraire, cela les complique souvent.

La spontanéité est donc bien une notion relative et subjective. Chez les animaux, l'instinct joue un rôle prépondérant, surtout dans les races où il est particulièrement développé. Il y a peu de place, en général, pour une résistance interne, et celle-ci se trouve encore amoindrie, voire même anéantie, dans les circonstances d'exception. Chez l'être humain, où le comportement a fait l'objet, dans son ensemble, d'un apprentissage, il est un type d'activité que l'on pourrait qualifier de maîtrisée. C'est ce qui caractérise l'individu ayant atteint la maturité. La maîtrise de soi, en se développant, entraîne une plus grande confiance en soi, nous permettant de choisir entre la satisfaction que nous éprouvons à agir selon les schémas préconçus et l'effort qu'il nous en coûte de nous en écarter. En d'autres termes, nous devenons responsables. Sans cette maturité nous en sommes réduits à une défense passive, procédant à la fois avec méfiance et conformité à l'habitude. Notre comportement demeure compulsif sur les plans où nous manquons de maturité. Nous sommes impuissants à faire ce que nous voulons, et, qui plus est, nous faisons exactement le contraire. Nous prenons la mesure de notre inaptitude. Il est donc essentiel de connaître la nature de nos agissements et de nos conflits internes ainsi que leur mode d'expression afin de mieux nous comporter face à cette impuissance.

Dès les premiers instants de la vie, nous pouvons discerner deux types d'activités: d'une part celles pour lesquelles nous sommes seuls face à nous-mêmes (comme par exemple les besoins naturels du corps), et d'autre part celles pour lesquelles l'adulte qui se charge de nous intervient d'une manière ou d'une autre, nous encourageant à poursuivre nos actions ou nous décourageant à travers son jugement. Mais la séparation entre les deux n'est pas vraiment réelle, car il arrive souvent que l'adulte s'immisce dans l'accomplissement des premières et qu'il décide de se désintéresser des secondes.

Il en résulte deux modes de comportement individuel : l'un étant relativement peu teinté d'émotion et l'autre, au contraire, toujours porteur d'une forte tension émotionnelle.

Dans le premier cas, nous ne faisons preuve d'aucune préférence. Nous pouvons indifféremment accomplir ou ne pas accomplir tel acte, ou bien encore le répéter. Ces actions impliquent rarement une hésitation. Ce sont les plus spontanées dont nous soyons capables et elles constituent l'essentiel de l'activité de l'adulte moyen.

Le second cas fait largement appel à l'émotion. Soit parce que l'individu a agi sous la pression du stress, soit parce qu'il a été dépossédé de son acte ou encore parce que le comportement imprévisible de l'adulte l'empêche de se situer. A moins d'avoir appris à s'en détacher, comment ne pas être particulièrement sensible à son alimentation, à ses vêtements ou à son physique lorsque, enfant, les adultes en ont fait grand cas ? Ce faisant, il arrive que nous prenions conscience de notre envie d'y mettre fin. Comme nous sommes poussés à *agir* plutôt que l'inverse, nous le faisons par compulsion, sous la pression d'une contrainte psychologique. Si nous n'agissons pas, nous prenons conscience d'une envie de faire ce que nous nous refusons. L'inhibition de ces actes est alors compulsive. La tension et la résistance sont un signe de conduite compulsive. Nous faisons un effort sur nous-mêmes. Ces tensions se traduisent par des crispations visibles au niveau des muscles du visage, du cou, de l'abdomen, des mains et des pieds.

Prenons un exemple simple : celui d'une enfant que l'on fait basculer la tête en avant. La première fois, l'enfant devient rouge, retient son souffle et contracte ses muscles fléchisseurs. En d'autres termes, elle se recroqueville, près de pleurer. Comme les parents ne cherchent qu'à amuser la fillette, ils lui donnent généralement le temps de se rendre compte qu'il n'y a aucun danger. Celle-ci alors se détend, sourit, et si le premier essai n'était pas trop violent ni trop désagréable, elle demandera à recommencer. Elle trouvera ce jeu de plus en plus plaisant car elle aura appris à contracter ses abdominaux pour ne plus avoir le cœur qui bat. Puis elle retiendra de moins en moins son souffle de façon à ressentir un soupçon de sensation désagréable. Il s'agit là d'un plaisir nouveau qu'elle aura appris à apprécier.

Ainsi donc un enfant peut-il comprendre, à travers son corps, les limites de sa propre tolérance. Avec le temps, il fera tellement de progrès qu'il en oubliera ses débuts difficiles. Il en va d'ailleurs toujours ainsi.

Le corps est sensible aux excitations de toutes sortes. Il faut le préparer à supporter les chatouilles, par exemple, ou les gestes brusques. Il suffit pour cela de savoir contrôler sa respiration et ses abdominaux. Si cet apprentissage se fait en douceur, le corps s'habitue progressivement et l'émotion se dissipe, transformant ainsi une épreuve en plaisir.

L'attente d'une émotion forte provoque toujours chez l'adulte des réactions physiques intenses. Nous avons le cœur qui bat, par exemple. Que faisons-nous alors, sinon contracter les abdominaux et retenir le souffle pour y mettre fin. Face à l'inconnu — que nous redoutons — nous nous contractons en prévision du pire.

Il en est ainsi tout au long de notre vie. Nous accueillons sans problème tout ce qui est familier, mais lorsque survient un événement inattendu, incongru ou imprévisible, notre corps réagit immédiatement, avant que nous ayons eu le temps de nous en rendre compte. Il s'attend à tout en permanence et avec angoisse. Cette dernière est inévitable et accompagne tous nos actes compulsifs. L'éducation devrait contribuer à éliminer ce phénomène et à aider chacun à se comporter de façon maîtrisée. C'est-à-dire à nous permettre d'être spontanés et naturels en toutes circonstances. Une bonne connaissance de soi à tous points de vue ne peut que favoriser l'éclosion de la maturité.

Il ne faut pas chercher ailleurs que dans l'échec de l'éducation l'angoisse que procure le besoin irrésistible de se réfugier dans l'action. La compulsion n'est d'ailleurs perçue que lorsque les motivations sont conflictuelles, c'est-à-dire d'ordre à compromettre la confiance en soi, à laquelle est liée l'image que nous avons de nous-mêmes et qui a été formée pendant la période de dépendance. Ainsi la beauté, la générosité, la virilité, la bonté ne servent-elles qu'à s'attirer affection, approbation ou protection en tout genre. Le danger est perçu chaque fois que l'un de ces atouts protecteurs risque de perdre son efficacité. Il peut conduire à l'effondrement de la personnalité ou à l'autodestruction selon qu'il est réel ou sans fondement. La peur devant un danger réel est un sentiment légitime que nous connaissons tous. Mais l'angoisse que nous nous infligeons parfois sans raison est dénuée de tout fondement et ne repose que sur le besoin de sécurité créé dans l'enfance.

A mesure que diminue notre dépendance à l'égard des adultes, nous affirmons notre capacité à agir par nous-mêmes et non plus à partir de schémas préconçus. Nous pensons alors pouvoir prendre le risque de n'utiliser que ce qui est utile et même de créer de nouveaux schémas. L'acquisition de la maturité permet l'abandon des schémas antérieurs. L'éducation devrait aider à y parvenir soit en facilitant la rupture avec l'habitude, soit en la perpétuant, lorsque cela est nécessaire. Toute éducation qui aurait failli à cette responsabilité n'est pas digne de ce nom. Elle ne sécrète que difficultés et problèmes dans le dur combat que nous nous livrons à nous-mêmes pour notre autonomie.

Les individus qui ont des difficultés émotionnelles se demandent souvent s'ils sont normaux puisque, contrairement à la plupart des gens, tout leur est une épreuve. Ils sont perpétuellement tendus. Ils ont des vertiges. Ils rougissent, pâlissent ou transpirent sans raison. Ils ont la bouche sèche ou éprouvent le besoin irrépressible d'aller aux toilettes sans réelle nécessité. Ils ont aussi parfois l'estomac noué ou des palpitations. Certains ont même l'impression qu'ils vont s'évanouir, ou exploser et perdre tout contrôle, ou les deux à la fois. Les hommes atteints d'impuissance ou les femmes incapables d'orgasme se reconnaîtront facilement dans cette symptomatologie. Les sensations que nous venons d'énumérer peuvent également être produites par une stimulation du vestibule de l'oreille, des rotations accélérées de la tête, ou un fort balancement du corps. Il en est de même lorsqu'on se baisse ou se relève brusquement. Tous ces hypersensibles, curieusement, détestent ce genre d'exercices et font tout pour échapper à ces sensations en se raidissant le plus possible. Les grands nerveux se reconnaissent à leur façon d'anticiper toujours tout. Ils veulent contrôler leur corps plutôt que de le subir.

Il n'y a là rien d'anormal, si ce n'est l'importance qu'on lui donne ainsi que la constance et l'intensité des sensations éprouvées. Il n'y a pas de différence de nature mais de degré entre les divers troubles, surtout quand ils sont d'ordre émotionnel.

Toute accélération exagérée, qu'elle soit linéaire ou

rotative, produira une irritation désagréable du vestibule de l'oreille, des nausées, des vertiges et autres symptômes. L'excessive sensibilité de certains et son impact nécessitent cependant une élucidation plus détaillée.

3.

ACTION ET MOTIVATION

La tension du corps est à l'origine de la plupart de nos actes essentiels. La faim nous pousse à manger, la fatigue à dormir et le besoin d'exercice à bouger. Ce faisant, nous atténuons et éliminons cette tension. Celle-ci étant la plupart du temps facile à localiser, nous n'avons aucun mal à l'identifier et à nous détendre. Mais ce n'est pas toujours aussi évident.

Certaines tensions sont plus diffuses. Elles ont leur origine dans le système nerveux central, se manifestent de façons souvent bien différentes et sont difficilement identifiables car elles ne donnent pas lieu à des réactions physiques précises et localisées. La sensation d'insécurité, par exemple, peut prendre des aspects si variés, affecter le corps à tant de niveaux, qu'il n'est guère aisé d'en cerner les manifestations. D'autant qu'elle varie d'une personne à l'autre ou d'une fois à l'autre, et ce pour un même individu. Tant que nous n'avons pas pris conscience de ce phénomène, nous avons du mal à croire que nous puissions être aussi ignorants de ce qui se passe en nous. Nous trouvons généralement une explication rationnelle à l'impatience, à l'angoisse et à l'irritabilité, propre à évacuer le problème. Lorsque ces sensations persistent au point de nous perturber, il devient important d'en localiser les manifestations physiques afin d'y remédier sans plus tarder.

Ces tensions définies et repérables motivent nos actions. Nous allons, pour les besoins de notre étude, élargir l'emploi du terme *motivation* à tous les types d'action. Nous allons par conséquent établir une distinction entre *motivation consciente, motivation refoulée* et *motivation réflexe,* selon l'origine et le trajet de la pulsion musculaire.

Les actes simples répondent à des motivations simples. Mais chez l'adulte aucun acte n'est vraiment très simple. Tournez par exemple la paume de votre main vers le haut. Maintenant retournez-la. Répétez ce geste cinq ou six fois en fermant les yeux. Puis ouvrez-les et retournez votre main encore une fois. (Arrêtez donc de lire et faites l'expérience avant d'en connaître la suite.)

Si vous êtes attentif, vous aurez remarqué que lorsque la paume de votre main est tournée vers le haut, vos doigts sont fléchis. Ils se redressent légèrement lorsque vous retournez la main. Vous avez donc fait quelque chose en plus. Vous n'avez pas bougé vos doigts volontairement, cela n'était pas nécessaire à l'exécution du mouvement et n'avait aucune raison d'être. Vous avez agi sans le savoir. C'est ce que l'on appelle un réflexe. Le poids des phalanges étant invariable, le réflexe aurait dû normalement se produire dans les deux cas. La taille des tendons et des ligaments n'intervient pas non plus car on aurait pu fléchir ou redresser les doigts davantage.

Cette différence vient de l'habitude que nous avons de tendre la main pour saisir des objets et de la refermer le reste du temps comme pour les ramener vers nous, les regarder, les sentir et les écouter.

Cette expérience a prouvé que vous n'étiez conscient que d'une seule motivation : tourner la main. Vous avez pourtant, sans qu'on vous le demande, accompli un mouvement supplémentaire et indécelable, par habitude et par réflexe. Afin de vérifier si cette explication est correcte, prenez maintenant une cigarette ou tout autre objet de petite taille entre le pouce et le majeur, et recommencez le mouvement. Vos doigts resteront tendus, quelle que soit la position de la main. Le maintien de l'objet est devenu la motivation première, et il faudrait une nouvelle motivation consciente pour permettre aux doigts de se fléchir.

Ainsi, il existe des types d'action qui, sans être des réflexes, se font à notre insu et par habitude, mais qui, au départ, étaient conscients. Quant aux réflexes, il faudrait pouvoir s'observer longtemps — et en sachant ce que l'on cherche — pour pouvoir déceler dans notre corps nos motivations internes.

Entre le réflexe, qui est une propriété purement physiologique du système nerveux, indépendante du vécu, et le mouvement automatique que nous venons de décrire, qui est quant à lui le pur produit de l'expérience mais qui est devenu un tel automatisme qu'il est difficile de croire qu'il a son origine dans un centre nerveux volontaire, il existe toute une série de cas limites. Au niveau de la coordination de nos actes, ces cas revêtent un aspect d'autant plus important qu'on leur a jusqu'ici accordé fort peu d'attention.

La théorie des réflexes conditionnés est célèbre. Un chien peut réagir de la même façon devant un bruit, une forme, un grattement ou un simple temps d'hésitation — qui sont des signaux arbitraires et ordinairement sans importance — que devant sa pâtée. Ce signal, qui se nomme *stimulus conditionné,* doit être répété une bonne douzaine de fois juste avant d'apporter la nourriture. Celle-ci est considérée comme *stimulus non conditionné* puisqu'elle ne requiert aucun souvenir pour déclencher chez l'animal un processus de salivation, d'absorption, de digestion et d'assimilation.

L'ordre dans lequel interviennent les stimuli est d'une importance capitale ; si l'on veut obtenir du chien qu'il salive, le signal doit être donné avant d'apporter la nourriture et non après. Ce résultat ne peut être obtenu que sur un chien ayant un système nerveux central parfaitement sain. Ainsi chez un oiseau ou un animal décérébrés non seulement il est impossible d'obtenir le moindre réflexe conditionné, mais encore tous ceux qui avaient pu être établis avant l'opération cessent de fonctionner. L'arrêt des réflexes conditionnés peut s'obtenir en portant atteinte au fonctionnement du système nerveux central, c'est-à-dire soit en prélevant les deux hémisphères cérébraux, soit en faisant absorber à l'animal de l'alcool ou de la drogue.

Il est important, pour bien comprendre les mécanismes du conditionnement, de savoir qu'ils nécessitent un système nerveux en parfait état de fonctionnement, car il existe un troisième type de comportement qui ne relève ni du réflexe ni de l'habitude, sur lequel on fait souvent une impasse, ou que l'on classe dans l'un des deux groupes dont nous venons de parler. Il s'agit d'actes stéréotypés qui s'apparentent par bien des aspects aux réactions de type névrotique. Au premier abord ils apparaissent délibérés, conscients et coordonnés. Toutefois, si l'on y regarde de près, on s'aperçoit que la motivation est non seulement douteuse mais tout à fait aléatoire étant donné l'indifférence accordée à la réalisation ou non de ces actes. Nous en déduisons alors que ce que nous prenions au départ pour un acte délibéré n'est qu'un signal conditionné arbitrairement, associé indirectement à un réflexe non conditionné de défense, d'alimentation ou de sexualité.

Afin d'y voir plus clair, examinons quelques travaux faits par le professeur N.A. Popov.

Expérience n° 1

Les pigeons thalamiques (c'est-à-dire ceux qui ont subi une ablation du cerveau jusqu'au thalamus) se déplacent parfois en cercle en roucoulant comme un pigeon normal faisant sa cour. Cette réaction peut être obtenue simplement en sifflant, en tapant dans ses mains, en ventilant les pigeons ou en secouant leur cage. La présence d'une femelle n'a, quant à elle, aucun effet. Ils peuvent recommencer ainsi des centaines de fois en quelques heures sans désemparer.

Expérience n° 2

Les poules thalamiques picorent à longueur de temps sans même chercher à se nourrir. Elles ne font d'ailleurs aucune différence entre les graines ou le gravier, qu'elles se contentent de disperser. Pour les faire picorer alors qu'elles se reposent, il suffit de leur parler, de les toucher, de remuer la cage, de siffler ou de les ventiler. Ce phénomène dure entre dix et quinze secondes, et peut se renouveler indéfiniment à intervalles réguliers, mais il cesse dès lors que l'animal est nourri de force.

Expérience n° 3

Deux chiots ayant subi l'ablation du cortex peu de temps après leur naissance continuaient cependant à trouver puis à manger la nourriture introduite dans leur cage pendant leur sommeil. Ils commençaient par frémir des narines, puis se pourléchaient les babines, levaient la tête, reniflaient, se levaient et tâtonnaient pour trouver la viande qu'ils mangeaient ensuite. Tout cela semblait parfaitement normal jusqu'au jour où l'on s'est rendu compte qu'il suffisait de leur frotter le nez avec de l'ammoniaque, de taper dans les mains ou de remuer la cage pour qu'ils se mettent à faire la même chose, dans le même ordre, sauf manger, bien entendu. La réaction était la même sur l'animal endormi, à condition seulement qu'un certain laps de temps se soit écoulé entre chaque expérience.

L'interprétation de ces observations devient évidente dès lors que l'on admet l'impossibilité de considérer ces réactions stéréotypées comme des réflexes, et ce pour deux raisons. Tout d'abord, chez l'animal sain, le réflexe faiblit jusqu'à disparaître si la stimulation n'est pas suivie de nourriture. Deuxièmement, la formation de liaisons temporaires individuelles dans la zone corticale et les ganglions sous-jacents est à la base même de la théorie de Pavlov sur les réflexes conditionnés. Or, dans les exemples que nous venons de donner, les animaux avaient subi l'ablation du cortex, et répétaient inlassablement des réactions stéréotypées sans qu'aucun stimulus inconditionné intervienne jamais ultérieurement. Le caractère cyclique de ces réactions stéréotypées apparaît donc comme propre aux centres nerveux inférieurs ; c'est-à-dire du même ordre que les besoins physiologiques. Nous associons d'habitude ce genre de réaction à un acte volontaire conscient ou réflexe (quand ce dernier concerne la survie : se nourrir, se protéger, procréer). Or, la constance des réactions stéréotypées en dépit de l'ablation des centres cérébraux supérieurs démontre qu'elles sont une propriété des centres inférieurs.

Les nouveau-nés répondent à toutes sortes de stimuli en tétant. Cette réaction disparaît immédiatement après chaque tétée. Il s'agit d'un conditionnement créé par la propriété innée des centres inférieurs à susciter des actes stéréotypés.

Ces conduites stéréotypées compulsives semblent si

bien coordonnées qu'il nous paraît difficile qu'elles ne répondent pas à un but précis. Nous parlons alors de motivation *inconsciente*. Mais ce phénomène peut très bien n'être qu'un signe de confusion ou de fatigue des centres nerveux supérieurs.

L'expérience suivante est instructive à cet égard. Suspendons un pigeon sans lui attacher les pattes. Puis fixons sur l'une d'elles une électrode et une tête enregistreuse. Nous procédons ensuite à une série de stimulations: nous ventilons le pigeon, nous le secouons, nous lui envoyons une lumière vive. Il n'esquisse pas le moindre mouvement de défense. Puis, pendant dix jours, nous faisons passer un courant électrique dans sa patte. Le pigeon se débat. Notons au passage que les stimuli n'avaient jamais été utilisés auparavant en même temps que le courant, pour éviter tout réflexe conditionné.

N'oublions pas que, d'habitude, un réflexe conditionné finit par disparaître si le stimulus conditionné se répète sans être suivi d'un stimulus non conditionné. Or, trois heures après, le pigeon continuait de réagir, et six mois plus tard il en était toujours de même. Aucune modification n'est intervenue après absorption d'alcool, ce qui, normalement, détruit tout réflexe conditionné.

Il existe donc trois types d'actes: *l'acte réflexe inné,* qui résulte de l'expérience évolutive de l'espèce, *l'acte habituel et conditionné* qui découle de notre propre expérience et nécessite l'influence régulatrice et inhibitoire des centres nerveux supérieurs, et *l'acte cyclique stéréotypé,* qui apparaît après l'affaiblissement des centres nerveux supérieurs de la conscience. Les réflexes se produisent à notre insu. C'est la raison pour laquelle nous ne sentons pas la contraction de la pupille à la lumière. Dans l'acte habituel ou conditionné, nous savons, ou nous pouvons percevoir les motifs pour lesquels nous agissons. Quant à l'acte stéréotypé, comme il est purement mécanique, nous devons donc essayer de comprendre *comment* il fonctionne, et non *pourquoi*.

L'acte conscient idéal se reconnaît à sa motivation unique et évidente. Le seul écueil à éviter est par conséquent l'ingérence d'éléments parasites provenant de l'habitude, du conditionnement ou du stéréotype. La plupart du temps nous échouons plus par un excès de zèle involontaire qu'en passant à côté de l'essentiel. Cela est particulièrement vrai lorsqu'il s'agit d'acquérir une discipline nouvelle. Nous sommes contractés et nous nous perdons dans des gestes inutiles. Ce n'est que plus tard que nous sommes conscients d'avoir fait bien plus qu'il nous était demandé. Nous pourrions savoir nager sur-le-champ si nous étions capables de nous en tenir aux seuls gestes qui permettent de se propulser dans la direction voulue. Tout le talent d'un bon nageur tient à ce qu'il ne fait jamais que les seuls gestes requis. Sa motivation est très claire et il agit *uniquement* en fonction de cela. Lorsque nous apprenons une nouvelle discipline, nous subissons un certain nombre de motivations qui relèvent de l'habitude et dont nous avons à peine conscience. Il est donc essentiel de s'en rendre compte et de s'en débarrasser.

Pour s'en convaincre il suffit de s'arrêter un instant sur n'importe quel échec ou semi-échec. Nous y trouverons toujours les raisons dans des motivations externes ou imputables à l'habitude.

Prenons le cas, par exemple, de quelqu'un qui « demande » un renseignement d'une manière telle qu'on doute qu'il obtienne jamais une réponse (et nous ne pouvons qu'admirer celui ou celle qui arrive à répondre simplement et sur un ton neutre). Celui qui a posé la question a cherché à provoquer son interlocuteur, comme si ce dernier n'avait pas d'autre choix que de lui répondre, et il a manifesté inconsciemment de l'hostilité à l'égard de l'autorité. La plupart du temps, d'ailleurs, ce genre de question constitue le type même de celles auxquelles il est impossible de répondre en termes simples et directs. La réponse est faite à la question telle qu'elle a été formulée, mais dont le vrai sens est ailleurs (et que n'importe qui peut deviner). C'est donc un échec, ou presque, qui incombe à des motivations sans rapport, et parasites, d'ordre coutumier. Son action produit toujours des résultats identiques : renforcer son hostilité constante à l'égard de l'autorité et un transfert de la responsabilité sur autrui (c'est-à-dire « on »). Celui qui agit ainsi ressemble à l'apprenti nageur, il en fait plus qu'il ne lui était nécessaire. C'est un « débutant » et son comportement est « infantile », puisqu'il ne sait pas encore gérer ses motivations en adulte.

De même, la culpabilité, la générosité ou la perfection peuvent donner lieu à des comportements similaires par besoin d'approbation. Il ne faut d'ailleurs en tirer aucun jugement de valeur. Personne ne peut prétendre changer le monde du jour au lendemain, mais nous pouvons au moins essayer d'améliorer, chacun, le nôtre. Un monde bien fait est celui dans lequel chaque acte est correctement accompli, donc de manière plus simple, mais difficile à exécuter.

Nous venons de voir la complexité avec laquelle notre système nerveux commande nos mouvements les plus élémentaires. Un long apprentissage est nécessaire avant de savoir se servir correctement d'une fourchette pour amener un morceau de nourriture à sa bouche. Tout acte, quel qu'il soit, résulte de la fusion d'un nombre impressionnant d'éléments. Si l'un de ces éléments diffère trop de nos habitudes, l'acte le plus simple devient difficile à accomplir, parfois même impossible.

Imaginez par exemple qu'au cours d'un dîner vous vous serviez d'un couvert à poisson pour manger votre viande. A la vue de cette méprise, vous risquez de rester interdit, alors que le sujet mûr, lui, continuera à se servir tranquillement de son couvert à poisson, ou bien changera de couvert. Il arrive aussi que certaines personnes ne sachent pas cacher leur maladresse. Pour être correctement accompli, tout mouvement a besoin d'une motivation unique ou dominante.

Chez l'homme, le simple fait de manger nécessite au préalable l'inhibition d'un certain nombre de motivations au profit d'une motivation dominante, qui elle-même en inclut d'autres. Les cas les plus simples sont ceux dont la motivation peut être attribuée à des mouvements réguliers du corps, comme la respiration, lorsque aucune motivation contradictoire ne vient en perturber le fonctionnement. En raison du facteur de dépendance, aucun de nos actes conscients n'échappe à ces motivations contradictoires. Les habitudes se forment en apprenant à maîtriser des motivations diverses pour en dégager des éléments dominants dans chaque domaine.

4.

RÉSISTANCE ET MOTIVATIONS CONFLICTUELLES

Nous venons de faire la distinction entre deux façons d'agir : celle répondant directement à des stimuli externes et qui ne concerne pas nécessairement les centres cérébraux supérieurs, et celle qui les concerne et dont nous sommes conscients. Entre ces deux extrêmes nous trouvons toute une série d'actes et de mouvements qui nous sont si familiers que nous n'avons même plus l'impression de les commander. Puisque nos muscles ont généralement besoin d'un influx nerveux pour se contracter, ces actes-là doivent avoir un influx d'une origine, d'une nature et d'un rythme différents. Les réflexes, nous le savons, sont dus à des influx provenant des centres nerveux inférieurs. Ils peuvent être inhibés volontairement. Cela est vrai particulièrement des muscles striés, ceux du squelette et auxquels nous devons nos mouvements. Nous contrôlons beaucoup moins bien les muscles lisses tels que les sphincters (de l'iris et de l'anus en particulier).

Les impulsions provoquant des actes réflexes atteignent les muscles plus rapidement que celles qui provoquent les actes conscients. Leur parcours anatomique est plus réduit et ils ont moins de relais. Lorsque le même événement peut susciter à la fois un réflexe et un acte conscient qui s'y oppose, le réflexe étant le plus rapide, notre corps refuse alors de nous obéir. L'attitude ou le mouvement induit par le réflexe semble préexister en nous et parallèlement nous devenons conscients d'une *résistance.* Avec le temps, nos actes coutumiers deviennent plus ou moins dépendants de notre volonté. Lorsqu'ils sont pratiquement automatiques, les impulsions ont, de ce fait, beaucoup moins de relais et leur vitesse devient comparable à celle d'un mouvement réflexe. En cas d'impulsion contradictoire, nous avons la même impression de résistance, qui paraît préexister à l'acte intentionnel. Or elle en fait bel et bien partie, mais il faut longtemps avant de l'apprendre.

Ce problème tient à ce que nous obéissons à des motivations conflictuelles. A moins d'une motivation dominante, nous avons du mal à agir correctement car les impulsions nerveuses qui commandent les muscles s'additionnent entre elles. Autrement dit, lorsqu'elles ne sont pas contradictoires, leur somme produit une impulsion plus grande ; dans le cas contraire, l'impulsion la plus importante produit une action dont la motivation résulte de la soustraction de la plus petite impulsion opposée.

Nous ne faisons bien que ce qui correspond à une motivation unique. Les actes qui nous demandent un effort considérable obéissent à une motivation plus ou moins dominante. Les échecs sont dus à des motivations conflictuelles d'égale intensité ou à une motivation inhibitoire plus puissante.

Malheureusement, l'évolution de la société humaine a abouti à créer autour de chacun de nos actes des motivations multiples.

Il incombe à toute société développée d'assurer sa continuité en formant les nouvelles générations, dont la dépendance prolongée permet une meilleure adhésion, rien ne pouvant, au départ, s'apprendre ou s'enseigner hors du cadre de la dépendance relationnelle absolue.

Il est d'autant plus difficile aux nouvelles générations de prendre le relais que la société est plus sophistiquée. Ils doivent alors se soumettre à des contraintes encore plus sévères, à moins d'une innovation radicale dans le domaine de l'éducation. D'ailleurs, nous le voyons bien, l'adolescence ne cesse de se prolonger. La fin des études intervient à l'âge où nos grands-parents étaient déjà chefs de famille. Nous quittons l'école lorsque nous avons atteint un stade de maturité sexuelle totale. Autrement dit, les premiers signes de l'indépendance commencent seulement à se manifester à un âge où nous sommes déjà physiologiquement mûrs. La dépendance sociale et économique propre à l'enfance est maintenue de force pendant la période de formation sexuelle. D'où le danger inhérent à cette situation pleine de contradictions, et les problèmes sexuels que cela entraîne.

Il résulte de cette analyse que la sexualité subit des contraintes le plus souvent d'ordre économique, mais aussi, et c'est bien là le pire, d'ordre affectif. En général, la période de transition entre l'adolescence et l'âge adulte permet de vérifier la valeur des schémas de comportement déjà établis. Lorsqu'ils sont rationnels, la sexualité pose peu de problèmes au jeune adulte, tant sur le plan physiologique que psychologique. Dans le cas contraire, toutes les erreurs commises — telles qu'excès de violence ou laxisme, trop grande indulgence ou agressivité, dogmatisme, autoritarisme — resurgiront dans sa sexualité (qui sera tardive et se développera dans des conditions défavorables).

La plupart des jeunes gens, par exemple, sont à ce point victimes de leur éducation qu'ils refusent de se marier sous prétexte qu'ils n'ont pas de situation ou de revenus. Ils ne songent même pas à se révolter. Ils estiment que pour épouser une femme, il faut pouvoir l'entretenir. (Pour ne parler que de l'une des nombreuses motivations externes en relation avec la motivation sexuelle principale.) Cet élément donne à lui seul la mesure des obstacles qui pavent le chemin vers la maturité sexuelle.

Notre civilisation occidentale impose une telle conformité au milieu social que la frigidité et l'impuissance ne devraient pas être considérés comme des déficiences physiologiques mais comme la réussite logique d'une éducation ratée. Normalement, l'action libère le corps de sa tension. Manger calme la faim, dormir ou se reposer calme la fatigue, se gratter calme la démangeaison. Il en est de même pour la sexualité. Le désir ne peut être assouvi que par un acte sexuel complet allant jusqu'à l'orgasme. Quand la tension n'est pas satisfaite (frigidité, impuissance) nous trouvons, à l'origine, des motivations parasites d'une intensité égale ou supérieure au désir et qui ne s'intègrent dans aucune motivation suffisamment dominante.

De plus, l'accumulation des motivations inhibitoires d'origine sociale qui se mêlent au désir finit par engendrer une telle confusion émotionnelle qu'il devient alors impossible de les discerner entre elles. Cela semble à peine croyable et, cependant, regardez le nombre de gens pour qui la sexualité n'est qu'un moyen de s'affirmer en tant qu'adulte ou de se faire admirer ! Ou bien encore ceux qui confondent le besoin d'affection ou de domination avec le désir, et pensent pouvoir les assouvir par le biais de la sexualité ! L'acte sexuel ne peut satisfaire que les pulsions sexuelles ; il est sans incidence sur les autres motivations. On ne peut arrêter une démangeaison en mangeant une tartine, ni apaiser sa faim en se grattant (bien que la démangeaison puisse paraître moins intolérable s'il y a du beurre et de la confiture sur la tartine!). Il en va de même pour l'acte sexuel qui ne peut en aucune manière satisfaire aux besoins d'affection, d'indépendance, d'approbation ou de pouvoir. Il ne peut donc guère apaiser la pulsion sexuelle lorsque celle-ci n'existe pas ou qu'elle se réduit à des motivations secondaires coutumières associées dans le passé à la sexualité. Le désir n'est alors qu'en partie assouvi, et cela conduit généralement à chercher indéfiniment le partenaire qui pourrait le combler.

D'où cette quête impossible qui conduit à la frigidité et à l'impuissance, en passant par le doute pouvant faire croire à une moindre libido ou à un manque de sensualité; il mène, la plupart du temps, à rechercher l'aide d'aphrodisiaques, de vitamines ou autres drogues plus stimulantes.

Plutôt que de regarder la réalité en face, beaucoup préfèrent croire à une faiblesse physique ou psychologique. Mais des carences réelles sont rares et sans intérêt ici. En vérité, rien n'est plus difficile pour l'immature que d'assumer ses responsabilités et il fera tout pour y échapper, quitte à se sentir coupable et à se prendre pour un être vil et l'incarnation du péché.

Cela implique la reconnaissance préalable de sa propre culpabilité. Le châtiment est alors considéré comme mérité, et il est, par conséquent, approuvé. Ce contexte est commun à tous ceux dont la maturité n'a jamais dépassé le stade infantile. Le caractère humiliant de la confession — qui cependant soulage — est perçu comme une punition volontaire. Le besoin d'approbation est, quant à lui, en partie satisfait par la présence d'un confesseur. Tout cela pour n'aboutir en fin de compte à aucune sorte de condamnation.

Si l'on examine le problème de plus près, nous voyons que les motivations réelles sont mal perçues, et les motivations conflictuelles fort répandues. Cela est vrai de la sexualité, mais s'applique également à d'autres domaines. Prenons les repas, par exemple. Combien d'enfants mangent-ils non pour se nourrir mais pour « devenir grands ». Il faut manger pour être un homme, pour qu'on vous aime, pour être sage. Plus tard, on mange parfois jusqu'à s'en rendre malade, parce que l'on se sent seul ou malheureux. Les boulimiques, par exemple, s'imaginent toujours qu'ils se sentiront mieux en mangeant. Cela, bien sûr, ne sert à rien sinon à s'alourdir et à ralentir les fonctions digestives, entraînant une torpeur physique et cérébrale qui abolit tous les sens et favorise l'oubli. Ainsi, l'espace de quelques heures, l'angoisse peut être effectivement, en partie, soulagée. Ce processus est sans fin et nous ne nous étendrons pas sur les conséquences pathologiques de la boulimie.

Le phénomène est le même chez les anorexiques, qui, à l'inverse, refusent de manger. Ce chantage permet aux enfants d'attirer l'attention et les marques d'affection de leurs parents. Plus tard, cela peut servir à obtenir — de soi comme des autres — des compliments sur sa silhouette, sa force de volonté ou son caractère raisonnable. Cela ne va pas, chez l'ascète, sans un certain masochisme qui le pousse à se dévaloriser pour mieux s'aimer et se faire aimer.

Tout ce qui répond à des motivations conflictuelles comporte nécessairement la notion de contrainte interne dont nous avons parlé plus haut. La tension ne peut pas être relâchée puisqu'elle n'est pas la motivation réelle de l'acte. Elle ne disparaît donc jamais complètement, réclamant sans cesse autre chose pour la satisfaire. D'où l'obsession avec laquelle certains s'acharnent à des tâches qui semblent totalement dénuées d'intérêt aux yeux des autres. Comme ces prétendus « grands hommes », qui n'ont réussi qu'à se rendre malheureux toute leur vie. Beaucoup pensent que la réussite n'existe qu'à ce prix et que sans souffrance, elle ne serait pas. *Je suis, quant à moi, convaincu du contraire. La réussite naît d'un travail bien fait et non de la souffrance. Il faut se délivrer de toutes nos motivations conflictuelles afin de nous exprimer pleinement.*

Nous agissons presque toujours en deçà de nos compétences. Entre celui qui agit et celui qui n'agit pas, la différence est quantitative et non qualitative. Il suffit que les motivations conflictuelles se trouvent soit éliminées, soit à leur tour contrariées, pour entrevoir nos possibilités latentes. Ainsi, un individu tout à fait moyen peut-il, sous hypnose, faire preuve d'une force égale et parfois même supérieure à celle d'un athlète entraîné. Dans ce cas, seule la motivation suggérée a été accomplie, ce qui permet à la force latente de se libérer. En temps normal, les motivations contradictoires entraînent une déperdition de la plus grande partie de cette force, dont seule une fraction reste disponible.

Je suis persuadé que nous vivons, le plus souvent, très en deçà de nos potentialités. Mais nous y sommes tellement habitués que nous ne nous en rendons même pas compte. Les « grands hommes » ne valent pas mieux que nous. Ils savent tout simplement mettre leurs compétences en valeur, écartant tout ce qui est de nature à diminuer leur efficacité. Ils vont droit au but, sans hésiter. C'est ainsi que Voltaire a écrit *Candide* en onze jours — à peu près le temps qu'il faudrait pour recopier son livre à la main.

5.

MILIEU ET COMPORTEMENT

La vie, comme tout ce qui évolue, doit être entretenue sous peine de cesser. Un corps vivant, par exemple, périt dès que le processus d'oxygénation s'arrête. L'organisme a évolué et s'est adapté au milieu avec lequel il forme un tout. Ainsi, il y a actuellement un lien étroit entre l'ensemble des organismes qui respirent et l'ensemble de la végétation qui contient de la chlorophylle. On a calculé que la totalité de l'oxygène contenu dans l'atmosphère passe plusieurs fois par an par l'ensemble des corps vivants et des végétaux.

Le comportement est à l'environnement social ce que l'adaptation organique est au milieu physico-chimique. Nous sommes, depuis la naissance, coulés dans un moule et adaptés à une certaine structure sociale. Toute la grandeur, la servitude et la misère du genre humain sont le résultat de cette adaptation. Du point de vue du comportement, le milieu social est un facteur essentiel. Les raisons organiques d'un trouble fonctionnel quelconque n'ont que peu d'importance en regard de la nature sociale de ce désordre. Le caractère anormal de la surdité ou de l'asexualité infligée volontairement dans la petite enfance par la castration réside dans l'obligation qui nous est faite de nous adapter à une société où personne n'a besoin de faire d'effort pour entendre, ou pour posséder une identité sexuelle. Être vivant ne suffit pas. Encore faut-il exister par rapport à la société. Les habitudes que nous contractons dès l'enfance nous préparent, sciemment ou non, à vivre dans une société conforme à celle de nos aînés. Tout ce que nous excluons de notre vie nous a été en réalité imposé afin de mieux nous couler dans ce moule.

Dans une société organisée telle que la nôtre, l'attitude et les réactions qui nous ont été inculquées prennent l'ascendant sur nos instincts, qui sont plus faibles, et il n'est pas rare que nous sacrifiions notre identité organique à notre identité sociale.

Imaginons un instant un individu, élevé dans un milieu entièrement stable, inchangé et dont le système nerveux serait aussi peu sollicité que celui d'un fœtus. En principe, les cellules nerveuses se développeraient et établiraient quelques connexions, mais le fonctionnement d'un tel système nerveux n'aurait pas grand-chose à voir avec l'environnement que nous connaissons. On peut se demander quelles seraient les images ou les représentations visuelles qu'il formerait hors de toute référence au monde extérieur. Il est vraisemblable qu'il percevrait la stimulation de ses cellules nerveuses, mais serait incapable de former une image et ne distinguerait ni couleur, ni contraste, ni perspective, ni même de lumière. S'il en était de même pour tous les autres sens, il aurait les impressions, les pensées et les pulsions que nous expérimentons tous, mais elles demeureraient des perceptions nerveuses internes. Ce serait un problème purement affectif. Ses pensées ne seraient reliées ni aux objets, ni aux sons, images ou odeurs qui nous entourent.

Quelle notion aurait-il de la beauté, en dehors du mouvement de ses muscles? Quelle idée pourrait-il se faire de l'amour, lui qui ne connaît rien de la vie ? Nous voyons donc que, sans cette expérience personnelle, il ne subsiste guère qu'un flux et reflux de stimulations internes, comme dans des moments de colère ou de plaisir, mais vides de cette précision que nous devons à nos sens.

Que pourraient signifier le bien et le mal pour quelqu'un qui n'aurait jamais connu ni récompense, ni châtiment, ni affection, ou qui n'aurait jamais été encouragé, ignoré ou rejeté ? Quel serait son comportement ? Serait-il hystérique, équilibré, intelligent ou ennuyeux ? Que signifie « ne pas avoir de vécu » ?

Notre imagination elle-même est à ce point ancrée dans notre vécu qu'il lui est indispensable. Nous pouvons à la rigueur procéder à quelques aménagements, changer l'ordre des événements ou leurs lieux, ou ajouter çà et là une touche d'originalité. L'hypothèse même d'un individu qui grandirait hors de tout contexte est en soi impossible. On ne peut sérieusement imaginer pouvoir se passer de manger ou de respirer ou de tout ce qui fait de nous des hommes semblables aux autres hommes.

Il me semble quant à moi impensable que nous ayons pu croire si longtemps au mythe de l'instinct, au sens inné de la justice et de la propriété, à la générosité et à tout ce qui passe encore pour faire partie de « la nature humaine ». La première notion de propriété vient vraisemblablement de ce que nous habillons nos jeunes enfants avec des vêtements qu'ils sont les seuls à pouvoir mettre. Ils comprennent parfaitement que certaines choses n'appartiennent qu'à eux. Dans les familles nombreuses, cette réaction est tempérée par l'arrivée d'un nouvel enfant. Le sens de la propriété est beaucoup moins affirmé chez les gens qui viennent de familles nombreuses que chez ceux qui n'ont jamais eu ni frère ni sœur.

La « nature humaine » que nous recevons en héritage n'est au fond qu'un système nerveux pourvu d'un éventail très large de possibilités. L'homme tel que nous le connaissons est le résultat d'un système nerveux adapté à un certain milieu en fonction d'un vécu propre, et doté d'un potentiel en partie refoulé par la longue période de dépendance. Ainsi, le désir peut-il naître, *virtuellement,* d'une infinité d'éléments aussi variés que la vue d'un sein, d'un visage voilé ou, pourquoi pas, l'odeur du beurre rance.

La sélection se fait en fonction d'un contexte qui valorise tour à tour chacun de ces éléments.

L'acquisition des attitudes, des habitudes et des réactions se fait par un mécanisme qui n'a rien d'exceptionnel. Or, *un mécanisme ne fonctionne, par définition, qu'à certaines conditions, et uniquement à celles-là.* Par exemple, l'étincelle d'un briquet ne peut produire de flamme que parce que le combustible est volatil. Mais le briquet se vide précisément à cause de cela.

De plus, le briquet ne peut fonctionner qu'à une certaine température, ni trop basse ni trop élevée. La durée d'un mécanisme est comprise et déterminée dans son principe même. Le mécanisme d'adaptation du comportement humain est à peu près semblable à cela.

Prenons le malheur, par exemple. Sans lui la vie paraîtrait inconcevable à certains, tellement cet élément leur est indispensable. Si l'on fait disparaître leurs sources de malheur, ils s'évertueront à en inventer d'autres pour leur plus grande satisfaction. Changer d'entourage ne sert pas à grand-chose ; telle cette femme qui, à son grand étonnement, s'est rendu compte au bout de trois mariages que ses trois maris successifs étaient tous pratiquement impuissants. La pauvre femme en fit une dépression nerveuse, et se plaignit amèrement de son sort en se demandant ce qu'elle avait bien pu faire pour mériter cela. En fait, son attitude envers les hommes et les relations qu'elle cherchait à établir avec eux étaient incompatibles avec une virilité normale. D'une totale bonté, incapable de prendre le moindre recul, prête à tout pour assouvir son besoin de sécurité, elle avait le don de dénicher et séduire tous les refoulés sexuels. Et comme si ce problème n'était pas déjà suffisant en soi, elle ne faisait que l'intensifier.

Il n'est rien de plus concret que le comportement. Il se forme, au fil des années, en fonction de ce qu'a été notre contexte personnel et chacun recherche les conditions idéales qui permettront de le reproduire, avec l'obstination d'un canard en quête d'une flaque d'eau. Nul ne peut vivre en étant pris au dépourvu. Nous avons besoin de nous sentir maître de la situation. *La vie forme un tout dans lequel notre comportement répond aux exigences du milieu et ce, quoi qu'il nous en coûte.* Pour changer le cours d'une vie, il faut avant tout changer d'attitude et de façon d'agir. Une simple modification de détail, soit dans l'environnement soit en nous-même, ne change généralement pas grand-chose et nous finissons par retomber tôt ou tard dans le piège de l'habitude. Le comportement — tout comme les potentialités, les inventions et les théories — doit être nourri par le milieu. Les nouveau-nés pleurent parce que leurs cris provoquent une réaction. Si cela avait pour effet de les faire mourir, il ne resterait plus que des bébés silencieux et la réaction de cause à effet entre leurs pleurs et l'attention reçue, que nous connaissons, disparaîtrait.

La symptomatique du comportement se résume à l'importance que chacun donne aux résultats qu'il obtient, en employant les moyens les plus efficaces pour y parvenir. Les problèmes personnels engendrent parfois un mélange inextricable de besoins d'approbation, d'attention et de sécurité qui ne peuvent être satisfaits que par le biais de l'autodestruction, de l'humiliation ou autre perversion. Quel que soit l'effet destructeur de ces moyens, ils continueront d'être employés s'ils sont perçus comme seule issue possible. Ceux qui réagissent ainsi le font en tout état de cause, sans se douter qu'ils pourraient parvenir à leurs fins autrement. Aussi quelle n'est pas leur surprise lorsqu'on leur fait comprendre — ou qu'ils réalisent d'eux-mêmes — que leur comportement, figé dans de mauvaises habitudes, est à l'origine de tous leurs problèmes.

Partant de ce principe, il n'est guère surprenant que les enfants ou les adultes qui ont invariablement recours à des moyens pour le moins malsains sont presque toujours très satisfaits d'eux-mêmes. Ils souffrent en silence, mais du moins ont-ils atteint leur but. Ils n'imaginent pas d'autres façons d'y parvenir.

Je connais quelqu'un qui a une drôle de voix. Chaque fois qu'il ouvre la bouche, que ce soit dans le bus, dans la rue ou n'importe où, il se fait remarquer. (Il n'a, faut-il le préciser, aucune malformation physique de la cavité buccale ou des cordes vocales.) Difficile à croire, mais c'est une façon pour lui d'obtenir ce qu'il veut. Je suis convaincu qu'il ne s'en rend d'ailleurs même pas compte. Pourtant il essaye désespérément de changer sa voix. Il a même pris des cours de diction. Mais rien n'y fait et sa voix continue d'attirer l'attention. Tout tient à l'environnement. Si l'on s'amusait à isoler cet homme de tout contact humain, il n'aurait plus besoin de parler, il ne pourrait plus comparer sa voix à celle des autres, il n'amuserait plus personne, il ne capterait plus l'attention. Il s'arrêterait donc de faire des bruits bizarres. Son problème cesserait tout naturellement d'exister, et il ne pourrait plus s'en plaindre.

Cela relève, bien sûr, de la fiction et ne peut être envisageable un seul instant. Il importe avant tout de savoir ce que nous *pouvons* faire en pareil cas. Concrètement. Nous savons donc que cet homme a, au départ, une voix curieuse que tout le monde remarque. Nous savons également qu'il essaye, en vain, de la changer. C'est donc qu'il doit, sans s'en rendre compte, utiliser ses cordes vocales d'une manière bien particulière.

Nous avons vu, en théorie, qu'il suffit de changer l'environnement pour faire disparaître le symptôme, ou qu'il faudrait changer les rapports de cette personne avec son environnement pour aboutir au même résultat. Je suis convaincu que lorsque ces tentatives sont couronnées d'échec, celui-ci est dû à une méconnaissance des causes profondes du symptôme.

C'est le cas pour cet homme ; et tous ceux qui ont essayé, en tâtonnant, de l'aider, sont passés à côté de l'évidence, comme nous le faisons la plupart du temps. Nous sommes nous-mêmes victimes de notre comportement et nous ne pouvons qu'interpréter les faits lorsque nous essayons de les comprendre.

Tous nos symptômes se manifestent de façon concrète. Nous en sommes plus ou moins conscients selon que nous sommes habitués ou non à certaines réactions. Nous *apprenons,* finalement, à nous comporter d'une manière ou d'une autre. Si nous voulons changer, nous devons changer de contexte ou apprendre à réagir différemment. Cela n'est possible que si nous sommes parfaitement conscients des causes de notre problème. Ces causes, et leurs conséquences, proviennent à la fois du monde qui nous entoure et de nous-mêmes. La plupart du temps il est plus commode de changer ses réactions avant de changer le contexte, encore que les deux soient possibles en même temps. Comme je l'ai déjà dit auparavant, notre comportement et le milieu dans lequel nous vivons ne forment qu'un tout, à tel point qu'il est impossible d'agir séparément sur l'un ou sur l'autre.

Comment naissent les habitudes de comportement

L'idée que nous nous faisons du comportement humain remonte à nos origines. Soit nous nous comparons aux autres animaux sans distinction, ce qui est absurde, soit nous considérons que nous sommes des êtres « à part » pourvus d'une âme, et doués d'une « nature » à laquelle nous ne pouvons rien changer.

Les faits sont en contradiction avec les principes. Sur le plan des réactions individuelles, notre hérédité est tout de même limitée. D'un côté nous parlons volontiers « d'instincts », alors qu'il s'agit « d'habitudes acquises », par assimilation avec la précocité des réactions animales. Les chevreaux, comme les poulains, savent marcher et sauter pratiquement dès la naissance. Il faut des années à un homme pour en faire autant, et encore, ce n'est pas toujours le cas. D'autre part, si un enfant « tourne mal », ou, au contraire, s'il évolue bien, nous ne tenons pas compte du contexte dans lequel il a grandi. Or, il faut comprendre qu'il ne fait rien d'autre que réagir à son environnement.

Les muscles sont le seul organe exécutif d'un être vivant. L'homme a besoin de temps avant de savoir les contrôler. L'animal, de son côté, y parvient peu de temps après la naissance. Nous sommes par conséquent beaucoup plus vulnérables à l'influence de notre environnement.

Nous parlons souvent de notre sens inné de la beauté. Nous sommes, certes, capables de l'apprécier, mais il ne faut pas oublier que nous puisons notre sensibilité dans le milieu dans lequel nous vivons. L'oreille européenne n'a pas d'affinités particulières, au départ, avec les sonorités d'origine asiatique. Certains de nos phonèmes peuvent paraître curieux pour qui y est étranger. Tout est affaire d'habitude.

Tous nos malheurs viennent de ce que nous finissons par tout mélanger: tantôt nous parlons d'instinct animal, tantôt d'un comportement spécifiquement humain.

Prenons l'exemple de M. X, technicien supérieur. Il se dit impuissant. Il est parvenu à cette conclusion parce qu'il n'a pas d'érection spontanée dès qu'il est en présence de sa partenaire. Ce faisant, il s'inquiète et ne cherche même pas à persévérer. « N'importe quel animal, dit-il, a automatiquement une érection dès l'instant où il voit sa femelle.

— Comment le savez-vous?

— J'ai été élevé dans une ferme, et c'est ce que j'ai vu.

— C'est exact mais votre interprétation et vos conclusions, elles, sont erronées. Le taureau, par exemple, est excité par l'odeur de la vache en chaleur, et, si le vent souffle dans la bonne direction, il sentira sa présence bien avant que la vache n'arrive près de lui. Il n'a pas l'habitude de refouler ses désirs, qu'il s'agisse de sa mère, de sa sœur ou de la femelle d'un autre. Chez l'homme, la sexualité n'est pas uniquement d'ordre physiologique. Elle dépend également de son conditionnement psychologique. Toute comparaison avec les animaux relève du phantasme. »

Il fut conseillé à ce monsieur de mettre un chiffon imprégné d'une forte odeur sur le museau du taureau. Ce qu'il fit. Il constata ainsi que le taureau ne remarquait plus l'approche de la femelle et que, une fois le chiffon enlevé, il mettait, lui aussi, un certain temps avant d'avoir une érection.

L'impuissance, en sexualité comme ailleurs, naît souvent de l'imagination. On interprète la pensée de l'autre et on prend sa propre interprétation pour la réalité. Et cela sans avoir jamais cherché à vérifier quoi que ce soit.

Le conditionnement dont nous faisons l'objet, notre attitude et nos blocages sont seuls responsables de nos échecs. Nous pouvons les éviter en apprenant à nous comporter en harmonie avec nous-mêmes et en sachant qu'il s'agit là de *l'essentiel.*

6.

DÉPENDANCE ET MATURITÉ

Toute comparaison entre l'homme et les autres animaux est faussée par l'omission d'un facteur essentiel : la dépendance. On peut faire danser un ours, mais encore faut-il l'avoir d'abord capturé puis dressé ; c'est-à-dire l'avoir rendu totalement dépendant de nous pour sa nourriture et sa survie en général. Sans cette dépendance il est impossible de conditionner le moindre réflexe chez le chien, pas plus que l'on ne peut enseigner à un enfant le langage ou les bonnes manières. Elle est indispensable et préalable à toute éducation, à toute habitude et à ce que l'on nomme globalement « l'apprentissage ».

Il faut faire une nette distinction entre la dépendance matérielle ou mécanique des êtres humains en rapport avec l'environnement (comme la pesanteur et autres éléments physiques et chimiques de l'univers), et celle, provisoire, des êtres entre eux. La première a formé l'adaptation évolutive des espèces et la seconde, l'adaptation individuelle de chacun. Chez l'humain, où l'enfant dépend totalement de ses parents pour une période comparativement plus longue que la plupart des jeunes animaux, ces deux dépendances sont étroitement mêlées, créant ainsi de la confusion mentale. L'adaptation individuelle conditionne largement l'acquisition du contrôle volontaire du corps, et celui-ci varie donc d'un individu à l'autre en fonction de son expérience personnelle. Le contrôle volontaire des muscles s'acquiert en grande partie après la naissance. De ce fait, leur développement dépend étroitement des conditions d'adaptation : les muscles les plus fréquemment utilisés étant favorisés par rapport à ceux qui ne sont pas ou peu sollicités.

L'impossibilité de contrôler longtemps et volontairement les muscles résulte d'une association extrêmement complexe des différentes tensions du corps dans des schémas de réponses éminemment personnelles qui n'ont théoriquement rien à voir avec les propriétés naturelles du système nerveux de l'humain. Certains schémas de comportement se reproduisent avec une telle régularité que nous sommes tentés de les considérer au premier abord comme des caractéristiques évolutives. Ainsi, chez l'adulte, la peur de l'isolement et de la solitude peut sembler instinctive. Or, compte tenu de la totale dépendance de l'enfant par rapport à l'adulte, il est impossible d'évaluer avec précision le degré d'influence du milieu sur la formation de ces peurs. Cependant, sachant par exemple que l'attitude des parents envers un enfant qui pleure (réaction immédiate, sensibilité) possède un impact observable chez tous les enfants, sachant également qu'un grand nombre de troubles du comportement sont dus à de mauvais rapports familiaux pendant la petite enfance, nous pouvons affirmer sans danger que la peur de l'isolement est née du stress lié à la dépendance.

La nécessité d'une présence adulte influe de manière décisive sur la formation des schémas de comportement requis pour les relations avec autrui. Le désarroi de l'enfant laissé seul tend à se reproduire quand le schéma est amorcé. La dépendance totale et à long terme par rapport à l'adulte nourrit toute une série de réponses et de caractéristiques liées à la tension musculaire. Les besoins d'attention, d'affection, d'approbation, de récompense et de punition sont entretenus par cet état de dépendance fondamentale. C'est ainsi que l'enfant cherchera à provoquer des réactions chez l'adulte, et celles-ci détermineront sa structure émotionnelle. De la dépendance physique naissent les modes de réaction, les schémas de comportement et d'attitude, mais aussi les mécanismes de survie et de protection émotionnelle et sociale. Le besoin de sécurité est directement lié à la dépendance. Quoi de plus naturel, par conséquent, que de retrouver à la fois cette dépendance mais aussi le besoin irrésistible d'indépendance à la base de toute activité humaine? Et cela est vrai de toute manière d'agir et de penser.

La dépendance est une évidence. Elle fonde toutes nos habitudes depuis les premiers instants de la vie, si étroitement mêlées à l'essence même de notre personnalité qu'il est souvent difficile d'en évaluer l'impact. Chaque fois que nous essayons d'analyser les troubles du comportement, nous nous heurtons aux effets de ce facteur tout-puissant.

Théoriquement, si nous admettons que la maîtrise de soi différencie l'homme d'un organisme purement mécanique, l'âge adulte devrait amener à la libération de toutes les restrictions imposées par la totale dépendance de l'enfance. L'adulte devrait se départir de la crainte de la solitude en général, *a fortiori* de la peur de l'abandon qui obsède tous les enfants. Il devrait être capable d'agir indépendamment de toute attention, approbation ou désapprobation, et de toute affection. Cela ne signifie pas, bien entendu, qu'il faille négliger l'impact de nos actes sur autrui. Nous devons simplement nous méfier de l'habitude. Nous devrions pouvoir contrôler nos actes consciemment et nous laisser aller à un comportement enfantin si tel est notre désir ou notre intérêt. Dans les faits, cependant, la plupart d'entre nous ne sortent jamais des schémas de l'enfance et continuent de se comporter socialement de telle façon que rares sont les fois où l'erreur apparaît évidente, qui consiste à attribuer à l'instinct nos pulsions émotionnelles. Chez beaucoup d'individus, le besoin d'attention demeure aussi puissant que dans leur enfance. Chez d'autres c'est celui, forcené, d'affection. Chez d'autres encore, le désir d'approbation ou la peur de la désapprobation deviennent le pivot de toute leur personnalité. Seules des circonstances exceptionnellement favorables sauvent ces individus de chocs douloureux. Ils trouvent généralement le monde hostile et ont recours à des échappatoires telles que le destin, Dieu et autres puissances inévitables qui pallient leurs insuffisances.

La maturité tardive ou, en d'autres termes, le développement émotionnel interrompu résulte du facteur de dépendance. Pendant des siècles, les parents ont exercé sur leurs enfants une pression psychologique si forte que leur comportement d'adulte, plus tard dans la vie, en portait encore l'empreinte. Une telle tyrannie apaisait leur propre insécurité, leur assurant une subsistance pour leurs vieux jours. Depuis des générations, et encore maintenant dans certains pays, le bien-être matériel de la famille repose sur la dévotion filiale.

L'attitude normale des parents devrait tendre à libérer peu à peu les enfants de la servitude que la dépendance engendre nécessairement. *La structure émotionnelle de base — qui est inévitable compte tenu de la totale et longue dépendance de l'enfant — doit disparaître, et non continuer d'être entretenue, comme elle l'est encore trop souvent de nos jours.*

La dépendance de l'enfant par rapport aux parents diminue progressivement. Le développement des terminaisons nerveuses et de ses faisceaux de communication lui permet d'assumer seul la protection de son corps et son autonomie de déplacement. La dépendance passe progressivement de celle des parents à celle d'autres adultes pour parvenir à celle de la société. Mais les pulsions émotionnelles, qui traduisent une tension physique, ne peuvent se libérer que sur le mode infantile, à moins que le sujet n'ait franchi un certain cap qui lui permet de s'en passer.

L'influence de la dépendance relationnelle sur nos habitudes de vie est énorme. Elle peut les conforter comme elle peut les détruire ; auquel cas elles s'éliminent d'elles-mêmes. L'information unique la plus complète que l'on puisse recueillir au sujet d'un individu tient à la nature de sa dépendance à la société. Le fait de savoir si telle personne est artiste, tailleur, agent de change, prostituée ou cambrioleur renseigne plus sur elle qu'une description minutieuse de son physique. Sans elle, un individu n'existe pas plus qu'un personnage de roman. L'échappatoire, quelle qu'elle soit, consiste à nier l'idée de sa propre dépendance.

Le paléontologue français Cuvier affirme qu'une seule dent suffit à identifier un animal. S'il possède les canines d'un tigre, il ne peut s'agir que d'un prédateur. Il doit donc être agile, rapide, avoir un système digestif de carnivore et vivre dans une région de chasse. Ce qui est vrai à l'échelle évolutionnaire l'est d'autant plus pour nous, car la période qui précède l'âge adulte équivaut bien souvent au quart de notre espérance de vie. Ainsi nos habitudes alimentaires, sociales ou sexuelles ou encore notre conception de la liberté ne sont que le résultat de notre dépendance. Dans un couple, la relation avec l'autre dépend moins des atouts physiques de chacun que de l'empressement avec lequel on a donné à chacun, enfant, son biberon. Nous ne savons vivre que sur un seul modèle : celui forgé dans l'enfance par notre dépendance relationnelle. Ainsi ne faisons-nous que recréer indéfiniment les conditions propices à ce type de réaction.

Mais cela n'est valable que dans les domaines pour lesquels nous manquons de maturité. La croissance n'est jamais subite ou uniforme. Certains domaines progressent plus vite que d'autres. Avec le temps, les disparités se font plus visibles. Les tendances naturelles, renforcées par la dépendance, excluent souvent tout progrès ultérieur sur certains points. Cet effet se fait sentir plus manifestement à chaque étape.

D'une manière générale, plus un comportement est tardif, plus nous avons tendance à nous ancrer dans nos habitudes. C'est la raison pour laquelle les relations sexuelles et l'adaptation sociale sont sujettes à tant d'erreurs. Récemment encore, l'éducation était si dogmatique et les parents si sûrs de connaître la vie qu'ils n'hésitaient pas à se servir du facteur dépendance pour étouffer le tempérament naturel de leurs enfants. Pour leur bien, naturellement. Rien d'étonnant, par conséquent, à ce que les rapports de tant de couples ne soient que le prolongement de ceux qu'ils avaient avec leurs parents. De plus, le mal qui en résultait passait inaperçu puisque la souffrance était généralement considérée (à cause du péché originel) comme inhérente à la nature humaine. Comme les deux sexes souffraient du même refoulement affectif, du même manque de maturité, les échecs étaient probablement plus rares que nous n'avons tendance à le croire.

L'être humain, tel que je l'ai présenté jusqu'ici, apparaît plutôt comme une glorieuse machine n'ayant pas grand-chose à dire sur son propre fonctionnement.

Cependant, nous ne pouvons pas manquer de constater que l'homme est capable aussi d'agir selon sa propre intitiative, et de façon radicalement opposée aux schémas préalablement établis. Cette tendance relève le plus souvent de domaines ayant échappé à la rigueur de la dépendance et accessibles à un certain degré de maturation.

La maturité n'est pas un état auquel on accède et qui demeure tel invariablement. C'est une façon d'agir qui offre une alternative aux schémas de comportement imposés par la dépendance relationnelle.

Certains modes de comportement peuvent être également rejetés par le sujet mûr. Ce rejet est alors délibéré (bien que chez le sujet immature le rejet par habitude semble également délibéré). Afin de savoir s'il est volontaire ou si le caractère étrange de l'alternative le fait paraître tel, il faut accepter le nouveau schéma et observer nos propres agissements. Le sujet mûr ne ressent jamais ni répulsion, ni aversion, ni même aucun plaisir à la *pensée* de ce qu'il ne fera pas ou ne devrait pas faire. Il n'éprouve jamais la sensation d'avoir compromis sa sécurité.

Pendant la période de dépendance, le sentiment de sécurité repose sur la conformité aux exigences des adultes. Parce que sa vie en dépend, l'enfant fera tout pour susciter la tendresse, l'approbation, l'attention et l'affection de ses parents. En se conformant à la norme imposée par la dépendance, l'enfant apprend à associer la notion de sécurité à l'approbation de ses actes. La maturité est le seul rempart contre l'angoisse qui étreint un individu à la simple idée d'avoir pu, d'une manière ou d'une autre, compromettre cette sécurité dans son enfance. La manifestation physique de cette angoisse se traduit par la contraction des muscles fléchisseurs et particulièrement ceux des phalanges et de la mâchoire inférieure. De plus les extenseurs perdent de leur tonicité et la tête s'incline. Nous verrons plus tard comment nous réagissons, dans la vie de tous les jours, pour éviter cette angoisse. Il ne s'agit pas pour autant de contourner la difficulté. Tôt ou tard nous devrons y faire face et assumer nos responsabilités si nous voulons évoluer et parvenir à la maturité. Tel est le prix de l'accomplissement de chacun ; sans cela la vie ne vaut guère la peine d'être vécue. Il faut dépasser cette dépendance relationnelle, refuser d'être l'enfant sage que l'on récompense d'une friandise, ne plus se plier aux désirs des autres. Alors seulement nous pourrons former une société de progrès et de créativité.

7.
CHÂTIMENT ET RÉCOMPENSE

Le moindre mouvement d'un nouveau-né a des répercussions sur l'ambiance dans laquelle il baigne. C'est l'expression concrète de son entière dépendance. L'attitude des adultes consiste à manifester sans cesse leur approbation ou leur désapprobation. Parfois, l'enfant entend des bruits apaisants; il sent des mains qui le prennent et le retournent délicatement. A d'autres moments les bruits se font plus forts, on le saisit de façon brusque en l'agitant dans tous les sens. Les nouveau-nés sont très sensibles aux mouvements brusques. La peur de tomber se manifeste déjà quelques minutes seulement après la naissance; lorsqu'ils sont soumis au test de chute leurs muscles fléchisseurs se contractent et ils expriment leur anxiété par toutes sortes de changements. Cette peur reste toujours présente, et nous avons les mêmes réactions à l'âge adulte. L'enfant apprend donc très vite à faire la relation entre certains de ses actes et les sensations qu'il éprouve.

La seule présence du tout-puissant adulte suffit à donner à l'enfant un sentiment de sécurité. Inversement, son départ est ressenti comme un abandon. Rester seul est synonyme de détresse. Les enfants apprennent ce qu'est l'affection au contact des adultes qui leur en témoignent ; mais si celle-ci leur est retirée, ils ont l'impression d'être abandonnés. Cela se traduit au niveau du corps par des tensions dont nous ne sommes généralement pas conscients et qui persistent longtemps après. Leur fréquence et leur intensité nous les rendent si familières qu'il devient alors difficile de faire la part des choses en toute subjectivité.

Si l'adulte est très attentif, l'enfant cherchera systématiquement son approbation pour chacun de ses actes. S'il ne l'obtient pas, il se sentira seul, abandonné et se repliera sur lui-même. Vous connaissez probablement autour de vous des gens qui ont besoin d'encouragements, de compliments et de marques d'intérêt pour tout ce qu'ils font. Faute de quoi ils sombrent dans l'apathie et la dépression.

Dans une certaine mesure, ce genre de réaction existe en nous à l'état latent. Les « grands hommes » eux-mêmes souffrent lorsqu'ils ne sont pas compris. Le besoin de décorations, de titres et d'honneurs n'est rien d'autre que la manifestation logique de ce besoin d'approbation qui remonte à l'enfance. Le pur-sang qui remporte le Derby d'Epsom est plus sensible aux félicitations de son jockey — sans lequel il aurait d'ailleurs pu courir plus vite — qu'à celles du public. Mais les chevaux peuvent, eux aussi, être conditionnés à recevoir un morceau de sucre en récompense.

Tous ces sentiments sont, au départ, à peine marqués. Ce n'est qu'avec le temps qu'ils prennent les proportions que nous leur connaissons chez certains adultes. Par la suite ils s'associent à nos habitudes alimentaires, à notre démarche et jusqu'à notre sexualité ou notre façon de travailler.

Les dépressions nerveuses, quelle que soit leur gravité, révèlent un ou plusieurs aspects de notre dépendance à l'égard des adultes. Certains ont besoin d'approbation, d'autres de sécurisation, d'autres encore d'affection, pour parvenir à apaiser leur angoisse.

La psychanalyse a fait faire de grands progrès, ces dernières années, dans ce domaine. Au cours d'une analyse, le patient est amené, par une certaine technique, à opérer un retour sur son passé à travers son subconscient. Sa dépendance relationnelle aux adultes d'hier ayant évolué, il peut désormais trouver un apaisement à ses conflits antérieurs. Il a, pour la première fois, la possibilité de faire front en toute sérénité. Il peut comprendre ses émotions et en calmer la violence.

La Gestalt thérapie, quant à elle, ne travaille pas sur le matériau de l'inconscient. Elle amène le patient à prendre conscience du rôle qu'un grand nombre de sensations — dont celles dont nous avons parlé — ont joué dans sa vie. Partant du présent, le thérapeute retrace les événements qui ont jalonné le parcours de son patient, qui comprend peu à peu comment il a pu être victime de ses émotions. Il l'aide également à les identifier, afin de s'en défendre à l'avenir.

L'attitude initiale de l'adulte, qui tantôt approuve, tantôt désapprouve (et qui, face à un nouveau-né, se traduit généralement par un effort de maîtrise de soi plutôt que par une intervention quelconque), évolue peu à peu vers des démarches facilement identifiables. Parallèlement, le monde présente beaucoup plus de dangers pour l'enfant. Il tombe, ou se brûle. Cela est fréquent et fait partie du processus d'adaptation de l'individu à son environnement. Les punitions ne sont pas une mauvaise chose en soi, à condition que leur valeur éducative n'ait pas été pervertie par une charge émotionnelle trop grande ou par une attitude trop irrationnelle. En pareil cas, l'enfant n'a plus de repères et se rend compte que sa conduite produit des effets inverses selon les jours.

Lorsqu'un enfant se brûle, il pleure et apprend à ne plus toucher le feu. Cela ne se fait pas toujours en une fois, mais ne laisse aucun traumatisme, même si cela est un peu douloureux. Mais si un adulte brûle un enfant à dessein, celui-ci en sera gravement perturbé et cela risque de compromettre l'ensemble du processus d'adaptation. Si un enfant se casse la jambe en tombant, cela ne l'empêchera pas de recommencer très vite à courir et à sauter. Par contre, si son père le blesse en le frappant, il aura sans doute de graves problèmes d'adaptation sociale. Les punitions infligées par le monde physique, comme une brûlure après avoir touché au feu, sont courantes, immédiates et explicables. On peut apprendre à les éviter. Un enfant comprend très vite la relation entre ce qu'il a fait et la punition qui s'ensuit. Il s'agit tout simplement d'en prendre conscience, et ensuite de l'éviter, ou d'en accepter les conséquences dans la mesure où elles ne sont pas trop graves. Cela n'entraîne généralement aucun traumatisme et laisse rarement des séquelles.

Il en va rarement de même avec les punitions infligées par les adultes. Les enfants ont parfois du mal à comprendre pourquoi ils sont punis. De plus, ils ont peur de n'être plus aimés et le sentiment d'abandon vient s'ajouter à la douleur physique. L'angoisse est telle que l'enfant peut aller jusqu'à embrasser la main qui l'a frappé si les parents l'exigent. *La perte du sentiment de sécurité est bien plus angoissante que la douleur du châtiment.* Elle pervertit les modalités de rapport au réel car elle transforme les relations de dépendance en épouvantail et par conséquent empêche d'en tirer le moindre enseignement.

Ce type de punition est malsain. Il rend les relations

beaucoup plus difficiles et détruit l'outil éducatif. L'enfant en est réduit à ne plus compter que sur lui-même au moment où il n'en a pas encore les moyens. Les conséquences ne peuvent qu'en être préjudiciables.

Cependant, les punitions, qui sont à l'origine de nombreux problèmes, ultérieurement, semblent bien innocentes : la *menace* est plus dissuasive que la punition elle-même, à condition toutefois qu'elle soit maintenue, c'est-à-dire tant que la menace continue de planer. Il est tellement plus simple, pour un adulte, de faire peur à un enfant que de faire l'effort d'intervenir directement ! La menace d'une punition est efficace dans la mesure où l'enfant pense qu'elle est réelle et qu'elle a des chances de se réaliser. Ce procédé est tout aussi valable auprès des adultes immatures que des enfants. Une menace n'est jamais constructive. C'est un chantage à la peur. Elle est presque toujours dissuasive, mais elle va malheureusement souvent bien au-delà.

Lorsque la punition concrète, réelle, tombe, l'enfant peut en juger les effets et en accepter les conséquences, s'il a tiré de ses actes les gratifications qui vont avec. Lorsqu'une menace n'est pas mise à exécution, elle plonge l'enfant dans une profonde perplexité. Rien ne l'empêche matériellement de continuer à désobéir, la punition tant redoutée n'a pas d'existence réelle et l'enfant se trouve dans l'obligation de voir jusqu'où il peut aller trop loin.

Ainsi, par exemple, lorsqu'on invoque toutes sortes de raisons pour empêcher qu'un enfant joue avec son sexe : « Tu resteras toujours petit, c'est très vilain, tu vas perdre la mémoire, tu ne pourras jamais avoir d'enfants, tu finiras dans le ruisseau, etc. », il ne sait jamais si tout cela est vrai ou non. Il va passer son temps à guetter le moindre indice et, pour cela, il va bien sûr continuer de faire ce qu'il était sensé ne plus faire, en s'attendant chaque fois au pire. Pendant qu'il se masturbe, l'enfant remarque, tout naturellement, qu'il se met à transpirer et que son cœur bat plus vite, ce qu'il associe aussitôt avec le destin tragique qui lui a été promis et dont ces manifestations ne sauraient qu'être annonciatrices. La preuve est là, le châtiment serait donc bien réel. Il essaie alors de résister, jusqu'au moment où la pulsion physique — dont il n'est pas responsable — est la plus forte. Et ainsi tout recommence. Il est convaincu qu'il est vraiment pervers et qu'il n'aura que ce qu'il mérite. Mais il n'y peut rien, il en perdra sa vitalité et il fera des cauchemars, à moins d'un changement radical de son entourage. Un grand nombre d'adultes immatures se trouvent dans la même situation, faute de meilleure information, et restent perpétuellement tourmentés.

Heureusement, il faut plus d'une erreur pour engendrer un tel cercle vicieux, à moins que la première n'ait été très mal vécue. Il suffit que l'enfant puisse canaliser son imagination dans un certain nombre d'autres événements. Mais les enfants décèlent assez vite les faiblesses de leurs parents et leur équilibre se trouve conforté par ces doutes.

La promesse d'une punition rejoint, sur le plan de l'efficacité, l'exécution de celle-ci, en laissant le temps à l'enfant d'imaginer ce qui pourrait se passer, tout comme il a le temps, après une punition, de méditer sur ce qui lui est arrivé. Il en découle un grave sentiment de culpabilité. Même si tous les cas ne sont pas absolument identiques, le processus, quant à lui, est établi une bonne fois pour toutes et restera à vie, comme marqué au fer rouge.

Réalisme et vérité absolue

Il est courant de parler d'une conduite comme étant « objectivement bonne »; nous entendons par là une attitude envers le monde extérieur qui serait libre de toute subjectivité. Il n'est rien de tel en vérité. Nos émotions commandent jusqu'à nos décisions les plus impersonnelles. Ce n'est qu'une question de degré. Nous avons l'impression d'être objectifs lorsque nos émotions ne sont pas contradictoires ou que la force de l'habitude les a banalisées. En fait, rien ne garantit l'absence de contradiction. Nous finissons simplement par ne plus en être conscients. Ainsi, le père qui terrorise son enfant parce qu'il joue avec une partie de son corps située en dessous de la ceinture est à ce point persuadé de bien faire qu'il se croit objectif et se prend ensuite à lui raconter des choses qui n'ont rien à voir avec la réalité. *La vérité objective n'existe pas. Au mieux nous nous contentons d'être plus ou moins subjectifs.*

Il n'y a pas de règle absolue en matière de conduite. Elle se doit d'être en situation, c'est-à-dire appropriée, et seul en sera capable l'individu ayant une maturité suffisante pour faire bénéficier le présent de son expérience. L'objectivité absolue est donc impossible dans la pratique, puisque chacun reste seul juge de sa conduite et que cette appréciation repose entièrement sur son propre vécu.

On nous a appris qu'il fallait toujours dire la vérité. Mais la vérité est elle-même subjective. Elle varie selon l'expérience de chacun. Il y a de quoi préférer être sourd plutôt que d'entendre la façon dont nous définissons la vérité à nos enfants. Partant de cela, il ne faut pas s'étonner de ce que les enfants mentent par simple besoin de sécurité. Ils ont besoin de se sentir aimés de leurs parents et par conséquent nieront toujours avoir fait ce qui était défendu. Compte tenu de la situation, ils finiront par y croire eux-mêmes. Il n'est bien sûr pas question de justifier le mensonge et un minimum de règles générales sont nécessaires à la bonne marche de la société. Il s'agit simplement de comprendre et si possible d'éliminer le côté malsain qui existe chez ceux qui ont été élevés dans le culte de la semi-vérité et qui n'ont jamais essayé d'en vérifier le bien-fondé. Ce sont ceux-là qui se sentent pervers. Ils s'accusent de ne pouvoir satisfaire à ce qu'ils considèrent comme étant un droit absolu. Ils se croient coupables. Ils sont *persuadés* qu'ils méritent d'être punis, et ils s'infligent un châtiment proportionnel à leur faute.

Nous savons être impitoyables à l'égard des enfants, sachant leur dépendance, lorsque nous leur apprenons qu'il faut être tout à fait purs et honnêtes. Nous savons très bien que la réalité est plus subtile et s'accommode de principes moins stricts à seule fin de vivre en harmonie les uns avec les autres.

Nous venons de brosser un tableau assez noir de la situation, mais qui reflète malheureusement, dans bien des cas, la réalité. En tant qu'adultes ayant atteint une certaine maturité, nous pouvons discerner les traces de ce mécanisme dans notre propre comportement, cependant atténuées par la confrontation avec la réalité. Nous n'appliquons pas à la lettre ces principes de moralité dans toute leur rigidité et, sans faire de manichéisme, nous n'en gardons que ce qui est opportun.

8.

ORIGINE DES MAUVAISES POSTURES DU CORPS

Nous croyons tous pouvoir reconnaître une mauvaise posture d'une bonne, comme on reconnaît un fou d'une personne normale. Cela est vrai dans l'ensemble, et nous pouvons certes sans hésiter repérer les très bonnes postures et celles qui sont exécrables. Mais lorsqu'il s'agit de distinguer entre deux bonnes postures ou d'en améliorer une, les experts eux-mêmes ne sont pas d'accord entre eux.

L'idée de *posture* est en soi relativement récente, et on a tendance à la confondre avec celle de *position*. Le terme de *posture* est trompeur. Il évoque la rigidité tout autant que la position. Nous disons que quelqu'un a une belle posture pour dire qu'il se tient droit ; c'est-à-dire à la verticale en se faisant aussi grand que possible. En d'autres termes, cette personne a pris une position verticale rectiligne. On peut avoir une bonne position tout en adoptant une mauvaise posture, puisque celle-ci concerne la manière dont la position a été exécutée. La *position* décrit l'emplacement et la configuration des parties du corps. La *posture* décrit la façon dont nous avons, à tous les niveaux, accompli les divers changements de position et de configuration. *La posture décrit* donc *une action, c'est une entité dynamique*. On peut marcher en traînant les pieds, se promener la tête basse ou adopter n'importe quelle position saugrenue en ayant une bonne ou une mauvaise posture. Cela fait référence à l'usage que nous faisons des fonctions neuro-musculaires, ou, d'une façon plus générale, de l'ensemble cérébro-somatique. La *posture* exprime la manière dont tout acte est conçu: sa motivation, son sens, son exécution, alors même qu'il est en train de se faire. Elle doit donc refléter le lien qui existe entre l'intention et l'exécution au niveau du corps. Les handicapés peuvent très bien avoir une bonne posture, même si leurs positions sont tout à fait anormales.

Une bonne posture nécessite donc une certaine habileté dans la réalisation pratique de ce que nous voulons faire et une coordination relativement aisée de l'ensemble de nos muscles. Il ne s'agit pas de savoir se tenir d'une certaine manière ou d'être assis avec grâce. Il est regrettable que le terme de posture ait été si largement galvaudé jusqu'à en perdre son véritable sens.

Une fois la définition de ce mot éclaircie, nous avons moins de mal à comprendre le problème que posent les bonnes et les mauvaises postures. Ces dernières sont fréquentes lorsque nous sommes en colère, lorsque nous avons peur ou lorsque nous sommes sous le coup d'une violente émotion. Dans ce dernier cas, nous subissons une excitation du système musculaire telle qu'il se révèle impossible de le contrôler avec précision. Ne pouvant agir avec finesse, nous compensons en déployant une énergie folle. Nous ne voyons pas d'autre façon de nous y prendre. Nous sommes soumis à une contrainte. Au niveau du corps, cela se traduit par une contraction générale des muscles, et le résultat obtenu ne représente guère que la portion congrue des efforts entrepris. D'un point de vue purement mécanique, l'efficacité est là aussi très faible.

On associe volontiers une bonne posture avec la notion d'équilibre — c'est-à- dire d'une certaine sérénité mentale et affective, ce qui n'est pas faux. Nous ne pouvons à la fois être tendus, crispés ou émus et avoir une bonne posture, c'est-à-dire agir vite, sans toutefois se presser. Or la précipitation entraîne généralement une activité accrue qui provoque une augmentation de la contraction musculaire sans pour autant permettre d'agir plus vite. Avoir une bonne posture signifie utiliser toute l'énergie qui est en nous sans s'encombrer de gestes inutiles.

Les mauvaises postures incombent toujours à un surcroît d'émotion, comme chaque fois que nous sommes dans l'impossibilité de remédier à un état de tension musculaire. *Les mauvaises postures sont le pendant physique de tous nos tourments.* Elles sont cultivées pendant la période de dépendance, chaque fois que l'on demande l'impossible à un enfant. C'est-à-dire lorsque celui-ci agit non pas *spontanément* mais en faisant un effort sur lui-même. Un enfant que l'on pousse à se tenir debout ou à marcher trop tôt se soumettra à cette épreuve pour faire plaisir à ses parents. Il sera inutilement contracté. Il associera la marche et la station debout avec la notion d'effort et d'insuffisance musculaire au niveau de ses hanches. Il devra avoir recours à la gymnastique corrective pour rattraper son retard de développement, à moins qu'il n'attende le moment où, la dépendance relationnelle se relâchant, il pourra saisir la dernière chance qui lui est offerte en se prenant lui-même en charge. Il risque fort, malheureusement, de ne pouvoir le faire, car les habitudes ancrées sont souvent impossibles à changer. Dès lors, il continuera à avoir une posture enfantine, faisant obstacle à l'éclosion de sa maturité.

L'action et les mauvaises postures

Les enfants se tiennent mal et ont forcément de mauvaises postures, lorsqu'on leur demande de faire quelque chose qui dépasse leurs moyens. L'origine n'en est pas, comme on pourrait le croire, une faiblesse du système nerveux, mais l'impossibilité physique de faire face à une demande nouvelle. Notre dépendance est si grande qu'il nous faut à tout prix nous surpasser pour conserver l'affection de nos parents, la considération des autres, ou, tout simplement, nos moyens de subsistance. Si nous en sommes privés, nous nous retrouvons coupés du reste du monde, ce qui est une forme d'autodestruction. Il y a des limites au-delà desquelles nous ne pouvons pas nous permettre de braver la société. Quelle que soit la difficulté, nous devons nous plier à ses exigences pour ne pas nous sentir perdus.

Les mauvaises postures illustrent toujours les raisons de leur contrainte. L'aspect le plus courant en est le manque de confiance en soi qui se traduit par des hésitations, des doutes, des appréhensions, une certaine forme de servilité ou de complaisance — tout comme l'inverse, d'ailleurs.

Regardez les gens dans la rue: certains ont l'air d'avoir besoin de demander la permission pour respirer. Du reste, ils ne respirent pas toujours. Il faut qu'ils le méritent. Il leur faut conquérir le droit de respirer. Ils sont discrets, tendus. Tout, dans leur voix, leurs gestes, leur allure, témoigne de leur déchirement devant la vie qu'ils ne contestent même pas, mais qu'ils se sentent incapables d'assumer.

D'autres, au contraire, marchent raides comme la justice, en faisant des petits mouvements brefs de la tête et du cou. On dirait qu'ils ont avalé un balai et qu'ils se promènent en disant : « Regardez comme je marche droit ! » Sans cela, ils n'auraient pas, non plus, à leurs yeux, le droit de vivre. Dans un cas comme dans l'autre, tout provient d'un manque de confiance en soi, qui induit la soumission chez les uns et la raideur chez d'autres. Ils sont totalement inhibés et ne font que ce que l'on attend d'eux. Inutile de multiplier les exemples. Il suffit de se pencher à sa fenêtre pour apercevoir toute une palette de contrefaçons de l'être humain.

Les professeurs de maintien se plaisent à dire que personne ne sait se servir de son corps. Cela est faux. Tout comme il est faux de dire qu'une mauvaise configuration du corps est, à elle seule, responsable de troubles. Un menton proéminent n'a jamais rendu personne malade, tout au plus peut-il occasionner quelques légers problèmes très localisés, comme, par exemple, une certaine gêne pour lever la tête. Cela provient, et c'est fondamental, d'une contraction quasi permanente et volontaire de tout un ensemble de muscles. Le mouvement qui est fait pour lever la tête n'a donc qu'une incidence locale, même si l'on faisait appel ensuite à d'autres muscles pour la maintenir indéfiniment dans cette position. Seule importe la contraction permanente. Cet effort, en soi inutile, apparaît comme indispensable, et la mauvaise posture comme la meilleure manière de parvenir à ses fins. A moins d'une éventuelle prise de conscience, rien ne saurait interrompre cette habitude qui semble procurer toute satisfaction.

Lorsque nous grandissons, nous découvrons non seulement le monde extérieur mais aussi notre propre corps. Qui n'a jamais eu mal aux dents, mal au cœur ?

Qui n'a jamais avalé de travers? Nous avons tous fait pipi au lit, nous nous sommes tous masturbés, nous sommes tous constipés; nous tombons, nous nous blessons, nous avons nos premières règles ou notre première éjaculation. Autant de choses qu'il nous faut découvrir, comprendre, assimiler ou éliminer, et qui sont souvent bien effrayantes la première fois. Tout dépend, finalement, de l'attitude des parents dans ces moments-là. S'ils sont calmes, gentils, rassurants, nous saurons nous comporter face à la douleur et aux angoisses. Si, au contraire, ils sont accusateurs ou culpabilisants, nous serons affolés.

Chacun réagit à sa manière devant la peur, les nausées, l'étouffement, les palpitations ou les vertiges. Tout cela est dû à l'angoisse. Nous retenons notre souffle, nous contractons les abdominaux, nous renversons la tête ou nous nous raidissons. Ce qui revient à dire que nous adoptons une certaine posture qui nous est propre. L'action est éminemment individuelle. Nous avons chacun notre façon de faire, de ne pas faire, ou de renoncer à faire. Nous avons chacun notre façon de marcher, de nous asseoir, de réfléchir, de nous agripper, de parler, de faire l'amour. La tension d'un corps n'est jamais inutile, sauf dans l'absolu. Les mauvaises postures sont inévitables, et rien ne saurait y changer, quand bien même la vie nous donnerait une seconde chance. Il ne sert à rien de vouloir modifier tel détail ou telle forme de notre corps. Seules l'acquisition de la maturité et la suppression de l'impact émotionnel que possèdent nos actes changeront notre façon d'agir.

Notre société est organisée selon le principe de la famille. Les parents sont, généralement, responsables de leurs enfants, pour le meilleur et pour le pire. Quoi que nous fassions plus tard dans la vie, nous aurons toujours besoin d'autres adultes. Il est donc primordial de pousser notre maturité aussi loin que possible dès que nous nous sentons suffisamment forts, physiquement et économiquement, pour commencer à rompre avec la dépendance affective. Sinon, il nous faudra admettre une double difficulté : celle, toute naturelle, du manque d'expérience, et celle, supplémentaire, de l'éternel besoin d'approbation d'un adulte. A ces conditions, il paraît difficile de faire quoi que ce soit sans qu'il existe une dimension affective qui, tel un troisième regard, nous observe et se glisse partout. Il en résulte un sentiment permanent d'effort dans l'action, ainsi qu'une retenue de tous les instants. Nombreux sont ceux qui se révèlent incapables d'utiliser une paire de ciseaux, surtout lorsqu'ils ne sont pas très bien aiguisés, sans faire toutes sortes de grimaces et de contorsions. Cela remonte à leur enfance. Les ciseaux sont faits pour des mains de grandes personnes.

Toutes nos contractions, nos attitudes et nos gestes, s'ils sont maladroits, n'en sont pas pour autant fondamentalement mauvais. Ils ont été, en leur temps, totalement admis, non seulement par nous-mêmes mais également par nos proches qui, devant nos efforts et croyant bien faire, nous ont encouragés dans cette voie. Les mauvaises habitudes sont très difficiles à effacer. Rien ne sert d'essayer si nous n'avons rien à proposer à la place.

Le fonctionnement de l'être humain, tel que nous l'avons décrit, semble indiquer que, d'une part, nous ne faisons que réagir passivement à ce qui nous entoure, et que d'autre part nous sommes victimes du destin et des circonstances. Mais que faire, effectivement, sinon compatir, devant ceux qui ont eu le malheur de se voir imposer trop fréquemment ou trop violemment certains modèles de comportement. Dans ce cas, il est vrai, nous n'y pouvons rien.

Le corps s'épanouit au moment où nous commençons à entrevoir les premiers signes d'indépendance économique. C'est l'instant propice à la libération de toutes les contraintes qui nous ont été imposées jusque-là. Il faut saisir cette occasion et non perpétuer la servitude qui assujettit chacune de nos initiatives. Cette deuxième approche est éminemment passive, et l'étude que nous en avons faite jusqu'ici n'avait pour but que de souligner l'importance du milieu et l'unité qu'il compose avec chaque être vivant. Elle ne doit cependant pas nous masquer, comme c'est trop souvent le cas, les moyens constructifs qui sont à notre disposition et qui sont mis plus ou moins en œuvre en chacun de nous.

La constance et l'intensité avec lesquelles le milieu agit sur l'individu sont des facteurs de toute première importance. Mais ce n'est pas tout. Prenons, par exemple, les punitions. Comme nous l'avons déjà vu, elles sont appliquées par les parents avec plus ou moins de bonheur selon les cas. Il est un fait que nous avons tous un point sensible, un côté bizarre, auquel il ne faut pas toucher sous peine de provoquer des réactions incontrôlables et incontrôlées. Cela n'empêche pas cependant la majorité d'entre nous de faire preuve d'un équilibre tout à fait remarquable.

En matière de comportement, cependant, au niveau individuel, peu importent les statistiques globales. Seul compte le vécu propre à chacun. En tout cas, notre étude a, jusqu'à présent, omis de considérer le facteur le plus important : *la faculté d'intégration propre au système nerveux*. Elle permet de contrôler l'impact des diverses influences du milieu, d'en écarter définitivement certaines qui sont — et resteront — du domaine de l'inconnu, et de choisir parmi la multitude des autres celles qui offriront les meilleurs atouts de réussite sur le plan de la réponse spontanée ou automatique. Ce processus est celui du développement de la maturité. S'il y est fait obstacle, l'individu ne sera pas en mesure d'effectuer le moindre choix et il en résultera un comportement dénué de toute responsabilité.

Il ne faut pas toutefois insister outre mesure sur la complexité du comportement humain et sa dépendance par rapport à l'environnement. Cela reviendrait à faire l'impasse totale sur cette fameuse faculté d'intégration, comme si notre système nerveux ne jouait aucun rôle dans notre comportement. On nous présente souvent comme de simples carrefours d'expression pour les pulsions corporelles, l'environnement et les circonstances. Cela n'est pas tout à fait faux, d'autant que, bien souvent, l'« éducation » empêche toute évolution naturelle lorsque les motivations sont d'ordre affectif, à l'exception de celles que la vie nous impose. Notre erreur consiste alors à prendre pour la norme ce qui ne relève que de situations particulières. La voie qui mène à la maturité est longue et difficile. Il faut avant tout briser ce cercle vicieux et cesser de croire que nous sommes irrémédiablement programmés à n'être jamais que ce que nous sommes. Cessons de nous étonner des prouesses de telle ou telle personne, et, au lieu de penser immédiatement qu'elle possédait en elle toutes les qualités requises, essayons d'imaginer un instant à quel prix elle a pu en arriver là. Tout se passe comme si ce que nous faisons était plus important que ce que nous sommes fondamentalement. C'est une aberration, au même titre que la conception selon laquelle il y aurait des gens honnêtes, volontaires ou convenables « de naissance ». On ne « naît » pas pilote ou journaliste ; sinon, de là à considérer que certains sont « nés » poseurs de bombes, sachant « instinctivement » où les poser, il n'y a qu'un pas.

Il ne saurait y avoir de personnalité sans environnement, ni de comportement absolu. Nous pouvons faire l'objet de transformations radicales. Cela est tangible, ne serait-ce qu'au niveau du corps, et, si nous en avons conscience, la voie sera ouverte sur le chemin de la maturité. Si nous fermons les yeux sur les incidences de l'environnement, nous risquons de nous trouver par moments dans des situations inextricables, au cours desquelles nous invoquons l'inconscient, l'hérédité et autre prédisposition de l'esprit pour justifier notre impuissance et nous donner bonne conscience. C'est ainsi que l'on banalise les guerres, qui incomberaient non à la responsabilité des hommes qui les font, mais à la « nature humaine », contre laquelle, « chacun le sait », nous ne pouvons rien, sous peine de n'avoir plus rien d'humain. Ainsi vont les guerres, vaille que vaille. Il n'empêche qu'elles sont le fait des hommes, qui les engendrent comme ils se tiennent : en dépit du bon sens.

Face à une situation de crise, l'humanité tout entière réagit comme les individus: en s'enferrant dans des solutions paralysantes. Cela est typique d'un comportement infantile dénué de tout libre arbitre et provoqué par une interruption de l'évolution de la personnalité. Et cela, sachons-le bien, n'est pas irrémédiable.

9.

CORPS ET ESPRIT

Au niveau individuel, le degré d'adaptation augmente au fur et à mesure que nous progressons dans l'échelle de l'évolution. Le système nerveux passe d'un état d'excitabilité rudimentaire à un état de haute sophistication créative. Parallèlement à cela, nous assistons à une évolution des réactions et de l'initiative individuelle face à l'environnement. Au bas de l'échelle, les espèces inférieures sont totalement dépendantes de leur milieu, pour leur survie. Pour une spore, une plante ou une bactérie qui survit, des millions d'autres périssent. A l'autre extrémité, les animaux supérieurs ont, quant à eux, une faculté d'adaptation individuelle plus importante et les besoins les plus variés. C'est, par conséquent, chez eux que nous trouvons les plus actives transformations du milieu pour répondre aux besoins de chacun. Enfin, il faut noter que le langage, l'usage des mains et la station debout ne sont pas l'apanage des humains, mais que ces derniers sont toutefois les seuls à offrir autant de diversité d'un individu à l'autre.

Ce phénomène a fait l'objet de nombreuses tentatives d'explication : il a été attribué tantôt à la chance, tantôt à la réincarnation, à l'inconscient qui aurait une vie et une manière d'être qui lui sont propres, ou bien encore à l'intelligence innée. Quelles que soient les raisons invoquées, toutes partent du principe selon lequel nous serions mus par quelque chose qui nous dépasse, une entité indépendante et extérieure à nous. La belle invention en vérité, à seule fin de dégager notre responsabilité ! Jadis, l'adaptation aux besoins individuels offrait déjà un champ de manœuvre assez étroit. On se contentait d'être bon, d'apaiser les dieux, de se repentir, d'expier, de se confesser, de se faire analyser. Autant parler de redditions totalement passives, dictées par l'impuissance, la culpabilité et la honte. Si ces mortifications ne servaient à rien, du moins, comme le dit la Bible, la faute pouvait-elle être imputée aux ancêtres dont les péchés persistent jusqu'à la quatrième génération.

L'accroissement de l'intelligence et de notre faculté à modifier l'environnement ainsi que nos propres réactions physiques nous permettent aujourd'hui de prétendre à une plus grande autonomie et à une plus grande maturité de comportement. Bien sûr, les difficultés essentielles sont encore loin d'être résolues, mais il est grand temps de renoncer à notre ancienne passivité.

Ces difficultés ne sont pas insurmontables, ne serait-ce que parce que chaque cerveau humain est unique en son genre. Toutes les sciences se rapportant au fonctionnement de l'homme, telles que la physiologie, l'anatomie ou la psychologie, se sont attachées à étudier les ressemblances qui existent entre les individus, et ont ainsi cerné un certain nombre d'éléments fiables, qui nous permettent de connaître et de comprendre nos points communs. Ainsi, il apparaît que tout ce que nous avons en commun l'est aussi avec d'autres animaux. Il nous faut donc admettre que nous ne sommes pas si différents d'eux après tout. Cependant, en l'état actuel des connaissances, nous savons également que le système nerveux humain possède des caractéristiques individuelles, ce qui, en même temps, fait notre différence. En dernier ressort, la faculté du système nerveux à établir des schémas individuels et à tirer parti de l'expérience vécue est tellement plus importante chez l'homme, que cela peut être considéré comme une qualité nouvelle.

Si, au lieu de considérer la maturité comme une qualité inhérente à l'espèce humaine, nous étions conscients du rôle que joue le vécu dans l'acquisition de celle-ci, nous aurions beaucoup moins de problèmes pour nous comprendre nous-mêmes. Mais nous avons tendance à croire que nous arrivons sur terre entièrement pré-programmés, et que rien ne saurait infléchir le cours de notre vie. Nous avons le tort de considérer encore la vie comme une longue juxtaposition de situations statiques, alors qu'elle évolue en permanence. Les rapports qui existent entre l'homme et son environnement ne sont pas, comme on a tendance à le croire, du même ordre que ceux qui lient la roche aux éléments naturels. La roche a une identité, et même si le temps peut altérer sa forme et son degré de vitrification, ce sera toujours une roche, à peine différente des autres roches du même type. Alors que chez l'homme, le système nerveux est, pendant l'enfance et même au-delà, fortement imprégné d'un contexte qui lui est propre. Par conséquent, chaque individu hérite par la suite de toute une série de spécificités, tant sur le plan biologique que sur le plan émotionnel.

Un enfant ayant grandi dans une société de type matriarcal est totalement différent de celui issu d'une société de type patriarcal. Un sauvage est différent d'un homme civilisé. La différence tient essentiellement à leur vécu postnatal. Si, d'une part, nous feignons d'ignorer l'importance première du vécu et ses implications au niveau du système nerveux, et, d'autre part, si nous oublions la part que joue l'hérédité, nous risquons de tomber dans l'erreur qui consiste à affirmer, comme John Ruskin, que :

« L'homme est comme l'abricot ou le cassis : il est, dès le départ, de bonne ou de mauvaise qualité. L'éducation, la chance, la volonté, le travail y sont peut-être pour beaucoup, et, dans un certain sens, on peut même dire qu'ils sont *tout* : à savoir qu'il dépend d'eux que le pauvre abricot tombe de l'arbre prématurément, grillé par le vent ou voué à être piétiné ; ou si, au contraire, il y restera, gorgé de soleil, tel un cocon de velours riche et soyeux. »

De telles contradictions sont choquantes.

Notre conception de la nature, du caractère et des agissements de l'être humain, ne serait qu'un tissu de semi-vérités contradictoires enrobées de phrases pompeuses qui ne veulent strictement rien dire. Il ne fait aucun doute que, dès l'instant où il est conçu, le futur rejeton est déjà un embryon d'homme ou d'abricot. Par la suite, la chance, la volonté et le travail seront, en principe, des facteurs au moins aussi importants que l'hérédité, si nous savons en tirer parti. Mais quels que soient les efforts ou la volonté d'un abricot, il ne pourra jamais devenir plus beau ni plus juteux, car sa qualité dépend uniquement d'un ensemble de circonstances favorables. Les enfants et les adultes immatures ont un comportement typiquement végétal : ils sont passifs et s'en remettent aux circonstances, alors que celles-ci font l'objet, dans la société, d'un aménagement propre à convenir aux besoins personnels ou collectifs. Seuls quelques éléments de base, tels que la couleur des yeux ou la texture de la peau, nous sont attribués d'avance, mais ils n'ont généralement pas grande importance et n'affectent que rarement la personnalité de quelqu'un.

Il est, bien sûr, assez difficile de saisir la relation qui existe entre ces diverses observations, si nous ne nous appuyons pas sur un principe directeur. En effet, d'une part nous trouvons des individus figés dans certains modes de comportements et qui, contre vents et marées, s'y tiennent et finissent même par les renforcer. La première justification qui vient à l'esprit est celle de l'hérédité. Mais d'autre part, comment ne pas se convaincre du rôle déterminant que jouent les circonstances, lorsque nous constatons les disparités énormes que provoquent le milieu social, l'argent et les occasions favorables. Ils sont en soi capables de changer radicalement la conduite de bien des individus. Cette confusion est double: non seulement nous oublions le plus important: à savoir que la pensée est nécessairement abstraite, mais de plus nous avons considéré non la réalité mais une simplification de celle-ci.

En fait, aucun enfant n'a jamais fait l'objet, à sa naissance, d'une étude répertoriée de son caractère, permettant plus tard, en le maintenant dans un milieu invariant, de faire une analyse comparative de ses caractéristiques « héréditaires » telles que l'égoïsme, le sens de la justice ou la fibre paternelle. Quelles que soient nos théories sur l'homme, elles reposent sur une analyse de son comportement. Or, nous savons que celui-ci est déjà le résultat des relations entre le corps et son environnement. Ainsi nous extrapolons, nous devinons et nous fondons nos opinions sur des affirmations plus ou moins plausibles.

Une étude purement théorique sur des situations imaginaires suffirait à donner des résultats bien plus concluants; à condition toutefois de nous départir de toute idée reçue et de s'en remettre uniquement à l'imagination. Ainsi, à partir d'un cas fictif, nous voyons clairement que, même si l'on *pouvait* soumettre le caractère d'un nouveau-né à toute une série de tests, il est impossible de le déterminer de façon catégorique. Il n'est pas un seul aspect de son comportement qui ait la moindre chance d'être défini sans qu'interviennent des facteurs tels que le patrimoine familial, le niveau social des parents et la place de l'enfant dans la famille. Mais tout cela constitue un apport d'informations si pauvre que toutes les interprétations sont permises. En fait, nous sommes bien obligés d'admettre qu'il est impossible de connaître les penchants naturels de chacun tant qu'ils n'auront pas fait l'objet d'une interaction avec l'environnement. En d'autres termes, sans l'environnement, la notion de caractère n'a aucun sens. Nous avons une idée du caractère de quelqu'un lorsque nous savons comment il se comporte dans certaines circonstances, et si ce comportement est consistant. On ne peut parler raisonnablement de caractère sans prendre en compte le vécu d'un individu — ce que pourtant nous oublions la plupart du temps. Ce n'est en fait qu'une forme privilégiée de comportement, que chacun élit en fonction de son expérience personnelle de l'environnement. Il est donc très important de cerner les facteurs déterminants du vécu de chacun, car ce sont eux qui produisent les spécificités individuelles. Nos futures réactions sont prévisibles et inscrites dans notre système.

A quel niveau? Et que s'est-il donc passé? Nous sommes ainsi amenés au problème des relations entre le physique et le mental, et plus particulièrement à ce qui, dans ces relations, diffère sensiblement d'un individu à l'autre.

A Rome et dans la Grèce antique, le cœur était tenu pour être le siège de la bonté ou de la méchanceté, la rate pour être celui de l'humeur, les reins celui de la force et, selon Aristote, le poids de la raison résidait dans le cerveau. Dans l'ensemble, le corps humain était un instrument à travers lequel choisissaient de se manifester toutes les qualités universelles. Toute pensée originale était due à l'inspiration. Si elle était bonne, on était possédé par un bon esprit. Si elle était mauvaise, on était possédé par un mauvais esprit. On pensait que l'essence était prisonnière de la substance, c'est-à-dire du corps, à fin principalement de se purifier par la souffrance. Le « je » possédait un « libre arbitre », qui pouvait soit conduire à la rédemption et à l'élévation de l'âme, soit à sa dégradation et à sa perte.

Aujourd'hui nous croyons que le système nerveux est le siège tout à la fois de l'émotion et de la raison. Mais même actuellement nous avons du mal à accepter l'idée que cette matière grise que contient notre système nerveux puisse avoir un rapport quelconque avec des attributions qualifiées de « nobles » et de « spirituelles ». Nous remplaçons timidement les anciens concepts par de nouveaux tout aussi nébuleux, que nous appelons *esprit, volonté* et *inconscient*. Je les qualifie de « nébuleux », non parce que cette classification me paraît gratuite, mais parce que nous avons tendance à les interpréter comme des entités en oubliant que ce ne sont que des terminologies.

L'esprit, l'inconscient et la volonté n'existent pas plus en soi que la rapidité, par exemple. Il ne peut y avoir de rapidité sans substance, bien que nous puissions parler de « changement de rapidité », que nous baptisons du nom d'accélération. En vérité, ces trois éléments ci-dessus sont des fonctions. Tant que l'action ne s'est pas concrétisée, ils n'ont aucune existence. Ils décrivent uniquement un type d'action relationnelle. Ce problème est probablement celui qui prête à la plus grande controverse de tous les temps, et nous n'avons pas la prétention de croire que nous venons d'y mettre fin. Je pense malgré tout en avoir fait une évaluation valable, car elle est dynamique, alors que jusqu'ici nous campions sur des positions apparemment statiques.

L'homme se distingue des autres animaux par un certain nombre de caractéristiques, et notamment le langage, l'usage de la main, la station debout, la faculté de transformer l'environnement pour ses besoins personnels, enfin le pouvoir d'adaptation au niveau individuel par opposition à celui de l'espèce. Mais toutes ces qualités ne sont pas essentiellement humaines ; on les trouve également chez d'autres animaux sous forme rudimentaire, séparément ou non. Ce phénomène est dû avant tout, bien évidemment, au système nerveux. Nous allons donc, dans un premier temps, nous faire une idée plus précise du fonctionnement du système nerveux humain, puis nous étudierons le rôle du corps dans le processus mental.

Le système nerveux se compose d'une matière située dans la boîte crânienne et dans la moelle épinière, des nerfs et des ganglions en avant de la colonne vertébrale, que l'on appelle le *système nerveux végétatif* ou autonome. Le système nerveux est formé d'une matière de couleur blanche, mais la couche superficielle du cerveau est grise. Cette couche forme une mince écorce autour du cerveau, appelée *cortex*. Certaines régions du cortex ont pour fonction le mouvement des muscles ; elles forment le *cortex moteur*. D'autres régions sont chargées d'évaluer les impulsions en provenance des organes des sens ; ce sont les *régions sensorielles.*

Chaque espèce possède un nombre remarquablement constant de cellules dans le cerveau. A l'inverse de toutes les autres cellules, celles-ci ne se divisent pas constamment. Elles cessent de se multiplier quelques mois seulement après la naissance, et la plupart d'entre elles se stabilisent *bien avant.* La différence de poids entre un cerveau de nouveau-né et un cerveau d'adulte est due à la croissance des cellules, et particulièrement à celle de leurs ramifications. En revanche, la structure et le nombre des cellules du système nerveux demeurent, quant à eux, inchangés tout au long de la vie.

Chaque fonction du corps a besoin, pour être accomplie, de l'activité coordonnée d'un très grand nombre de cellules. Par conséquent, les liaisons, ou trajets, entre les différentes cellules qui interviennent pour les actes essentiels et les fonctions vitales, doivent être opérationnelles dès la naissance. Tous les actes purement végétatifs, tels que la respiration, la déglutition, la digestion et l'excrétion, se rangent dans cette catégorie. En revanche, le commandement des muscles du squelette pour les actes volontaires est très rudimentaire à la naissance. Un faisceau bien précis de cellules nerveuses et de fibres, appelé l'*appareil pyramidal,* doit atteindre la moelle épinière avant que les impulsions en provenance des zones corticales motrices ne parviennent jusqu'aux nerfs spinaux qui sont les seuls à posséder des liaisons directes avec les muscles externes. Aucun de ces muscles n'est relié directement au cortex. Le corps réagit uniquement par des contractions réflexes, bien avant de pouvoir commander volontairement ses mouvements. Les centres nerveux supérieurs n'interviennent généralement pas au niveau de ces réflexes. Toutefois, ils ont un effet inhibiteur assez fréquent.

Il ne faut surtout pas oublier que la contraction musculaire est notre seul moyen d'action, et que ces muscles sont contrôlés par des influx nerveux de provenances diverses. Les centres inférieurs ne produisent que des contractions réflexes; ceux qui leur sont légèrement supérieurs peuvent décupler, ou au contraire paralyser, les influx venant des centres inférieurs. Les centres plus supérieurs encore peuvent à leur tour lever l'interdit opposé par le centre situé juste au-dessous de lui et valoriser l'influx en provenance du centre le plus inférieur, ou le contraire. Les centres les plus élevés sont particulièrement actifs pendant l'ébauche de nouveaux schémas de réponses, ou lorsqu'ils paralysent des actes automatiques ou habituels.

Le cerveau possède, à sa surface, des zones sensorielles très précises concernant, entre autres, la vue, l'odorat et le goût. Autour de ces zones, d'autres, plus larges, emmagasinent tous les souvenirs et les relations qui se rapportent à ces sens. La « localisation » est très précise en certains endroits du cerveau. Ainsi, la rétine, par exemple, projette les images point par point sur la zone visuelle qui est située à l'arrière du cerveau. Chaque perception est un phénomène mixte qui engage à la fois les différents sens et diverses parties du corps, à seule fin d'en fixer le souvenir dans de nombreux endroits du cerveau. Lorsque certaines zones ont été endommagées, cela donne lieu à des résultats assez surprenants. Ainsi peut-on voir des gens incapables de dessiner des chiffres et qui pourtant savent écrire certaines dates. D'autres ne savent pas former telle ou telle lettre mais n'ont aucun mal à écrire un mot qui la contient.

Le cerveau est organisé de manière fonctionnelle. Ainsi, la zone d'association qui permet de reconnaître l'écriture est-elle située dans la zone visuelle, alors que celle qui concerne les mots parlés se trouve dans la zone de l'audition. Le souvenir des mots écrits est dans une zone concernée par le contrôle musculaire des doigts et des parties du corps qui interviennent au niveau de l'écriture.

Il faut bien comprendre que la zone motrice corticale n'a pas de rôle moteur; elle sert à faciliter les influx moteurs ou les excitations qui sont produites sous l'influence d'autres centres nerveux, ou en réponse à des stimulations du corps et de son environnement. Le cortex envoie des influx en direction des centres moteurs inférieurs de la colonne vertébrale qui — parmi d'autres — exécutent les contractions nécessaires à l'accomplissement du mouvement. Les muscles ne sont pas totalement inertes. Lorsqu'ils reçoivent un influx moteur, ils entrent généralement en vibration. Cette vibration provient d'une réaction des centres inférieurs par rapport aux forces de gravité qui agissent sur les différentes parties du corps et des viscères. Tout mouvement volontaire implique donc un renforcement de la contraction de certains muscles et le relâchement des muscles antagonistes qui s'y rapportent. (Les muscles antagonistes étant ceux qui produisent un effet radicalement opposé.) Toutes les articulations possèdent des muscles aux effets contraires.

L'étendue des zones corticales motrices varie selon la taille ou l'importance des organes. Par exemple, la région qui correspond au pouce est bien plus grande que celle des jambes. Le cortex humain possède une originalité remarquable, en ce sens que chaque cerveau adulte est unique en son genre. La même stimulation sur deux points identiques de deux cerveaux différents ne produira pas le même effet sur chacun. On peut dire que, d'une certaine manière, la vie de chaque être humain est inscrite dans son cortex. Le phénomène de contraction ou de relâchement d'un muscle est le résultat d'une stimulation précise à un endroit donné, mais il est également fonction de ce qui s'est passé auparavant au niveau de ce muscle. Le cerveau humain est seul capable d'un tel degré d'individualité.

Voici donc un point capital : *l'espèce humaine est la seule chez qui le vécu influe à ce point sur l'anatomie de son cerveau.* A mon sens, cette optique permet de mieux comprendre la relation entre le physique et le mental, et d'élucider bien des problèmes complexes. Le cerveau humain présente de nombreuses différences avec les autres espèces animales, mais ce ne sont que des différences de degrés. Aucun progrès significatif n'a jamais été fait, qui permette de justifier ces différences de comportement. Nous trouvons cependant une différence notable entre le cerveau humain et les autres, si nous divisons le poids d'un cerveau adulte par son poids à la naissance. La différence est de l'ordre de 5, pouvant même aller jusqu'à 7 chez l'homme, alors qu'elle n'est que de 1,5 environ chez le singe anthropomorphe et autour de 1 chez les mammifères inférieurs.

Progressivement, le système nerveux se dégage de la tunique externe de l'embryon, et sa structure est semblable à celle des cellules de la peau. Outre l'activité interne des centres nerveux supérieurs et la régulation du fonctionnement du corps, le système nerveux est également responsable de la transmission des informations, en provenance non seulement de l'extérieur mais également des muscles, des tendons et des ligaments, ainsi que de la transmission des influx moteurs jusque vers les muscles. Le corps en soi peut être considéré comme faisant partie de l'environnement du système nerveux ; il en va de même pour le système nerveux inconscient, dont dépend le système végétatif et qui facilite l'adaptation du corps à tout changement imprévu.

La vie est mouvement. L'activité nerveuse, en dehors des moments où elle sert à maintenir le corps en état d'agir, ne fait que déplacer des masses. Autrement dit, elle compense la force de gravité. Nous ne pensons pas souvent au fait que la vie et le mouvement sont pour ainsi dire la même chose, et pourtant notre classification des êtres vivants se fait en fonction de leur mode d'adaptation par rapport au centre de gravité. Ainsi, nous parlons de *reptiles,* de *poissons,* d'*oiseaux* et d'*animaux,* sous-entendu d'êtres qui « rampent », « nagent », « volent » et « marchent », qui représentent autant de façons de se déplacer malgré la force de gravité. Rien d'étonnant, par conséquent, à ce que le mouvement (et l'action en général) soit la caractéristique essentielle de tout système nerveux. Nous venons de voir qu'il n'existe pas deux cerveaux humains adultes semblables. En fait, un simple geste, une attitude suffisent à distinguer immédiatement une personne d'une autre. Il n'en est pas de même pour les animaux, qui se comportent de façon infiniment moins individualisée. Par conséquent, aussi paradoxal que cela puisse paraître, *la structure mentale de l'homme est celle qui dépend le plus de son corps.* Prenons, par exemple, les mécanismes cérébraux du langage : ils sont d'ordre génétique. Imaginons l'expérience suivante, qui n'a, à ma connaissance, jamais été faite, et isolons un bébé du monde extérieur dès la naissance. Il saura maîtriser sa voix et émettre des sons de façon beaucoup plus riche et variée que n'importe quel autre animal ; et cependant il ne saura pas parler, et par conséquent ses facultés mentales seront réduites d'autant *.

Un chien soumis à la même expérience ne présente aucune différence notoire avec les autres chiens en matière d'aboiements.

Le vécu revêt, chez l'homme, une importance plus grande en raison de la croissance du cerveau, dont la taille atteint 5 à 7 fois celle de la naissance. Nous pouvons donc en déduire que le vécu influe sur le

* Il est dit dans le Talmud qu'un jour un roi fit la même expérience afin de connaître le véritable langage des hommes. Plus tard, de retour parmi les hommes, le premier mot hébreux prononcé par le jeune garçon fut « pain ». L'histoire se passe de commentaire.

cerveau au niveau des trajets et des liaisons qui existent entre les cellules motrices et associatives du cortex, qui dépendent du processus et des ramifications cellulaires. La preuve en est que tout ce qui nécessite peu ou pas d'apprentissage (tel que la déglutition, la digestion, la respiration, etc.) débute au même moment chez l'homme et l'animal, et que les différences individuelles — si tant est qu'il puisse y en avoir — sont pour ainsi dire insignifiantes.

D'une manière générale, plus se prolonge la petite enfance, meilleure sera, par la suite, l'adaptation à l'environnement. Un animal est d'autant moins capable de progrès qu'il a conquis son autonomie très tôt. De toute évidence, dans ce cas, les circuits et les liaisons dont nous venons de parler sont forcément déjà établis à la naissance. C'est le cas des animaux qui vivent en troupeaux, ce qui permet aux nouveau-nés de se joindre aux autres immédiatement. Les animaux qui vivent dans les montagnes, les chèvres, sont eux aussi capables de se déplacer pratiquement dès leur naissance. Tous ces jeunes animaux savent non seulement marcher, courir et sauter, mais ils savent également se rattraper lorsqu'ils tombent ou glissent. Ils ont un sens du terrain presque aussi parfait que leurs aînés et par conséquent leurs mécanismes nerveux doivent être comparables aux leurs. Ils n'ont pas besoin d'apprendre quoi que ce soit de leur propre chef, et d'ailleurs, ils en seraient pratiquement incapables. La liaison entre les influx moteurs et les muscles est établie en prévision d'un certain nombre de types d'action bien précis. Tout apprentissage demande un effort considérable, car il implique le démembrement d'un schéma préexistant et la formation d'un autre, entièrement nouveau. Cela n'est pour ainsi dire jamais un phénomène spontané et ne concerne que les animaux dressés. Mais cela exige une certaine compétence, et il faut s'y prendre très tôt, lorsque l'animal est encore jeune, la marge de développement de son système nerveux étant très réduite et laissant peu de place à l'adaptation individuelle.

Chez l'homme, la situation de l'enfant est bien différente. En effet, ses fonctions sont aussi balbutiantes que son langage, car les muscles moteurs sont assujettis aux centres nerveux inférieurs et réagissent à un niveau très élémentaire, comme des miroirs réfléchissants. Il faut avoir une grande habitude des nouveau-nés, par exemple, pour reconnaître les pleurs des uns plutôt que des autres, et une oreille aussi attentive que le coup d'œil du chasseur qui guette le gibier. Il manque aux nourrissons cette gamme variée de sons qui donne sa personnalité à chaque voix adulte.

Il en va de même pour les muscles du squelette. Parmi les tests pratiqués quelques minutes seulement après la naissance d'un enfant, il en est un auquel nous avons déjà fait allusion et qui est destiné à contrôler les réactions d'un nouveau-né lorsqu'on fait mine de le laisser tomber. En effet, ces réactions existent et pourtant il ne sait encore ni marcher ni courir comme le petit animal qui vient de naître. C'est là toute la différence, comme nous venons de le dire, entre le système nerveux non achevé du nouveau-né sur lequel l'environnement sera déterminant, et celui, déjà élaboré, des autres animaux. Ces derniers viennent au monde pourvus de structures de comportement précises et immuables, que l'on peut considérer comme étant le fruit de l'expérience de l'espèce. Ils réagissent donc de manière instinctive, ce qui implique des conditions de vie similaires à celles qui existaient du temps où leurs ancêtres firent leurs premières armes. Sur le plan biologique, cela représente un avantage considérable. La part de l'instinct est beaucoup moins importante chez l'homme. En effet, rares sont les situations qui appellent à des réactions identiques de la part de chacun d'entre nous. Seuls les actes essentiels et les mécanismes de protection de nos organes vitaux devant le danger relèvent encore de l'instinct. L'environnement façonne nos liaisons nerveuses et nos structures mentales et, par conséquent, tout acte qui en résulte découle à la fois d'une composante individuelle et de caractères acquis.

Afin de mieux comprendre certains aspects du problème, nous allons procéder par analogies et décrire en termes de mécanique le fonctionnement du circuit cérébro-moteur. (Avec toutes les réserves et les précautions qu'une telle démarche comporte, car il s'agit uniquement de ressemblances et non de phénomènes absolument identiques.) Ainsi donc les cellules motrices du cortex peuvent être comparées à des batteries, les nerfs à un réseau de fils électriques et les muscles à de minuscules moteurs. En ce qui concerne les mouvements volontaires, il n'existe aucune liaison, chez l'enfant, entre les moteurs et les batteries. Les faisceaux d'association — et en particulier l'appareil pyramidal qui relie le cortex à la moelle épinière — se développent lentement. Ces faisceaux sont très rudimentaires à la naissance. Dans un premier temps ils évoluent très rapidement, puis ils continuent leur développement jusqu'à vingt-deux ou vingt-trois ans. Nous pourrions donc dire que, chez l'animal, les fils électriques sont, dès la naissance ou presque, branchés en permanence sur les batteries, alors que chez l'homme ce branchement s'effectue en fonction de l'expérience individuelle. Les liaisons diffèrent selon les actes, compte tenu de leur nature, qui peut être plus ou moins permanente ou régulière.

Chaque acte réclame l'intervention d'une partie seulement des cellules motrices du cortex, pendant que les autres restent inhibées. Tout se passe (approximativement), comme s'il y avait un tableau électrique rempli de fiches correspondant à chaque batterie, et une série de prises reliées aux muscles par un fil. En ce qui concerne les actes volontaires, chez l'homme, ces fiches sont fabriquées sur mesure, en fonction du rapport à l'environnement de chaque individu. Avant de pousser plus loin notre analogie, il faut préciser un point très important ; à savoir que les muscles ont deux façons de se contracter : l'une tonique, l'autre volontaire. Ces contractions sont différentes à bien des niveaux. La contraction tonique est plus lente et peut être soutenue pendant très longtemps sans entraîner de fatigue nerveuse et musculaire sensible. Le terme de *fatigue* ne doit pas être compris ici dans son sens habituel, mais exprime la faculté de reproduire le même acte à partir d'un même influx parcourant les nerfs jusqu'aux muscles. La contraction tonique est produite en grande partie par les fibres musculaires foncées, et les contractions volontaires par les pâles, qui se contractent plus vite et plus fort mais qui fatiguent bien plus tôt. Les premières émanent des centres nerveux inférieurs du système nerveux, et les secondes proviennent, ou sont induites, par le cortex moteur.

La contraction tonique des muscles est le résultat de l'adaptation de l'espèce à la force de gravité et constitue une propriété naturelle commune à tous les systèmes nerveux. Lorsque nous ouvrons ou que nous fermons la bouche, nous le faisons sans y penser et sans fairc quoi que ce soit pour y arriver. La mâchoire est entraînée par son poids, et cette traction stimule les fibres nerveuses musculaires de la mâchoire qui envoient l'influx juste suffisant pour permettre à celle-ci de se remettre en position normale. La mâchoire ne tombe jamais, alors que nous passons des journées entières la tête droite. Les contractions volontaires se superposent aux contractions toniques. C'est ainsi que nous pouvons aussi ouvrir la bouche, car les contractions musculaires peuvent être augmentées ou diminuées à volonté, puisque les muscles du squelette contiennent chacun un nombre suffisant de fibres blanches leur permettant de contrôler les mouvements volontaires. (Si nous voulions être encore plus précis, il faudrait ajouter que nous pouvons également, quoique indirectement, contracter nos muscles involontaires, mais cela nous conduirait à entrer dans des considérations plus sophistiquées. Nous reviendrons sur ce point un peu plus tard.)

Pour en revenir à nos analogies, parmi tous les choix possibles, seul un certain nombre de batteries sont utilisées la plupart du temps. A cet égard, il est plus avantageux d'avoir un branchement permanent, où les fils sont soudés aux batteries. C'est ainsi que l'on peut décrire les véritables réflexes.

En ce qui concerne l'usage courant, il existe une grande souplesse de branchement, avec, de temps en temps, des passages à d'autres circuits. C'est le cas pour le cœur et la respiration. Pour ce qui est du langage, de la station debout, de la réflexion, qui sont propres à l'être humain, ou pour des activités créatrices telles que l'art de jouer du piano ou d'élaborer des raisonnements mathématiques, il n'existe aucun branchement prêt à fonctionner dès la naissance. Il n'y a qu'une *tendance* qui s'y trouve inscrite. Les schémas de liaison entre les centres moteurs et d'association et les faisceaux et glandes subcorticales dépendent du contexte général qui entoure la vie d'un individu : son époque, son niveau social et l'environnement dans lequel il grandit. Si tel n'était pas le cas, notre niveau de pensée, de langage, d'interprétation de la musique ou des mathématiques, serait comme la respiration, la déglutition et toutes les autres fonctions végétatives: sans changement depuis l'origine de l'homme.

Tout ce qui relève d'une démarche typiquement humaine peut s'illustrer par un faisceau de câbles reliés par des prises à têtes multiples aux différents organes chargés d'exécuter les actes. L'environnement et le contexte personnel raccordent les fils à chacune des têtes, et l'acte volontaire branche le tout sur le tableau central. L'être humain est le seul qui soit capable d'un tel raffinement, car il est le seul à posséder un réseau de combinaisons aussi complexe. Cette grande liberté lui permet d'apprendre et de se perfectionner sans cesse. Lorsqu'un acte est sujet à de nombreuses fluctuations, il repose sur des liaisons minimales. Pour le reste, tout se passe comme si les fils étaient vissés plus ou moins serré.

Si nous pouvions *voir* l'intérieur du cortex d'un animal à sa naissance, nous verrions des liaisons cellulaires et des conducteurs en direction de la moelle épinière, déjà « montés », pour la marche, et cela même si l'animal n'a pas encore fait un seul pas. Rien de tel chez l'enfant, dont les circuits se « montent », toujours pour la marche, selon les aléas de la vie. Les liaisons se font et se défont au gré du temps, certaines laissent place à d'autres, plus probantes, ou tombent en désuétude. Tout ce qui touche au physique de l'être humain est donc d'une importance capitale, puisqu'il forme les mécanismes nerveux qui, plus tard, conditionneront la vie de son corps.

Ce procédé analogique a le mérite de nous éclairer sur les aspects obscurs ou incompréhensibles du fonctionnement de notre cerveau et de notre corps. Prenons les aveugles de naissance, par exemple : ils peuvent, comme tout un chacun, avoir des accès de colère ou de peur spontanés, mais ils sont incapables de se « mettre en colère » à volonté. Apparemment, cela est incompatible avec la cécité. L'innervation volontaire se développant, chez l'aveugle, sans référence visuelle, le schéma moteur en question ne s'est jamais formé.

Les structures correspondant aux stations debout et assises, ainsi que celles correspondant au langage sont littéralement le produit de l'époque à laquelle nous vivons, du milieu social dans lequel nous sommes nés et, en général, de notre expérience individuelle.

Cette grande souplesse, dont nous avons parlé, ne va pas sans une fragilité de structures. Celles dont nous héritons à titre congénital sont sujettes à moins de fluctuations. Le langage, comme tout ce qui relève du contexte individuel et que nous avons énuméré plus haut, peut subir des modifications au niveau du cortex. Ainsi peut-on passer de l'anglais à l'hindou, et inversement, à condition de modifier correctement les structures mentales qui s'y attachent. Le vécu d'un individu est indissociable de son épanouissement physiologique et la nature humaine est, de loin, la plus souple et la moins définitive de toutes. Seule l'ignorance peut justifier une apparente rigidité et un blocage au niveau de certains aspects du comportement humain. Aussi longtemps que nous resterons fidèles à la mémoire du passé en élaborant des systèmes de réponses classiques à des situations classiques, nous serons à l'abri des surprises. Le peu de connaissance que nous avons de la réalité, dont le système nerveux constitue une composante de taille, ne nous permet pas de faire l'économie de la tradition. Mais il est également grand temps de réaliser que nos erreurs découlent d'un refus d'endosser la responsabilité de notre ignorance. Nous sommes des enfants qui préférons accuser Adam et Ève, et le péché originel plutôt que de nous appliquer à remettre les pendules à l'heure. D'une manière générale, nous allons à l'encontre de nos tendances naturelles lorsque nous encombrons notre intelligence de comportements stéréotypés, puisque nous en chassons les éléments les plus représentatifs du système nerveux humain.

En ce qui concerne les fonctions dites « supérieures », le cerveau humain est un vide comblé peu à peu par le biais de l'expérience sensorielle et motrice du corps. Les individus sourds de naissance sont également muets; leur cerveau n'établit aucun schéma d'utilisation du système vocal, et, tout en ayant des nerfs et des muscles en parfait état, ils sont incapables de prononcer un mot. Cette prééminence du vécu corporel dans l'établissement des structures mentales est incontestable lorsque l'on songe que la surdité tardive — c'est-à-dire celle qui intervient une fois cette étape franchie — n'altère en rien l'élocution. Le cerveau lui-même n'établit aucune liaison pour ce qui est des fonctions propres à l'homme, et, contrairement aux autres mammifères terriens, n'intervient pas dans la station debout. J'irais jusqu'à avancer, sans pouvoir en apporter la preuve, car cela n'a jamais été fait, qu'un enfant aveugle de naissance ne chercherait jamais à se lever s'il avait été maintenu allongé sur le dos et immobile pendant toute la croissance de son appareil pyramidal. (C'est-à-dire pendant vingt-deux ou vingt-trois ans.) Il n'en serait pas de même pour n'importe quel bovin.

Nous commençons maintenant à comprendre un peu mieux les relations physico-mentales. Nous savons qu'à la naissance, le système végétatif et la partie du cerveau relative aux réflexes sont les seuls à pouvoir fonctionner à peu près. Les structures et les circuits concernant les fonctions supérieures ne sont pas encore formés, et ne le seront qu'après que les sens se seront exercés pendant un certain temps, et les muscles pendant plus longtemps encore. L'enveloppe matérielle du soma devient ensuite de moins en moins nécessaire. Une fois qu'il a atteint une maturité optimale, le cerveau peut se passer des muscles et des sens. Les rares anomalies physiques qui peuvent se présenter restent extrêmement localisées et sont tout à fait secondaires. Les structures cérébrales ont en mémoire toutes les perceptions, toutes les sensations et tous les actes. Le cerveau est alors en mesure de créer de nouvelles structures à partir de celles qui existent déjà. En d'autres termes, il est capable de penser, d'imaginer et d'inventer.

Lorsqu'un adulte perd un bras, par exemple, celui-ci continue d'avoir sa place dans le fonctionnement cérébral. Et quand il coordonne ses mouvements, il fait comme s'il avait toujours son bras, ne s'approchant pas plus qu'auparavant d'une table placée du côté de son bras manquant. La structure formée grâce à ce bras reste toujours aussi active.

Ainsi que nous l'avons déjà évoqué, les circuits nerveux établis à partir du vécu individuel n'ont pas la permanence de ceux qui nous sont innés. Par conséquent ils sont plus à même de se regrouper pour former de nouvelles composantes. D'où la faculté, spécifiquement humaine, de réagir aux stimuli de diverses manières, c'est-à-dire, d'apprendre. Nous naissons doués de pensées et d'imagination, mais leur contenu et la matière dont sont faits les rêves sont, quant à eux, le fruit de notre expérience individuelle. Ils se ressemblent à l'intérieur d'un même groupe social, ainsi qu'à l'intérieur d'un même pays lorsque ses habitants ont des comportements largement stéréotypés. En revanche, lorsque les individus ont des origines et des contextes extrêmement différents (comme par exemple un Zoulou et un peintre surréaliste européen), leurs rêves, le contenu de leur pensée et, globalement, tout ce qui relève du processus mental sera, lui aussi, différent. En bref, les fonctions cérébrales ont besoin, pour se former, d'une réalité vécue au niveau du corps. Une fois un certain nombre de structures et de circuits établis, le support somatique devient de moins en moins essentiel. Nous sommes en mesure de penser, c'est-à-dire de stimuler à volonté ces structures ou de les regrouper pour en former de nouvelles. L'idée d'une âme ou d'un esprit indépendants du corps vient peut-être de là. Il faut cependant éviter de tomber dans ce piège. Cette libération des fonctions cérébrales par rapport à leur support physique n'existe pas en réalité. Concrètement, le facteur essentiel demeure le corps et l'état dans lequel il est, puisqu'il sert d'enveloppe protectrice au système nerveux. Le fonctionnement des centres nerveux supérieurs est très sensible aux réactions du corps, pour la simple raison que leurs deux existences sont liées dans tout être vivant. A quel point sont-elles liées, jusqu'où peuvent-elles se nuire ou au contraire s'aider? C'est ce que nous allons étudier dans les prochains chapitres.

Essayons d'y voir plus clair

L'environnement d'un nouveau-né, formé par ses parents, est affecté par leur émotivité. Dans ses grandes lignes, et du point de vue de l'enfant, cette dimension émotionnelle se place dans la perspective générale de la relation de dépendance. L'impact de l'environnement sur l'enfant passe par son corps. Les modifications tangibles d'ordre physique qui interviennent à proximité immédiate du corps d'un nouveau-né — dont nous savons qu'il enveloppe son système nerveux — et qui constituent sa nouvelle identité sont, pendant une période relativement longue, les seuls aspects auxquels son cerveau et ses mécanismes nerveux soient sensibles.

Le système nerveux humain, bien que comparable à celui des autres animaux sur certains points, présente cependant de nombreuses différences. A commencer par l'absence de liaisons entre les zones motrices du cortex et les muscles. Il faut longtemps avant que les circuits nerveux, chargés de mettre les centres moteurs en contact avec le système musculaire, commencent réellement à s'ébranler, permettant ainsi à l'enfant de rompre avec la relation de dépendance qui le lie à ses parents.

Cela explique l'absence de schémas de réponses structurés à la naissance, tels qu'ils existent chez les autres animaux. Ainsi faut-il être très prudent en matière d'analogies entre le comportement animal et le comportement humain. Certains amalgames douteux engendrent souvent de nombreux problèmes, en particulier sur le plan sexuel.

Le corps est doté d'activités périodiques. Qu'il s'agisse de la respiration, de l'alimentation, de la sexualité, de la veille et du sommeil, de l'action ou du repos, toutes ces activités relèvent d'un mouvement cyclique qui réclame régulièrement l'intervention du monde extérieur pour libérer la tension optimale qu'il aura engendrée. Tout animal est contraint de s'entourer d'un environnement propre à le soulager de cet excès de tension. Étant donné la différence de développement entre le système nerveux humain et celui de l'animal à la naissance, l'homme doit, dans cette perspective, compter beaucoup plus avec son environnement que n'importe quelle autre espèce vivante. Il n'a guère tendance à adopter des méthodes spéciales pour soulager ses tensions. Il se nourrit pour ainsi dire uniquement en fonction des habitudes qu'il a prises et qui d'ailleurs sont très souples car elles mettent longtemps à s'installer. Chez les animaux qui se développent plus rapidement, les habitudes se prennent plus vite et sont moins malléables. Ce constat n'est, bien sûr, pas valable uniquement pour l'alimentation, mais s'étend à de nombreux domaines.

Dans son ouvrage intitulé *La Nature de l'homme,* Metchnikoff présente une étude comparative détaillée sur la stabilité de « l'instinct » chez l'homme et l'animal. Bien que relativement ancienne, cette étude est néanmoins excellente et nous éclaire sur de nombreux points. En effet, Metchnikoff démontre de façon tout à fait convaincante, que la théorie selon laquelle le comportement humain relèverait avant tout d'un « instinct » naturel est une erreur fondamentale.

Il semble donc que nous soyons assez proches de la vérité en affirmant que le comportement humain est dicté par le contexte dans lequel évolue chaque individu. Prenons la sexualité, par exemple. Chez les Arabes, les seins des femmes ne passent pas pour être un symbole sexuel, et dans certaines tribus d'Afrique, les hommes sont attirés par les femmes qui sentent le beurre rance, ce qui serait propre à faire fuir n'importe quel Européen. La sexualité, comme les habitudes alimentaires, constitue un critère de civilisation et elle est un pur produit de l'environnement.

Si la relation de dépendance était constante à tous les niveaux, toutes nos habitudes — qu'elles soient d'ordre sexuel, alimentaire, mentales ou autres — iraient dans un seul et même sens et engendreraient, chez l'individu, des réactions exemptes de tendances conflictuelles. Mais cela n'irait pas sans une certaine rigidité, à l'image du chien qui est voué à courir après le chat. Les comportements seraient stéréotypés et complètement prévisibles.

Une enfance relativement protégée, préservée d'événements affectifs et de stress, restreint les possibilités permettant de faire face, plus tard, à de rapides bouleversements émotionnels. Les individus qui se trouvent dans cette situation éviteront cette éventualité et développeront une attitude conservatrice à l'égard de la vie. C'est d'ailleurs le cas des gens qui vivent dans des zones rurales très éloignées. Ils sont en général plutôt conservateurs. Mais nous le serions beaucoup plus encore si les contes de fées et l'école n'étaient pas là pour sensibiliser notre imagination.

On peut donc dire que, grâce à l'imaginaire, tous les enfants échappent au carcan d'une vie émotionnelle sans surprise, quelles que soient les précautions dont ils peuvent être entourés. Quand j'étais petit, je m'en souviens encore, on m'avait emmené dans un village, et là, j'avais vu tuer le cochon pour Noël. Je me rappellerai toujours les cris de ce cochon. Je me suis senti moi-même à la merci des adultes qui, pourquoi pas, auraient bien pu faire la même chose avec moi. Je suis resté sensible sur ce plan, et je comprends maintenant pourquoi et comment certains événements ont pu, par la suite, renforcer cette appréhension. Il fallait que je devienne quelqu'un de fort, et que je sois toujours prêt à tout. Ce n'est que plus tard, lorsque je suis devenu ceinture noire de judo, que j'ai pu, enfin, me débarrasser plus ou moins de cette obsession qui me hantait depuis mon enfance. Je n'ai cité cet exemple que pour montrer que, même dans un lieu paisible et dans des circonstances apparemment ordinaires, il peut se passer des phénomènes bouleversants. Ainsi, grâce à l'imagination, des jumeaux qui sont élevés exactement de la même manière peuvent avoir des schémas de comportement différents. La thèse généralement avancée, pour expliquer ces divergences en dépit des ressemblances, est celle qui milite en faveur du caractère héréditaire du comportement.

La responsabilité en incombe à la dépendance absolue et très longue des enfants vis-à-vis de leurs parents, si leur comportement est fractionné en autant de compartiments pour ainsi dire clos, les laissant seuls face à leurs contradictions. Si l'on enseigne à un enfant qu'il faut toujours dire « toute » la vérité, il se rendra très vite compte que ses parents n'appliquent pas leurs principes à la lettre. Il apprend ainsi, à l'usage, les mérites de l'efficacité. Dans nos sociétés, les enfants ont rarement l'occasion de vérifier les points de vue — arrêtés et bien souvent faux — des adultes, sur des sujets tels que la sexualité ou le comportement en général. Aussi, nombreux sont ceux qui grandissent avec une vision très simpliste des choses et se trouvent aux prises avec les pires difficultés le jour où ils sont confrontés à la réalité.

Chez l'enfant, les premiers contacts avec le monde extérieur sont uniquement des contacts physiques. Les premiers élans émotionnels se trouvent donc associés ou liés à des configurations musculaires ou à des postures. C'est ainsi que resurgissent certaines émotions lorsque nous nous trouvons dans une position qui ressemble ou qui contraste avec la position originelle. Mais plus nous accumulons d'expériences, plus l'origine de nos émotions est confuse. La colère, par exemple, gronde en nous longtemps avant que nous ne la laissions éclater. Dans ce cas précis, nous apprenons à faire le lien entre la colère et l'état physique dans lequel nous nous trouvons. Ce faisant, nous pouvons essayer de prévoir nos accès de colère, et de les maîtriser.

Puisque nous y parvenons pour nous-mêmes, nous avons du mal à comprendre que les névrosés ne puissent pas en faire autant. Nous avons tendance à penser qu'ils n'essayent même pas, ou qu'ils n'en ont pas vraiment envie. Nous entendons souvent dire « allons, fais un effort ! » Mais savons-nous réellement ce que signifie faire un effort ? Tout est là. Les névrosés font sûrement des efforts, mais ils produisent l'effet contraire. Croyant bien faire, ils s'évertuent à contre-courant. Le même phénomène se produit lorsque quelqu'un perd ses moyens alors qu'on le conjure de se « ressaisir ». Il essaye lui aussi en vain.

Il s'agit donc d'avoir une méthode, utile et efficace, qui tienne en respect les pulsions indésirables et nous permette de nous guider correctement. Une physiologie du « faire », en somme.

Toutes nos habitudes, physiques et mentales, tiennent à des facteurs bien précis. Il s'agit soit d'associations d'idées, soit de phénomènes physiques liés au système végétatif, ou bien encore d'un fonctionnement de nos attitudes et de nos muscles. La psychanalyse a permis, dans un premier temps, de nous éclairer sur les origines de notre personnalité. Mais un certain « déclic » est nécessaire, pour permettre à notre nouvelle personnalité d'émerger des débris de l'ancienne.

Comment ne pas retomber dans l'ornière si personne ne nous aide à y voir plus clair ? Il faut donc créer, avant tout, un profond rejet, physique et mental, à l'égard du passé et des modèles indésirables. Pour cela, et c'est primordial, il nous faut cultiver méthodiquement de nouvelles habitudes pour éviter le retour des anciennes, encore si proches et si fortes.

Ce processus est perçu comme une « résistance ». Sachant que nous avons tort, mais incapables d'agir autrement, que faire sinon nous replier sur nous-mêmes et « résister » à la tentation ? Le traitement est parfois long, les résultats imparfaits, car nous sommes avides de substituts et manquons d'outils de progrès suffisamment efficaces.

Les anciennes habitudes reviennent facilement car,

bonnes ou mauvaises, elles donnent des résultats et sont par conséquent encouragées par l'environnement. Le résultat, d'ailleurs, importe peu. Leur plus gros inconvénient est de nous induire en erreur quant aux moyens choisis pour apaiser nos tensions. Il s'installe alors un cercle vicieux entre nos besoins, nos moyens et nos résultats, qui ne nous mène nulle part.

10.

ACTION, INHIBITION ET FATIGUE

Tout ce que nous faisons est accompli par l'intermédiaire de nos muscles. Leur contrôle fait l'objet d'un apprentissage long et laborieux. Dans le fœtus, la moindre excitation se propage sur l'ensemble du système musculaire. Chez l'adulte, le même phénomène se produit, bien que plus atténué, lorsque nous faisons quelque chose pour la première fois. Ainsi, quand nous apprenons à faire du patin, du vélo, à taper à la machine ou à nager, nos muscles travaillent bien au-delà de ce qui est strictement nécessaire et se perdent en contractions inutiles, voire perturbantes.

La coordination de nos mouvements consiste à empêcher ces contractions indésirables. Pour cela, il nous faut neutraliser certaines cellules du cortex qui sont atteintes par ces excitations. Avant même que nous soyons en mesure d'exciter convenablement un ensemble donné de cellules, toute une série de cellules avoisinantes se mettent à réagir. Lorsque, enfin, nous parvenons à une maîtrise parfaite de nos cellules, seules interviennent celles qui ont pour fonction de commander les muscles adéquats. Toutes les autres sont inhibées. Sans cette inhibition, il ne peut y avoir de coordination possible.

Le sentiment de résistance ou de difficulté provient, quoique indirectement, d'une mauvaise neutralisation des cellules qui commandent les muscles antagonistes, et dont le contrôle est indispensable. La plupart du temps, la difficulté ne tient pas seulement à l'inhibition des contractions gênantes, mais elle réside dans le fait que nous essayons de produire simultanément des schémas qui s'excluent mutuellement. Lorsque la résistance que nous opposons à un mouvement est d'ordre purement physique, c'est-à-dire lorsque nous ne parvenons pas à une contraction musculaire suffisante (comme soulever un camion d'une tonne, par exemple), nos efforts restent vains, en dépit d'une bonne coordination.

Il ne s'agit pas là d'une banale généralité, mais d'une réalité probante. Il suffit d'observer des spécialistes de haut niveau, quel que soit leur domaine. Ils ne donnent jamais une impression d'effort. Celui-ci n'est visible que lorsque l'action s'est déroulée de manière imparfaite. Alors qu'un certain nombre de cellules restent inhibées, les cellules motrices et toutes les petites cellules qui sont sollicitées pour produire une excitation intense finissent, à force, par donner des signes de fatigue. Pendant ce temps, l'effort de refoulement des autres cellules se fait plus laborieux et de moins en moins efficace. Ainsi, lorsque nous faisons un mouvement inhabituel de la main, nous y parvenons relativement bien les toutes premières fois, et de moins en moins bien par la suite. L'excitation ayant gagné les cellules voisines, elles s'en trouvent activées, leur inhibition faiblit et elles se mettent à commander des contractions qui contrarient le mouvement.

Nous avons en nous, en matière d'action, des trésors insoupçonnés de possibilités. Mais certaines associations ne se font jamais et, en conséquence, un certain nombre de cellules du cortex moteur peuvent rester en attente, constamment inhibées, ou à peine activées. Les autres cellules, qui sont fréquemment sollicitées, sont, quant à elles, très actives. Comme les cellules se fatiguent rapidement, il s'installe une rotation entre les différents groupes de cellules afin de pourvoir sans relâche aux besoins des muscles les plus actifs. Chez un sujet ayant perdu ses bras dans un accident, et qui a appris à écrire avec ses orteils, la partie du cerveau qui commande les jambes sera plus importante que la normale. Inversement, celle qui correspond au pouce sera plus petite. Lorsque cette nouvelle façon d'écrire est bien intégrée, toute une série de petites cellules avoisinantes se relaient pour assurer tantôt l'excitation, tantôt l'inhibition, permettant ainsi à l'action de se dérouler un bon nombre de fois sans perdre de sa précision.

Les cellules motrices ont tendance à s'activer d'elles-mêmes, du moins pendant la croissance. A la moindre sollicitation du monde extérieur, au moindre changement organique, elles se mettent à explorer, à chercher. De nouveaux schémas sont ainsi formés, qui ont tendance à être répétitifs. Cette tendance est si forte qu'elle se manifeste à la première occasion venue, sitôt que nous sommes moins vigilants, comme par exemple pendant le sommeil, la fatigue ou la maladie, à moins que l'environnement n'y fasse obstacle, soit en lui substituant une habitude plus ancienne et donc préférentielle, soit en refoulant directement le nouveau schéma si tentant.

Il est bon de se rappeler que les rêves sont faits, la plupart du temps, de bribes d'un passé plus ou moins conscient. Freud, par exemple, pensait que les rêves remontaient à la période prénatale, du temps où le fœtus était encore dans le ventre de la mère.

Lorsqu'un mouvement est nouveau, l'excitation cellulaire est uniforme. Son intensité ne se met à varier que plus tard, lorsque les cellules voisines sont neutralisées, car, au tout début, nous ne savons pas régler notre force musculaire en faisant travailler les fibres tour à tour. D'où les courbatures et les contractions qui sont, en fait, provoquées par l'excitation frénétique de nombreuses cellules, dont les cellules motrices qui engendrent la fatigue. La physiologie nous a appris que la cellule motrice est la première à se fatiguer dans un circuit neuromusculaire de base. Puis c'est le tour de la terminaison nerveuse, à l'endroit où elle atteint le muscle. La fatigue musculaire proprement dite n'intervient qu'en dernier, et elle est très rare.

Le sommeil, en jetant un voile d'inhibition sur les cellules, leur permet de se reposer régulièrement. Le sentiment de fatigue que nous éprouvons est essentiellement un phénomène cortical. En temps normal, la production de déchets dans les muscles n'est que rarement responsable de la fatigue, en premier lieu. Chacun sait avec quelle rapidité nous sommes capables de nous remettre d'une journée harassante si nous sommes suffisamment motivés. L'inhibition peut être éliminée rapidement, mais ce n'est pas le cas des déchets et des toxines, qui nécessitent des heures de sommeil.

Les premiers signes de fatigue des cellules motrices se reconnaissent à ce que nous ne parvenons plus à les inhiber. Elles continuent à produire des influx, mais qui résultent en de faibles contractions des muscles, des tressaillements, et finalement des crampes. Ces mouvements désordonnés et sans coordination proviennent d'une perte de contrôle inhibitoire sur les cellules motrices fatiguées. Le sommeil, par exemple, est impossible sans un centre d'inhibition dans le cortex. Les cellules fatiguées forment un centre de ce type, où l'excitation demeure, parallèlement à une inhibition qui s'étend. Pendant ce temps, les cellules continuent d'envoyer des messages. Lorsque celles-ci sont au bord de l'épuisement, nous perdons la faculté d'inhiber correctement les mouvements sporadiques. Même les gens bien portants, qui n'ont jamais d'insomnies, sont en général incapables de s'endormir quand leur fatigue physique est par trop importante.

Les premiers degrés de fatigue s'estompent avec le repos. Il s'agit avant tout du repos des cellules corticales, et non de celui des cellules musculaires. Ces dernières ne se fatiguent jamais au point de ne plus se contracter normalement. Ainsi, un changement d'activité peut-il être aussi bénéfique que le repos, car nous ne faisons pas nécessairement appel aux autres muscles. En effet, dans ce cas, seul change le schéma d'organisation des cellules qui envoient l'influx vers les muscles. Cet élément seul importe, et il est suffisant, puisque les cellules fatiguées ne sont pas sollicitées à nouveau.

L'étape suivante est celle où les cellules motrices sont à ce point épuisées qu'il devient impossible d'inhiber des schémas entiers d'exécution d'un acte dans sa totalité. C'est alors qu'apparaissent les automatismes, comme les gestes machinaux ou comme lorsque nous parlons seuls.

La prise de conscience de ces actes suffit à nous en empêcher, car le pouvoir d'inhibition reste valable aussi longtemps que nous sommes conscients de nos actes. Mais ce mécanisme de défense a du mal à fonctionner longtemps. Là encore, les cellules fatiguées ont besoin de repos. Il faut par conséquent recourir à des solutions très variées pour ne pas avoir à solliciter des cellules fatiguées. Pour cela, il suffit de faire autre chose en se servant d'une autre partie du corps, ce qui permettra tout naturellement aux cellules fatiguées de se reposer.

A noter cependant que, dans leur pratique, ces deux schémas doivent être impérativement incompatibles.

Enfin, lorsque nous atteignons le stade de l'épuisement, il se révèle impossible de contrôler normalement l'excitation des cellules, et par conséquent d'empêcher celles qui sont fatiguées de se remettre à fonctionner. Mais il s'agit là de cas extrêmes que nous n'avons pas à aborder ici.

Le cortex humain possède, à la naissance, un nombre relativement peu important de schémas déjà formés. De ce fait, la tendance à en produire de nouveaux est beaucoup plus grande que chez les animaux inférieurs. D'où notre sens plus développé de la recherche et de la curiosité. Par ailleurs, nous sommes poussés à vouloir à tout prix utiliser les schémas récemment établis. Prenons l'exemple des enfants : dès qu'ils apprennent un mot, un geste ou une expression nouvelle, ils n'ont de cesse que de les répéter, à la grande exaspération des adultes qui finissent par perdre patience. Ce processus, spécifique à l'être humain, n'est sans doute pas étranger au phénomène de fatigue des cellules nerveuses qui rend l'inhibition impossible. Mais même chez les enfants, cette répétition est normalement modérée, en fréquence et en intensité. Très vite, la nature reprend le dessus et réintègre le cours normal des événements.

Lorsque la répétition se produit trop longtemps et de manière excessive, elle entraîne un état de fatigue tout à fait anormal. Ce peut être le cas des centres nerveux inférieurs qui, comme nous le savons, commandent les muscles permettant aux articulations d'accéder à la station debout. S'ils sont trop fatigués, ils peuvent rendre ces muscles mous et inopérants. Il faut savoir toutefois, et cela est important, que ces mêmes muscles pourtant incapables de nous porter peuvent s'acquitter au même moment d'un mouvement spontané. Mais bien sûr, nous l'avons déjà vu, il s'agit là de deux influx d'origine différente. Il faut dire que même les professeurs d'éducation physique ne font pas tous très bien la distinction et s'imaginent à tort qu'il suffit de s'exercer pour que les muscles fonctionnent. Lorsque leurs élèves font peu de progrès, ils ont tendance à leur reprocher leur manque de persévérance. Mais la volonté n'a qu'un rapport indirect avec la tonicité des muscles, et les progrès éventuels ne sont que le fruit d'un heureux hasard. Les mauvaises postures ne sont pas si aisées à corriger. Il ne suffit pas de leur en substituer de meilleures, contrairement à ce que beaucoup pensent.

En vérité, c'est avant tout un problème de volonté mal dirigée qui provoque une mauvaise distribution de la tonicité. Le contrôle volontaire étant plus fort que tout, le schéma relatif à la tonicité des muscles finit par se déformer. Les centres qui sont surchargés de travail se fatiguent, ceux qui sont inhibés souffrent de dystrophie, et tout le schéma corporel du corps est faussé. Ne pouvant plus nous fier à nos sensations purement corporelles, nous faisons, plus que de coutume, appel à nos yeux pour nous repérer dans l'espace et accomplissons un effort accru pour nous concentrer et nous contrôler. Chaque action exige alors un temps de préparation et de réflexion considérable manifeste chez beaucoup de gens parvenus à ce stade, lorsqu'ils doivent tout bonnement sortir du métro ou monter les escaliers pour rentrer chez eux.

Un tel effort de concentration ne peut être soutenu très longtemps sans provoquer un sentiment permanent de fatigue et de nervosité auquel s'ajoute la peur de l'échec face à une situation imprévue. (Mais nous y reviendrons en temps voulu.)

Comment un organisme, pourvu de tant de moyens de contrôle synergétiques et tout-puissants, peut-il en arriver à ne plus fonctionner correctement? L'hypothèse de la prédisposition, avancée la plupart du temps, est tout à fait insuffisante et ne sert qu'à masquer notre ignorance. Par ailleurs, et c'est là le pire, elle n'apporte rien de positif et ne suggère même pas de champs de recherche vers lesquels nous orienter. Il ne fait pas de doute que l'hérédité est, parfois, responsable de certaines déficiences physiques. Mais ce sont là, paradoxalement, des cas relativement bénins, sauf bien sûr lorsque le sujet est victime du même engrenage que nous tous.

La plupart du temps, cette détérioration provient d'un mauvais usage de soi. Le terme de « mauvais » doit être pris cependant avec beaucoup de réserve. Je suis convaincu que personne ne se veut du mal volontairement. Nous faisons le meilleur usage possible de nous-mêmes, compte tenu des circonstances, quitte à nous apercevoir plus tard que nous aurions pu faire mieux ou différemment. Par conséquent, sur le moment, nous faisons toujours pour le mieux. Si, par exemple, nous marchons la tête baissée, ce n'est pas par choix, comme si nous pouvions faire autrement. Et cependant il est vrai que nous ne nous servons pas correctement de notre corps. *Nous faisons usage de notre corps au mieux de nos moyens du moment.*

Cet usage reste jusqu'ici irrationnel et fortuit, car nous avons omis de prendre en compte la dimension psychologique que le vécu confère au système nerveux. On nous inculque de tels critères de rigidité mentale et physique, que, sortis du confort de l'habitude, nous ne savons qu'agir « en force ». En fait, le système nerveux humain est foncièrement très souple. Au départ, le contexte familial nous prépare à vivre dans des conditions à peu près analogues à celles de nos parents. Toute modification importante de ces conditions exige de nous un effort considérable. Si, au lieu de nous appliquer à la réduire, nous utilisions cette propriété du système nerveux, nous serions à même de composer avec les changements de la vie, évitant cette charge émotionnelle qui tétanise et détruit encore trop d'individus.

Qu'il s'agisse des peuples en voie de transformation sociale et économique profonde, ou des individus marginalisés, nous retrouvons partout chez eux la trace d'une grande instabilité émotionnelle. Ceux qui ont osé sortir des sentiers battus et qui auraient eu une chance d'aboutir à quelque chose s'ils y avaient été mieux préparés sont ceux qui, précisément, ont souvent « raté leur vie » au sens classique du terme.

Notre système d'éducation ne cesse de répandre les germes de futurs conflits. Toute notre histoire est pavée de « grands hommes » qui ne le sont devenus que parce qu'ils ont dévié de la norme. Malgré les efforts de dissuasion de leurs aînés ou de leurs maîtres, ils ont constamment été à l'écoute de nouveaux modes de pensée, de réflexion et d'action, allant même jusqu'à oser vivre en accord avec leurs idées. Tout le mal vient des schémas contradictoires mis en place dans l'enfance. D'un côté nous prétendons que, pour être un homme, il faut savoir braver les conventions, rompre avec les traditions, en un mot « créer l'événement » en faisant preuve de personnalité; de l'autre, nous ne laissons aucune chance à nos enfants en les cloîtrant dans un système en tout point conservateur. Nous ne faisons d'exception que pour ceux qui ont ce que l'on a coutume d'appeler « le feu sacré », les élus, en quelque sorte. Mais à moins d'être soi-même touché par la grâce, comment reconnaître le feu sacré du feu ordinaire... Et la créativité a besoin d'être sérieusement encouragée et favorisée avant que d'aucuns ne la considèrent comme un droit à part entière. Combien sommes-nous à ne chercher qu'à nous caser dans un petit coin bien tranquille, à la mesure de nos ailes coupées? Rares sont ceux qui ont le bonheur de croiser à temps un être humain digne de ce nom! Mais ils viennent alors s'ajouter à la liste des pionniers qui s'imposent à toute la génération qui suit. Il reste que la grande majorité se rallie à la norme, bien que certains continuent malgré tout à essayer de s'en affranchir. Parmi ceux-là, les écorchés vifs, et leur lot d'épreuves et d'instabilité émotionnelle. Ils choisissent rarement la profession de leurs parents, aspirent à une promotion sociale ou à ce qui leur paraît tel. Ce sont des originaux qui, plus que les autres, font un mauvais usage d'eux-mêmes et ont échoué dans leur différenciation dans un secteur au moins de leurs activités. Oser ne suffit pas. Encore faut-il savoir. Rien n'est plus pernicieux que cette facilité avec laquelle le système nerveux se prête aux schémas individuels, car les premiers formés sont aussi les plus durables. Seuls une grande habileté et un savoir précis peuvent avoir raison de leur intégrité. Comme ces schémas ont tous été formés pendant la période de dépendance par rapport à la société, directement ou indirectement, nous sommes conditionnés à nous conformer à la norme.

Qu'il s'agisse de l'influence des parents ou de celle de notre entourage immédiat, tout concourt à amputer le système nerveux d'une portion importante de sa propension à l'individualité. Les adultes excluent ou entretiennent chez nous tout ce que bon leur semble. Bien sûr, nous survivons quand même, vaille que vaille, et cela n'est pas intolérable, mais nous fonctionnons toujours bien en deçà de nos possibilités réelles. Sur le plan physiologique, le système nerveux est, dans son ensemble, prisonnier de la tradition sociale. En matière de possessivité humaine, la part de responsabilité qui incombe à la petite enfance n'a jamais été convenablement établie. N'avons-nous pas été nourris et habillés différemment des autres? (Car nous étions plus petits.) La taille de la famille et l'ordre d'arrivée dans celle-ci ont des répercussions sur la formation des schémas de comportement, qui montrent bien le caractère décisif de l'influence du milieu au cours des toutes premières années, sur l'élaboration de réponses qui forment le noyau de notre personnalité.

Nos habitudes alimentaires, notre sommeil, nos temps de repos, notre sexualité, et tout ce que nous faisons en général, s'accomplit par l'intermédiaire des muscles. Plus significatif encore, l'organisme tout entier est amené à obéir et à exécuter les tâches qui lui sont demandées. A chaque mouvement volontaire des muscles correspond une position du squelette, un état physique et un contexte émotionnel qui s'y rapportent. Nous avons également, quoique indirectement, un pouvoir de contrôle sur tout ce qui provient des centres moteurs volontaires. Rien de plus intime et personnel en apparence, et qui cependant est également intimement lié à l'environnement. Par le biais de ses règles d'hygiène, de ses devoirs familiaux et de ses traditions de vie, la société sécrète un environnement qui façonne le système nerveux plus directement qu'elle ne saurait le faire par ailleurs.

L'être humain possède en substance une maîtrise de soi virtuellement absolue, mais qui se trouve réduite à la portion congrue au niveau individuel. Nous nous heurtons ici encore au même phénomène complexe déjà rencontré, à savoir la problématique du transfert progressif de la zone d'influence, qui passe du support somatique du système nerveux aux centres supérieurs de l'intelligence, pour atteindre, à son paroxysme, un degré idéal, et par conséquent impossible, de maturité.

Afin de mieux comprendre le mécanisme sur lequel repose chacun de nos actes, le plus simple est de diviser l'espace en trois grands domaines : d'une part le monde extérieur, puis notre corps, qui sert de support et d'enveloppe au système nerveux, et enfin le système nerveux lui-même, où s'élaborent les réponses et se conçoit l'acte. Bien sûr, cette séparation ne saurait être que purement théorique, car toute action repose sur l'ensemble de ces éléments conjugués. Le danger d'une telle séparation réside dans la tentation d'en tirer des conclusions erronées, fort éloignées de la réalité, ce qui est le cas pour la plupart des abstractions.

Ainsi nous avons tendance, à tort, de croire qu'il nous faut agir comme tout le monde, simplement parce que nous ignorons, un instant, qu'il est impossible de ne pas tenir compte du vécu d'un individu et de son environnement sans perdre de vue un élément important. Très souvent, lorsqu'un changement de comportement est nécessaire, ces éléments ignorés se révèlent être d'une importance capitale.

Tout acte est synonyme de changement ; si le monde autour de nous change même un tant soit peu, notre corps fait de même. Le système nerveux doit être sensible à la fois au changement extérieur et à celui du corps, de manière à entériner l'intention et nous permettre d'agir comme il faut. Nous ne devons pas perdre de vue également que, chez tout être vivant, on ne peut parler que de *processus,* et par conséquent, ne jamais saisir que les instants fugitifs de ce processus. Si nous oublions cela, nous donnons à la réalité un caractère définitif qu'elle n'a pas. Par exemple, lorsque nous disons « je veux », nous risquons d'oublier que, dans les trois éléments mentionnés ci-dessus, cela n'aurait que peu de sens. Le langage est un outil bien pauvre lorsqu'il s'agit de décrire une action, car il n'est qu'une suite linéaire d'idées, alors que les éléments du processus changent simultanément tout en se modifiant les uns les autres. Les mots n'ont de valeur que lorsque nous comparons deux processus semblables. Ils servent alors à mettre un nom sur des sensations communes.

11.

VERS UNE NOUVELLE APPRÉHENSION DE SOI

Nous considérons comme bien portante toute personne qui ne se sent pas suffisamment malade pour aller chez le médecin. Lorsque celui-ci intervient, son diagnostic porte, en général, sur une affection touchant tel ou tel organe. Un médecin sait très bien que le foie, le cœur ou les reins ne sont jamais malades en soi, mais que l'affection provient d'un mauvais état général. En localisant la maladie au niveau d'un organe spécifique, et en traitant celui-ci directement, il estime pouvoir en éliminer plus ou moins les symptômes. Nous savons depuis longtemps que cette façon d'aborder la maladie n'est pas satisfaisante, car elle ramène les critères de bonne santé à leur plus bas niveau. Le logement, les habitudes alimentaires, l'insécurité, la monotonie de certaines professions sont autant de problèmes qu'il faut d'abord résoudre si l'on veut pouvoir accéder à un niveau de santé plus élevé. En d'autres termes, il faudrait changer à la fois notre environnement et notre propre comportement.

Malgré l'échec de certains traitements, l'intervention du médecin est généralement rapide et efficace. Mais cela ne l'empêche pas de revoir son patient peu de temps après pour autre chose, et cela tient à un mauvais état de santé permanent auquel rien, pour l'instant, ne lui permet de se soustraire.

La situation est différente pour un psychologue. En effet, celui-ci a besoin d'un nombre considérable de consultations avant de pouvoir toucher du doigt l'élément décisif qui permettra d'obtenir les résultats les plus directs. Sa tâche est de toute évidence beaucoup plus difficile, car il traite d'une science encore mal connue. Son efficacité repose donc en grande partie sur son aptitude à définir les changements à atteindre. En l'occurrence, la plupart des écoles de psychologie ne cherchent qu'à amener les patients vers une normalisation. Un but on ne peut plus fluctuant et nébuleux. Si nous considérons comme normal le comportement le plus répandu, nous sommes forcés de conclure à une anomalie constitutionnelle des gens qui ne s'y conforment pas. Cela semble logique. Mais avec un peu de recul, nous voyons ces comportements — en apparence si différents — sous un jour nouveau. Nous pouvons les étudier en tant que phénomène biologique universel et donc ne voir les comportements normaux que comme l'un des innombrables comportements propres à l'être humain. Ils ne sont plus alors le comportement humain par excellence. Autrement dit, un individu qui aurait grandi à l'état sauvage continuerait de ressembler à un être humain mais n'en aurait pas le comportement classique.

En résumé, le comportement humain découle essentiellement de son vécu et de la nature des sollicitations plus ou moins régulières auxquelles il est soumis. Ce comportement est éminemment cultivé, et ses différences, loin d'être dues à un phénomène biologique naturel, ne sont que le fruit du succès ou de l'échec de cette culture. Cela s'applique à tout ce qui, depuis l'origine des temps, nous a été imposé comme norme.

Certains pensent qu'un être normal est celui qui est toujours heureux. La vie n'a pas grand-chose à voir avec le bonheur. Sinon que dire de nos premières dents, qui nous ont fait tant souffrir? En matière de santé, notre comportement ne se distingue que par la façon dont nous réagissons devant les événements — heureux ou malheureux — quelle que soit notre responsabilité en la matière. Il est le résultat d'un conditionnement général. Dès la naissance, le nouveau-né se trouve conditionné par ses parents à tous les niveaux. D'où le lien qui s'établit forcément entre le processus physiologique et les situations vécues qui nous deviennent aussi familières que notre corps lui-même.

Chaque étape de la croissance voit, vers sa fin, une modification des comportements élaborés pendant son développement. C'est ainsi qu'intervient le sevrage, qu'il faut passer à une autre façon de s'habiller, de se laver, ou que la mère modifie sa façon de s'occuper de son enfant. Ce sont là des événements clés. Cependant, les habitudes sont tenaces et plus elles sont fortes, plus il sera difficile de s'en séparer. Sans le savoir — et même en étant persuadés du contraire — nous posons les fondements et traçons les grandes lignes du comportement de nos enfants dans l'avenir. Les schémas essentiels sont déjà liés à une certaine intensité émotionnelle qui ne pourra que s'opposer à tout changement ultérieur. Cela explique que certains enfants refusent d'obtempérer devant « le pot » fraîchement sorti du rayon des accessoires, ou la cuillère nouvellement mise à leur disposition.

Ils ont déjà des rudiments de possession puisqu'ils ont *leurs* vêtements, *leur* biberon et *leur* berceau ou *leur* lit d'enfant. Nous ne nous rendons même pas compte de ce que nous faisons. Toujours est-il que, à ce point du raisonnement, nous pouvons d'ores et déjà faire la distinction entre un comportement « névrosé » et un comportement normal. Si ce n'était l'obligation qui nous est faite d'évoluer dans notre façon de vivre en y introduisant des habitudes nouvelles, les écarts de comportements resteraient tels qu'ils sont dans la petite enfance.

Or, dès qu'un enfant apprend à marcher et à parler, il est, malgré lui et malgré nous, soumis à des influences déterminantes. Il sait déjà, à ce moment-là, qu'il lui faut être sage pour être aimé, et s'il ne l'est pas — à la manière dont les adultes l'ont décidé —, il se sent coupable. On lui inculque sans désemparer toutes sortes de motivations conflictuelles du genre : « Il faut manger pour devenir grand et fort comme papa. » La notion d'affection ne cesse d'être liée, depuis le départ, à celle d'une personne unique, du sexe opposé. Par la suite, ces schémas devront pour la plupart être détruits et le besoin affectif orienté différemment. Les enfants élevés sainement par des parents équilibrés seront plus à même de dissocier leurs actes de leur empreinte affective, et évolueront tout à fait normalement. Les autres verront leurs différences s'accentuer au fil des années.

Nous voyons donc que notre réaction consiste à imposer un comportement obligatoire. Autrement dit, quelles que soient les étapes de l'évolution personnelle d'un enfant, nous essayons malgré nous, pour répondre à ses besoins du moment, de l'obliger à se comporter d'une certaine manière, sans tenir compte du contexte émotionnel qui, lui, n'est pas le même. Cela devient particulièrement important à l'approche de l'adolescence. L'éveil de sa sexualité amène l'enfant à se sentir adulte et cela implique un réajustement des valeurs à tous les niveaux. Tout repose alors sur la manière dont se fera le passage affectif de l'ancienne étape vers la nouvelle. L'attachement à une personne en particulier doit évoluer. Il faudra s'ouvrir au monde et l'explorer, avant de pouvoir se poser à nouveau sur un seul individu de façon permanente. C'est là que nous rencontrons le fameux complexe du père, ou de la mère, qui empêche cette transition et conduit à la frigidité et à l'impuissance. Il s'avère toujours, dans ces cas-là, que l'un des parents a établi — et continue d'entretenir, des relations calquées sur la petite enfance et dans lesquelles le père ou la mère sont l'objet unique et irremplaçable de l'affection de leur enfant.

Il faut noter un point important, à savoir que la notion de nécessité sert d'alibi permanent à l'éducation, alors que le développement vers la maturité est, quant à lui, laissé entièrement aux mains du hasard. Nous comptons alors, pour devenir adultes, sur notre « intelligence naturelle », notre instinct, ou sur des choses que nous ne connaissons pas suffisamment (de sorte qu'il se passera bien du temps avant que nous ne nous rendions compte de nos erreurs), et, parallèlement, nous faisons pour ainsi dire tout pour prolonger les contraintes de l'enfance. Sans les adultes, la société serait plus facile à gérer. Elle n'aurait d'autre vocation que celle de servir la génération précédente. C'est en fait ce vers quoi tend l'éducation, les enfants n'étant mis au monde que pour rassurer leurs parents, la plupart du temps. Il ne faut donc pas s'étonner si ces derniers font tout pour perpétuer les conditions affectives qu'ils ont créées autour de leur progéniture. Les enfants n'ont le droit de grandir que dans un seul domaine, celui du travail, afin de rassurer leurs parents dans un autre domaine encore : celui de la sécurité financière. Mais c'est précisément grâce à cela que les nouvelles générations ont une chance de devenir adultes.

Le processus qui nous amène à l'éclosion de la maturité est très subtil, car de simple glaise malléable entre les mains du sculpteur, nous devenons peu à peu le sculpteur lui-même. Il faut toutefois se donner la peine d'essayer de comprendre comment tout cela fonctionne, afin d'y voir plus clair et de mieux évaluer, en temps utile, les diverses méthodes permettant de rectifier ce comportement.

Tout porte à croire que les méthodes d'éducation les plus couramment employées sont intrinsèquement mauvaises et qu'il faut en envisager de nouvelles. Certains sont à ce point contaminés par les effets désastreux des pratiques en cours, que toute perspective réaliste de la situation dans son ensemble se trouve déformée. Le problème majeur est lié à l'absence de projet éducatif clair et précis. En premier lieu, quelle que soit sa qualité, l'éducation canalise le développement et l'aiguille dans certaines directions. En second lieu, elle utilise pour cela deux grands moyens : tout faire pour maintenir les schémas de prédilection et exclure tout aussi expressément ceux qui ne conviennent pas. Nous pourrions citer en exemple le fameux « Tu aimeras ton père et ta mère. » Ce précepte est inculqué aux enfants avec toute la conscience et tout l'absolu que l'on imagine. Tout ce qui s'écarte du principe sacré de la parenté est condamné. Il va sans dire qu'un minimum de respect à l'égard des parents est nécessaire, ne serait-ce que pour le bienfait des enfants eux-mêmes ; la relation parents-enfants est inévitable, sauf cas extrêmes. Peu importe d'ailleurs que les parents soient des parents naturels ou des substituts, leur présence est nécessaire tant les enfants sont démunis pendant les premières années de leur vie. S'il est utile aux enfants au stade de la dépendance d'entretenir avec leurs parents des relations à la fois pleines d'affection et de respect, cela devient moins nécessaire lorsqu'ils atteignent un certain stade d'autonomie aussi bien matérielle et physique qu'intellectuelle et affective. La transition vers l'âge adulte se présente en trois étapes: une première étape, au cours de laquelle l'enfant n'est pas maître de ses décisions; il y a des obligations auxquelles il ne peut pas se soustraire. Puis une seconde étape qui laisse entrevoir les premières ébauches d'une indépendance physique et où les obligations se révèlent moins nécessaires; l'habitude peut alors prendre le relais si ces obligations ont été établies de façon convenable. Dans le cas contraire, le rejet sera total et l'affection et le respect céderont le pas à la haine et au mépris. La troisième étape, enfin, est celle de la maturité. C'est-à-dire le moment où chaque situation peut être vécue sans connotation affective. L'affection que l'on porte à ses parents peut alors s'exprimer sans contrainte; il en va de même pour les sentiments de haine et de mépris qui sont alors délibérés. Dans un cas comme dans l'autre, nous sommes maîtres de nos émotions. A ce stade également, nous sommes en mesure de comprendre que l'amour filial et le respect, loin d'être des lois de la nature, sont des nécessités pour ainsi dire issues de l'expérience. L'affectivité n'étant plus prisonnière d'un objectif unique qui se trouvait valorisé par la dépendance, la contrainte à son tour disparaît pour laisser place à la spontanéité. Au niveau du concept, la maturité peut être définie comme la reconnaissance de la nécessité et l'expression de la liberté par rapport aux contraintes précédentes.

La période qui s'étend de la dépendance à la maturité se décompose en trois stades que l'on peut très bien apprécier à travers les émotions — et par conséquent l'action — et à travers la façon même dont nous nous instruisons. Ainsi, nous apprenons, au début, parce que nous y sommes contraints; nous continuons, par habitude (ou nous refusons par rébellion), et enfin nous le faisons par choix. Pour commencer, nous sommes sans défense et avons besoin d'affection ; puis ce besoin nous est imposé et nous pouvons soit le perpétuer par habitude ou le rejeter ; enfin, libérés de cette nécessité, nous sommes en mesure de rechercher les marques d'affection par le biais que nous avons choisi. Le sentiment d'insécurité, très fort pendant la période de dépendance, peut être entretenu bien au-delà de façon inconsciente — ou être refoulé — jusqu'au jour où nous serons à même de dissocier l'action de son contenu émotionnel. A ce moment-là, seules les contingences externes décideront pour nous.

Nous voyons donc bien que rien n'est bon ou mauvais en soi, et qu'aucun modèle n'est parfait. Tout repose sur la distance que nous aurons pu — ou su — prendre, avec les contraintes qui ont marqué notre enfance. La maturité, à laquelle nous aspirons tous, passe par la possibilité affective d'exprimer ses choix. A partir de là, tout individu devient alors responsable, et rien, pas même l'échec, ne saurait remettre en cause sa faculté de progresser, dans quelques domaines que ce soit. Il saura s'adapter à toutes les situations.

Les buts les plus louables, comme la perfection, le progrès, la concentration, la persévérance, la régularité, la méthode, la générosité, l'amour ou la vérité, peuvent se retourner contre n'importe qui, si on les considère comme des fins en soi. Qu'il s'agisse des muscles ou de la mémoire, à quoi sert de vouloir les exercer à la perfection ? Y a-t-il seulement des hommes, des livres, ou des œuvres d'art qui soient parfaits ? Et que dire alors de tous les autres ? N'auraient-ils pas, eux aussi, le droit d'exister ? Ne sont-ils pas tout aussi nécessaires ? Il faut de tout pour faire un monde et il ne faut être excessif en rien. Seule importe la liberté que nous aurons conquise. Nous sommes tous voués à vivre et à mourir, en ayant entre-temps mangé, dormi, procréé, appris un certain nombre de choses. L'essentiel, c'est vraiment la manière dont nous avons vécu tout cela.

Aucun des aspects qui participent du processus de maturité ne doit être négligé. Sinon, quelles que soient les méthodes d'éducation ou les personnes qui s'y emploient, l'échec est pratiquement assuré : en effet, il s'établit alors une confusion entre les buts recherchés et les moyens utilisés pour les atteindre. Le problème se situe non au niveau de l'action elle-même mais dans la façon dont nous la vivons. Prenons la propreté, par exemple. Son bien-fondé est incontestable, mais lorsqu'elle devient une nécessité interne tyrannique (au point de provoquer une révulsion totale à l'endroit de tout ce qui n'est pas propre), la faute en incombe à un manque de maturité ; celle-ci doit être à nouveau encouragée jusqu'au moment où la propreté et la saleté pourront toutes deux être admises avec la même indifférence.

Il existe, quel que soit le contexte, un point optimum de maturité qui se doit d'être atteint. Si un ou plusieurs éléments du contexte changent, il faut à chaque fois reconsidérer le processus de maturité qui n'est jamais, faut-il le rappeler, une chose acquise définitivement ; elle évolue sans cesse à mesure que nous-mêmes évoluons. Malheureusement, nous tuons souvent le projet dans l'œuf. En effet, nous estimons qu'il faut à tout prix figer les comportements sous prétexte qu'ils sont bons ou utiles socialement, à défaut de l'être individuellement. Ce raisonnement relève d'une politique à courte vue, qui se retournera contre nous s'il nous arrive de trop dévier de la norme. La rigueur avec laquelle nous inculquons la rigidité de la nature humaine est la source de tous nos malheurs, car le système nerveux humain est tout le contraire d'une structure rigide ; nous savons bien qu'il se développe en même temps que nous, qu'il est, plus que tout autre système nerveux, sensible à notre expérience personnelle. Celle-ci est la clé de notre devenir.

La nécessité de se situer autrement se dégage très clairement de notre discussion. Elle ne consiste pas à faire prendre conscience des raisons ou des événements qui sont à l'origine de nos actes ou de nos comportements, bien qu'une telle prise de conscience permette de relancer le processus de maturité lorsqu'il s'est arrêté. Il ne s'agit pas nécessairement de dénoncer les défauts de nos traditions et de nos coutumes, qui sont souvent irrationnelles et mériteraient d'être balayées à la première occasion. Cela ne reviendrait qu'à déplacer le problème et à remplacer une solution boiteuse par une autre tout aussi boiteuse, où seule la prothèse s'est améliorée. Il ne s'agit pas non plus d'aider à la compréhension du processus interne qui gouverne nos motivations, même si cela est aussi très utile. Des millions de gens ignorent tout de ce problème et s'en portent pourtant fort bien, menant leur barque contre vents et marées sans l'aide de quiconque. Le niveau de maturité d'un individu se reconnaît à deux choses qu'il a apprises au fil des années: l'un étant sa faculté à dissocier les émotions de leur contexte d'origine, et l'autre étant son efficacité dans l'action. En ce qui concerne les émotions, leur intensité est, de ce fait, également sous contrôle. L'un des buts de l'éducation, tels que nous les avons décrits auparavant, était implicitement celui-là. Mais faute de savoir comment s'y prendre vraiment, les résultats ne sont pas toujours ceux escomptés. Il faut discerner clairement ses objectifs. A partir de là, nous pouvons apprendre à les atteindre correctement, en soustrayant les éléments qui n'y correspondent pas. En résumé, tout ce qui relève du contexte humain est comparable au langage. Il n'existe aucune connexion, à la naissance, qui puisse être volontairement activée pour produire la parole. Les nouveau-nés ne peuvent qu'exercer leurs cordes vocales, et leurs cris se ressemblent beaucoup, comme se ressemblent leurs autres mouvements réflexes. L'expérience individuelle établit certaines connexions qui sont incontournables, quel que soit l'adulte qui s'occupe de l'enfant. En effet, il ne saurait en être autrement puisqu'elles sont le fruit de la relation qui s'établit entre un nouveau-né sans défense et une grande personne. Loin d'être spontané, l'enfant fait ou ne fait pas certaines choses parce qu'il y est encouragé par des marques d'affection de plus en plus grandes. Peu à peu tous les bruits indésirables sont éliminés pour ne garder et entretenir que ceux qui sont conformes au langage des adultes.

Au début, par conséquent, toute expression est liée à un phénomène affectif. Plus tard, ce lien devient moins fort et l'expression se personnalise à l'adolescence, bien que, dans l'ensemble, les jeunes gens tendent à reproduire le modèle parental. La maturité, telle que nous l'avons définie, intervient lorsque la pensée devient autonome par rapport à un énoncé verbal particulier et aux phénomènes affectifs qui s'y rapportent, et qu'un nouveau langage se met en place. Les trois étapes qui mènent à la maturité sont très perceptibles au niveau du langage, si nous comparons la pensée à l'envie d'agir, et la performance elle-même aux mots utilisés.

Le rôle joué dans nos actes par l'expérience personnelle est ici particulièrement évident. La langue maternelle, pour ceux qui n'en parlent aucune autre, semble être celle pour laquelle ils ont été faits. Beaucoup d'enfants cependant parlent deux ou trois langues lorsqu'ils sont très jeunes, si on ne leur en a pas imposé une seule exclusivement. De la même manière, il est tout à fait possible, même assez tard dans la vie, de dissocier les phénomènes affectifs de leur contexte d'origine et d'en former de nouveaux.

Si nous examinons n'importe quel cas d'incapacité fonctionnelle — en dépit des efforts du patient et sans pouvoir déceler d'anomalie purement physique qui en serait la cause —, nous voyons que ce problème majeur s'accompagne invariablement de symptômes divers tels que troubles digestifs, problèmes respiratoires, mauvaise haleine, selles nauséabondes, mauvaise posture, vertiges et étourdissements liés à des mouvements brusques. Peuvent apparaître également des problèmes vasculaires se traduisant par une transpiration anormale, le sang qui monte au visage à tout instant. On remarque également une baisse de la qualité des relations amicales, des problèmes conjugaux, et parfois aussi des troubles de la vue et des problèmes affectant les pieds. Tous ces symptômes varient en présence et en intensité d'une personne à l'autre. C'est pourquoi *toutes* les thérapies produisent un effet dans *certains* cas, et bien souvent apportent une amélioration sensible. En effet, il ne s'agit pas là de maladies à proprement parler, mais de désordres dus à une personnalité mal adaptée et sachant mal se réguler. Ce qui n'exclut pas, par ailleurs, d'excellents résultats dans d'autres domaines, constituant la contrepartie utile et positive des déséquilibres de cette personnalité. Mais cela explique aussi les conflits qui, bien évidemment, ne sauraient manquer de surgir, au niveau de la pensée, des pulsions et de l'action elle-même. L'énergie est canalisée dans les champs d'activité qui présentent les meilleures chances de réussite, mais ce sont bien entendu ceux pour lesquels la maturité est la moindre.

Comment devenir plus performant

L'efficacité réclame tout d'abord de trouver, étape par étape, le détail qui permettra d'obtenir le meilleur résultat. Pour ce qui est de notre corps, ce détail n'est pas facile à découvrir, car le physique et le mental sont ressentis comme un tout, et non comme des éléments distincts sur lesquels nous pouvons agir séparément.

A force de répétition, nous finissons par croire que nos actes sont inséparables des sensations qui les accompagnent. Cela est vrai, même de la sensation d'effort, qui pourtant nous est pénible, et que nous hésitons parfois à entreprendre ou à poursuivre mais qui est indissociable, à nos yeux, de ces actes, et va jusqu'à paraître essentiel à leur accomplissement. Nous en sommes aussitôt conscients si nous examinons ce qui se passe lorsque nous faisons quelque chose de simple: limer un objet ou scier un morceau de bois par exemple. Nous voyons bien alors que non seulement nous faisons ce que nous avions décidé de faire, c'est-à-dire scier, mais que nous faisons également une autre chose, intégrée à l'acte lui-même, et qui pourtant l'entrave, produisant la sensation d'effort et de résistance.

Si vous observez un être rompu à ce genre d'exercice, vous remarquerez qu'il l'accomplit avec beaucoup plus d'aisance que vous. Il ne s'embarrasse d'aucun geste inutile, ne semble pas faire d'effort. Il se passe encore autre chose, plus difficile à voir: il fait certains gestes avec ses mains et ses bras, mais le mouvement d'avant en arrière est, quant à lui, produit à partir des hanches. Les bras bougent avec le corps et en même temps que lui, mais les mouvements par rapport au corps sont secondaires.

Il est essentiel de se rendre compte que l'incompétence

n'est pas un manque de savoir-faire en soi, mais le résultat de gestes inutiles et parasites. Nous agissons, à notre insu, dans le sens de la résistance. Notre incompétence nous incite à produire des efforts si fréquents et inadaptés que l'acte visé nous semble inaccessible et que ce sentiment semble parfois si accablant, qu'il nous faut un effort de volonté considérable pour oser de nouvelles tentatives.

Il en va de même dans le domaine de la sexualité. Certains compliquent invariablement leurs rapports sexuels par des considérations d'ordre économique, moral ou autre, si bien que cela devient une tâche difficile qu'accompagnent des sentiments pénibles et qui n'ont rien à voir avec la sexualité. Personne ne peut aborder de telles idées sans en éprouver de malaise — surtout si l'on a eu une éducation religieuse peu équilibrée —, car elles reposent sur des contradictions fondamentales. Le sentiment de conflit que nous évoquions plus haut se poursuit jusque dans les rapports sexuels et finit par devenir habituel. Il n'a rien à voir avec l'acte lui-même, mais il est à ce point lié à lui qu'il l'accompagne systématiquement et subsiste jusqu'au jour où, enfin, se dessine un progrès au niveau physique proprement dit. A ce moment-là, il disparaît souvent complètement.

Ce lien, qui unit la sexualité à des considérations d'ordre externe, s'explique par le fait que la société continue d'avoir un droit de regard sur elle longtemps après que nous sommes physiologiquement prêts à l'assumer. Et pendant ce temps, on ne cesse de nous répéter qu'il faut d'abord résoudre nos problèmes d'indépendance financière et économique. Peu à peu ces contraintes d'ordre social et moral façonnent notre attitude à l'égard du sexe opposé, vers lequel nous sommes attirés, et tissent la trame du conflit avec la sexualité. Seuls les individus ayant atteint un degré de maturité leur permettant de faire la part des choses sont à même de vivre une sexualité satisfaisante.

La solution du problème de l'incompétence passe par la recherche de tout ce qui peut, inconsciemment ou par habitude, entraver la liberté de nos actes et notre accès à l'état adulte. Adulte, nous nous étonnerons des complications créées par les autres, alors que tout est si simple. Reconnaissons que n'importe quel adulte digne de ce nom ne résisterait pas toujours aux conditions de vie dans lesquelles certains évoluent.

Pour être d'une utilité quelconque, le savoir-faire ne doit pas être idéal mais efficace, adapté à la société d'aujourd'hui. Il ne sert à rien de vouloir être à tout prix mieux que les autres. Il faut se donner les moyens d'être équilibré et serein et non créer de nouveaux terrains de conflits. Il faut, enfin, être en harmonie avec le temps *présent,* même si tout le monde s'accorde à dire que notre société et notre éducation sont encore loin d'être un modèle de progrès et de créativité.

12.

LA POSTURE CORRECTE

Comme nous l'avons déjà expliqué, la posture s'apparente à l'action et non au maintien d'une position du corps. Le mot « acture », qui n'existe pas, conviendrait peut-être mieux. La qualité de son exactitude peut se juger de deux points de vue, qui mènent généralement à des conclusions diamétralement opposées.

Du point de vue de l'action proprement dite, chacun agit raisonnablement bien dans l'ensemble, adoptant une posture en rapport avec ses capacités. Un enfant, par exemple, qui doit rester assis sur une chaise trop grande pour lui, et qui ne sait pas encore s'asseoir correctement, a des problèmes au niveau des muscles des articulations des hanches. La faute en revient encore une fois à l'éducation qui, pour des raisons d'hygiène, n'accorde que peu de temps à l'enfant pour marcher à quatre pattes, et le pousse à se tenir debout le plus vite possible. Il fait d'ailleurs de son mieux, quand il se tient le dos courbé et la tête baissée sur sa chaise. Cette position demande peu de tension musculaire, comme le démontre Bengt Akerblom dans son livre *Être assis et être debout,* car le poids du corps est porté par les ligaments de la colonne vertébrale. Lorsque l'on songe qu'on exige des enfants qui vont à l'école pour la première année de rester assis sans bouger pendant des heures, il faut leur accorder le droit — et c'est le cas — de satisfaire à cette exigence comme ils le peuvent.

Du point de vue, maintenant, de la posture, ou « acture » elle-même (c'est-à-dire la façon dont un acte est accompli et la meilleure manière d'y parvenir), force est de constater que la plupart des gens se tiennent en dépit du bon sens.

Des professeurs aux culturistes, tout le monde prétend que les mauvaises postures font du mal. A mon avis, cette opinion est erronée. Aucune position du corps, aussi incohérente soit-elle, n'a jamais fait aucun mal sinon localement, et faiblement. Mais ceux qui se tiennent mal en permanence ont des problèmes que n'ont pas ceux qui le font de temps en temps seulement, même si cela dure relativement longtemps. Les effets désagréables ne sont pas dus à la position en soi, mais au fait qu'elle est aliénante et exclusive chez tous ceux qui ont des problèmes de coordination. Les asthmatiques, par exemple, ont une façon de se tenir bien particulière — au niveau de la poitrine, de la gorge et de la tête — et à laquelle ils reviennent sans arrêt. Ils ne peuvent pas faire autrement. Nous pourrions les copier autant que nous voulons, mais n'en tirerions que quelques inconvénients mineurs, sans devenir pour cela asthmatiques. L'exclusion de toute autre attitude est, à l'évidence, compulsive. Le mal vient de la méthode d'exécution et non de la configuration anatomique qui en résulte. D'ailleurs, dès que cette attitude compulsive est évacuée, l'asthme disparaît aussi.

Aussi longtemps que l'asthmatique ne sera pas capable de s'assumer émotionnellement, ce choix demeurera sa meilleure protection contre la peur de l'abandon qui l'étreint. Comment, en l'occurrence, pourrait-il en être autrement, puisqu'il a été soumis à une véritable douche écossaise, faite de démonstrations d'affection débordantes suivies de la frustration la plus totale, à une époque où il n'était pas en mesure d'affronter l'abandon sans être submergé et littéralement « rétréci » par l'angoisse. La position des muscles fléchisseurs tendus et des extenseurs inhibés est typique d'un corps en quête de sécurité. Il en est toujours ainsi lorsque la peur s'installe. Les coups pleuvent sans qu'on puisse les esquiver ni les rendre car on se l'interdit, tout comme cela était interdit face aux parents.

Alors on baisse la tête et on creuse la poitrine.

Ces mouvements sont les plus efficaces pour protéger le corps contre les agressions qu'on redoute. Tant que cette attitude de peur prévaut, face à l'abandon ou au stress, dans des circonstances qui exigeraient pourtant, face à un adversaire plus puissant que soi, une réponse agressive, cette posture « fermée » demeurera la mieux adaptée. Et par définition, ces circonstances sont aussi celles qui trouvent les asthmatiques les plus démunis.

Le coupable, en l'occurrence, est donc bien l'immaturité affective, et non telle ou telle posture, puisque c'est cette faiblesse émotionnelle qui en recrée sans cesse les conditions idéales. L'asthmatique a été entouré, pendant la période de dépendance, d'un climat émotionnel si lourd, qu'il lui est impossible de se prendre en charge et d'exploiter au mieux ses possibilités. Ce climat a engendré une série d'attitudes et de positions qui se sont révélées être les seules efficaces pendant toute cette période.

Parler de « bonne » ou de « mauvaise » posture n'a aucun sens si l'on ne prend pas en considération le niveau de maturité, la situation de l'individu, ses ressources émotionnelles et sa condition physique. D'ailleurs, tous ces éléments se situent généralement très en deçà de leur niveau potentiel du fait de la compulsion. N'oublions pas que le terme de compulsion est ici employé pour désigner la façon dont les habitudes de comportement ont été formées sous l'emprise de l'affection, du sentiment de sécurité et autres facteurs émotionnels, qui sont, pour un enfant, les seuls moyens de conquérir son droit à la vie. Cela n'implique pas nécessairement le recours aux punitions sévères, bien que celles-ci ne soient d'ailleurs pas exclues.

Chez l'individu qui a atteint un niveau de maturité convenable, ses agissements sont spontanés, dans les circonstances les plus familières, et intentionnelles lorsqu'un contrôle plus subtil est nécessaire. Ces deux attitudes sont possibles pour la simple raison qu'il a appris à se libérer de l'emprise de ses émotions, que son comportement est exempt de toute compulsivité, et qu'il vit en fonction des nécessités et de ses désirs du moment. L'absence de compulsivité signifie une liberté et une indépendance plus grandes, au même titre que la nécessité du moment permet, lorsqu'elle est intégrée, d'échapper à la conformité aux normes sociales en vigueur.

Ce que l'on nomme « bonne posture » est une question de croissance émotionnelle et d'apprentissage. Il est inutile de passer son temps à essayer de se tenir d'une certaine façon, ou de répéter cent fois le même geste. Contrairement à ce que l'on pense, apprendre n'est pas plus un exercice purement intellectuel que l'adresse n'est purement physique. Cela consiste essentiellement à comprendre la relation entre le corps, l'esprit et le milieu, c'est-à-dire le tout, sous forme de sensation qui, à force, devient si précise que nous pouvons presque la décrire dans un langage accessible. Nous commençons par apprendre comment utiliser notre corps pour bouger et nous déplacer. Parmi toutes les contractions musculaires possibles, nous avons tôt fait de reconnaître les positions qui ont un rapport avec le monde extérieur dont notre corps fait partie. Peu à peu ces tâtonnements prennent une forme précise et définitive. C'est ainsi que nous apprenons à marcher, à parler et à nous servir d'une cuillère. Pour faire cela de mieux en mieux, il faut reprendre et perfectionner notre façon de faire.

Tout ce qui a été bien appris, qu'il s'agisse de parler, manger, réfléchir, respirer, résoudre nos problèmes, dessiner ou bien nous battre, se reconnaît aux critères suivants:

1. — *Absence d'effort:* Tout acte bien fait ne nécessite aucun effort, quelle que soit l'énergie qu'il réclame. Nous y sommes si peu habitués que cela peut paraître une aberration. Mais regardez donc évoluer un bon professionnel, danseur, judoka, champion de ski, acrobate, une grande diva, un cavalier arabe. Il ne fait jamais un geste inutile. L'effort, qui résulte précisément d'un surcroît d'énergie parallèle et superflue, se manifeste à certains signes tels que: le souffle court et haletant, les médiocres résultats, la colonne vertébrale nouée par endroits (cela provient de mouvements qui bloquent plusieurs vertèbres tandis que d'autres sont sollicitées au risque d'une élongation des ligaments). On trouve aussi parfois des articulations bloquées par des mouvements trop brusques allant d'une articulation à l'autre. Nous verrons plus tard comment résoudre ces problèmes, grâce à une seule attitude.

2. — *Absence de résistance:* Aucun déplacement n'est possible quand il s'agit d'un obstacle réel, tel un mur, par exemple. Quel que soit l'effort prodigué, le résultat sera toujours nul. La sensation de résistance est produite par l'arrivée d'influx contradictoires au niveau des muscles. Ils reçoivent l'ordre de se contracter d'une certaine manière, mais la position du corps est telle

qu'ils sont incapables d'exécuter ce qui leur est demandé. Rester debout ou s'asseoir peut parfois poser un problème ; mais nous n'en tenons pas compte et persistons à vouloir le faire comme nous en avons l'habitude, persuadés qu'il n'y a pas de meilleure façon de s'y prendre.

Le simple fait de penser, qui n'entraîne qu'une modification infime de l'espace corporel, provoque un phénomène de résistance qui entraîne une tension musculaire. Normalement, nous essayons d'y remédier par un surcroît de « volonté ». Cet effort est nécessaire chaque fois que nous sommes aux prises, à notre insu, avec des motivations contradictoires, ce qui revient à se donner beaucoup de mal pour pas grand-chose. Seuls les individus immatures ont besoin de faire des efforts pour agir. Les autres se contentent d'exploiter des motivations qui, tels l'intérêt, la nécessité ou le talent, ne sont pas soumises à des pressions émotionnelles inconscientes. Cette aptitude à inhiber les tendances perturbatrices a demandé, de la part de l'individu qui a atteint une maturité convenable, beaucoup d'application et de sacrifices dans l'effort de comprendre son propre fonctionnement. (Le fait de contracter la mâchoire, par exemple, est un signe de doute et ne sert à rien, surtout pas à faire preuve de créativité. Il ne fait qu'accompagner la dépense d'énergie nécessaire pour arriver à ses fins malgré le décalage entre la motivation et le travail des muscles.)

La sensation de résistance que nous opposons à certains actes provient d'un manque de discernement devant l'action. C'est une manière infantile de gérer ses motivations. La qualité de nos résultats dépend de l'attention que nous aurons su accorder à la sensation de résistance que nous éprouvons. Cette règle est valable pour tout, de la pensée aux sentiments, en passant par la sexualité. Elle est limitée à la période d'apprentissage et n'est plus nécessaire par la suite, puisque tous les repères sont déjà établis. Seules les situations nouvelles exigent une attention particulière.

La sensation de résistance coïncide avec une mauvaise distribution de la contraction musculaire. Les muscles moteurs se situent autour du pelvis. Ceux qui sont rattachés aux membres se contentent de placer les os dans une position qui permet la transmission de la force qui déplace le corps. Ils la dirigent le plus souvent mais ne la produisent pas. Quel que soit le mouvement, si l'*acture* est correcte, la force est transmise depuis le bassin à travers la colonne vertébrale et jusqu'à la tête. Les contractions qui se produisent le long de la colonne vertébrale ne sont que synergétiques (c'est-à-dire qu'elles ne servent qu'à maintenir la colonne dans une position qui permet à la force de passer), et il n'y a aucune contraction des muscles du cou, sauf si tel était l'objet du mouvement. La sensation de résistance intervient lorsque les membres, le thorax, les épaules, ou toute autre partie du corps se voient contraints de faire le travail des muscles du bassin et de l'abdomen.

Ce problème de résistance est de la plus haute importance : tout d'abord parce qu'en l'ignorant, nous ne faisons qu'agir contre nous-mêmes, alors que nous croyons surmonter des difficultés objectives ; ensuite parce que si nous n'en sommes pas conscients, nous risquons de ne pas pouvoir l'éliminer à temps pour éviter un problème majeur ; enfin parce que nous refuserons de persévérer, face à la réussite des autres et à notre propre échec, en invoquant des défauts inhérents à notre nature. Ce genre de constat est démobilisateur. Il est le fruit d'une imagination fatiguée mise trop souvent à l'épreuve, et n'a rien à voir avec la réalité objective.

3. — *Présence de la réversibilité:* La réversibilité est caractéristique de toute « acture » correcte se rapportant à un acte volontaire. Quel que soit l'acte entrepris, il peut, s'il est bien fait, être à tout moment interrompu, arrêté totalement, ou inversé sans effort et sans, au préalable, changer de position. Cette règle prend, bien sûr, en considération les phénomènes de réflexes et inertie tels qu'ils s'opèrent pour la déglutition ou le saut par exemple. Nous savons bien que lorsque nous avalons, la nourriture descend dans notre œsophage sans intervention de notre part. De même, lorsque nous sautons à pieds joints, ce qui se passe après ne dépend plus de nous dans une large mesure. Il faut noter toutefois qu'il est possible de contrôler le passage de la nourriture dans un sens comme dans l'autre, et que les bons yogis y parviennent à volonté. Il en va de même pour les champions de saut, qui réussissent, par d'imperceptibles mouvements du corps, à contrarier son inertie et à contrôler leur saut.

Il n'est plus question ni de réversibilité, ni de qualité dans l'action lorsque nous sommes sous l'emprise d'une forte émotion telle que la colère, la frayeur, la honte ou la culpabilité.

La réversibilité ne s'applique qu'à ce qui est fait convenablement, y compris le sommeil. C'est ainsi que certains, et en particulier ceux qui ont réussi à faire de leur travail un plaisir, s'endorment et se réveillent à leur gré. De plus, tout animal ou tout être humain en bonne santé n'a aucun mal à se rendormir après avoir été réveillé. Ni l'un ni l'autre ne lui posent problème.

Cette faculté d'interrompre, recommencer ou arrêter une activité quelconque est l'un des critères les plus subtils d'une bonne « acture ». Seuls les êtres bien équilibrés, c'est-à-dire doués de maturité, peuvent interrompre, retarder, ou recommencer un rapport sexuel librement. La nécessité d'un contrôle précis des fonctions d'excitation et d'inhibition fait de la réversibilité un critère important. Elle réclame une alternance parfaite entre les systèmes sympathique et parasympathique. Le test de la réversibilité est valable pour tout, tant sur le plan physique que psychologique.

4. — *Respiration et mauvaise posture:* Retenir sa respiration est un signe évident de mauvaise posture. Beaucoup de gens le font, d'une manière ou d'une autre. Leur schéma corporel est tel qu'il leur faut, avant de faire le moindre geste ou de prononcer la moindre parole, éclaircir leur gorge, rentrer le ventre ou gonfler la poitrine. Parfois, ils vont jusqu'à bloquer leur respiration en permanence, provoquant ainsi un dérèglement du taux d'acidité dans le sang du fait d'une mauvaise ventilation pulmonaire.

En cas d'extrême alcalinité du sang, les muscles se contractent n'importe comment à la moindre occasion, ce qui entraîne leur tétanisation. Inversement, lorsque l'acidité est trop importante, comme chez les diabétiques, les muscles refusent de répondre. C'est le coma diabétique. Le taux d'alcalinité du sang peut monter considérablement en cas de perte de carbone dioxyde. Si l'on souffle, ne serait-ce que deux minutes, sans s'arrêter, le système neuro-musculaire se trouve en proie à une excitation anormale, qui se manifeste en premier lieu au niveau de la bouche et des doigts.

Le phénomène est complexe. Par exemple, si l'expiration est produite, non pas en soufflant, mais par une pression sur les muscles abdominaux inférieurs (comme lorsqu'un chien aboie), il ne se passe rien d'anormal, même si ce mouvement est répété de façon prolongée. Une mauvaise tenue de souffle va de pair avec un surcroît d'excitabilité musculaire, et inversement. Un équilibre réciproque semble être nécessaire à toute fonction exigeant un processus continu.

A première vue, ces quatre caractéristiques semblent n'être valables que dans les cas exceptionnels. Il est vrai que les mouvements les plus courants sont accomplis avant même que nous ne nous en rendions compte. En revanche, ceux qui exigent de nous une décision consciente engendrent généralement les problèmes que nous venons d'énumérer. Nous avons parfois la chance de nous trouver dans des états privilégiés, où nous sommes heureux et disponibles. Dans ces moments-là, nos postures sont, elles aussi, harmonieuses. Pour mieux comprendre cet état de choses, voyons comment fonctionnent le squelette et les muscles.

Si nous observons le squelette, nous remarquons que le tronc et la tête sont reliés au bassin par le mince pilier que constitue la colonne vertébrale. Au niveau du bassin, s'empilent les vertèbres les plus grosses, sur lesquelles reposent les autres, plus fines, jusqu'aux deux dernières, l'atlas et l'axis, sur lesquelles s'articule la tête. Partant du principe que les muscles ne peuvent que produire une tension, et par conséquent une traction, la colonne vertébrale ressemble à un grand mât maintenu par les muscles ancrés au pelvis à sa base. Toute traction passe obligatoirement par la base de la colonne vertébrale, et remonte le long de celle-ci. Seule une tension trop forte, risquant de provoquer une élongation des ligaments, peut amener une légère modification de ce trajet.

La cage thoracique, les épaules et les bras sont suspendus à la colonne vertébrale. Leur mouvement est entraîné par les muscles, dont la double extrémitié s'insère dans le corps à deux niveaux différents. Ce détail est très important, car il s'applique à tous les muscles, y compris ceux des côtes, qui, de ce fait, entraînent généralement la cage thoracique vers le bas, réduisant ainsi son volume.

La tête siège en haut de la colonne vertébrale. Son centre de gravité se situe à l'avant de son point d'attache, et descend plus bas et plus en avant, jusqu'à permettre au menton de s'appuyer sur le thorax lorsque les muscles du cou sont endommagés. Il n'est pas nécessaire de connaître grand-chose aux muscles et au squelette pour s'en servir correctement, mais cela peut aider à en faire un usage encore meilleur.

Chez les quadrupèdes, comme le cheval, la vache ou le daim, la tête est très lourde et pend au bout d'un long cou. Les muscles qui soutiennent ce curieux édifice ont une façon de fonctionner assez particulière, différente de celle que nous connaissons. Ces animaux, comme vous avez pu vous en rendre compte, peuvent rester des heures, la tête à l'horizontale, sans manifester le moindre signe de fatigue. S'ils entendent un bruit suspect, ou s'ils ont envie de boire ou de manger, ils la soulèvent et la baissent automatiquement. Le mouvement qui attire la tête vers le bas nécessite une contraction musculaire moins grande que celui qui l'attire vers le haut. Et pourtant cet effort est plus pénible à l'animal qui, de temps en temps, a besoin de se reposer en soulevant sa tête pour la remettre en position normale. Cela peut sembler curieux lorsqu'on y pense, et pourtant, d'habitude nous trouvons cela normal puisque nous faisons, à notre manière, la même chose. Notre centre de gravité est, lui aussi, situé en avant de son support, et cependant nos muscles du cou ne se fatiguent jamais au point que notre tête bascule. Notons également que, lorsque le corps est poussé vers l'avant, son centre de gravité tombe à au moins 2 ou 3 centimètres de la cheville. Et pourtant les mollets, qui soutiennent les tibias et nous empêchent de tomber, sont les derniers à ressentir la fatigue quand nous restons longtemps debout. Alors que, en les faisant travailler autrement, même peu de temps, ils se fatiguent très vite. Il en va de même pour les muscles du cou.

Nous voyons donc qu'il y a deux sortes de contractions musculaires. Les unes sont chargées de produire un effort soutenu et relativement important; les autres, d'intensité variable, sont plus rapides mais durent moins de temps. Nous ne sommes pas conscients des premières, alors que nous commandons entièrement les secondes et les ressentons intérieurement. Elles se nomment successivement contractions toniques et contractions en phase. Ce sont ces dernières qui permettent le contrôle volontaire de tous nos actes.

Dans le premier cas, la tonicité est produite par le poids des segments qui tirent sur les muscles, ce qui leur permet de résister à la force de gravité. Cette traction suscite, de la part des fibres nerveuses qui parcourent les muscles, l'envoi d'influx qui se propagent à travers différents centres inférieurs, et provoquent, en fin de parcours, la contraction des muscles. Toute cette circulation d'influx n'intéresse que les centres nerveux inférieurs, et ne touche qu'indirectement les zones supérieures du cortex. Ce mode tonique de répartition des contractions musculaires relève du processus évolutif de l'adaptation de l'espèce humaine au champ gravitationnel de la terre, et ne présente que peu de différences au niveau individuel.

La contraction volontaire des muscles est produite par un influx en provenance du cortex, qui atteint la moelle épinière en passant par l'appareil pyramidal, qui n'est lui-même qu'un amas de fibres en connexion. Et c'est donc la moelle épinière qui envoie les influx contractant directement les muscles. Aucun acte volontaire n'est possible, en ce qui concerne les parties situées en dessous de l'appareil pyramidal, tant que celui-ci ne s'est pas développé jusque dans la moelle épinière.

Les muscles possèdent deux sortes de fibres : les fibres rouges et les fibres blanches. Les fibres rouges se contractent lentement et se fatiguent encore plus lentement. Les blanches font l'inverse. Les mouvements volontaires correspondent donc à la contraction des fibres blanches, tandis que les mouvements toniques correspondent à la contraction des rouges. Les muscles extenseurs des articulations sont contractés en permanence. Ils font le travail le plus important, qui consiste à maintenir le corps en situation de résister à la force de gravité. On les appelle encore « muscles antigravité ». Ils ont plus de fibres rouges que les muscles fléchisseurs, qui se contractent beaucoup plus rapidement.

Les mouvements volontaires sont dus à des influx en provenance des centres nerveux supérieurs qui dominent les centres inférieurs. C'est ainsi que les chevaux peuvent inhiber les contractions toniques de leurs muscles extenseurs du cou, et baisser volontairement la tête. Il leur suffit de faire le contraire pour la lever. Dès que l'influx volontaire n'arrive plus, la tête retrouve sa position normale, car plus rien n'empêche la contraction tonique de se produire. Ainsi la position normale de la tête des chevaux est donnée par l'appareil tonique qui a évolué en fonction de l'adaptation de l'espèce au milieu.

Chez l'homme, tous les mouvements volontaires résultent essentiellement de l'expérience individuelle, comme c'est le cas pour le langage, par exemple, où, comme nous l'avons vu, les réseaux de connexion entre les différentes cellules du cortex s'établissent en fonction de l'environnement immédiat. L'appareil tonique, quant à lui, résulte de l'adaptation de l'espèce. Nous pouvons donc en déduire que l'accroissement de l'activité des muscles fléchisseurs, qui n'intéressent que les articulations et généralement permettent de réduire la stature, a un rapport avec le vécu. D'ailleurs, n'oublions pas que, en médecine, les fléchisseurs et les extenseurs se nomment *agonistes* et *antagonistes.* En effet, ils ont un mouvement de va-et-vient : lorsque les fléchisseurs font plier un membre, les extenseurs non seulement ne résistent pas, mais ils s'allongent pour permettre le mouvement volontaire et donner en même temps suffisamment de rigidité au membre. Il est également important de noter que les fibres du système nerveux autonome (encore appelé système végétatif, ou sympathique et parasympathique) innervent la plupart des muscles afin que les viscères puissent affecter, ou être affectés, par la position générale du corps.

Nous voici enfin arrivés à un point capital dans la compréhension du phénomène de posture, ou, comme nous l'avons appelée, de l'« acture ». A savoir que si, en étant debout, nous éliminons les contractions dues aux influx en provenance de la zone corticale (nous entendons par là ceux qui dépendent de la volonté au sens physiologique du terme, c'est-à-dire sans rapport avec l'origine consciente ou non de la contraction), le corps se tiendra droit par simple tonicité, puisque telle est la position à laquelle nous a amenés l'adaptation évolutive de l'ensemble de notre corps.

Nous pouvons prouver le bien-fondé de cette conclusion assez inattendue en faisant prendre conscience à n'importe qui de son corps dans l'espace, des contractions habituelles qui sont devenues une seconde nature, de la configuration du squelette, et, plus généralement, en rééduquant notre sens kinesthésique. Une meilleure approche de notre appareil musculaire et de nos articulations permet, en corrigeant leurs défauts, d'éviter certains actes dont nous n'avions pas conscience auparavant. Ce faisant, le corps s'allonge, nous nous tenons bien plus droits, et nos articulations, la colonne vertébrale et la tête ont une configuration pour ainsi dire parfaite. Nous nous sentons de plus en plus légers, comme si nous marchions sur des nuages.

La position debout idéale s'acquiert non en faisant quelque chose, mais précisément en ne faisant rien. C'est-à-dire en éliminant tout ce qui relève de motivations étrangères à l'acte lui-même, et qui, en devenant automatiques, participent de notre manière caractéristique de nous tenir debout.

Il faut un certain temps avant de pouvoir trouver la position idéale. L'amélioration des éléments dépendant de notre volonté est assez rare. Il est plus difficile d'intervenir au niveau des articulations de la hanche, des vertèbres, ou des orteils, par exemple, car ils n'ont, bien souvent, pas été sollicités depuis longtemps. De ce fait, ils ont formé des sortes de textures fibreuses spongieuses qui se révélaient jusque-là nécessaires afin de soulager les mécanismes musculaires sollicités, et qui s'accommodaient mal du maintien de cette position monotone et répétitive. Ces déformations disparaissent relativement rapidement dès qu'elles n'ont plus de raison d'être.

Nous venons de voir que la colonne vertébrale était la seule structure osseuse et le seul lien rigide existant entre le bassin et le tronc. Nous avons vu également que les forces longitudinales sont celles qui sont le mieux transmises par la colonne vertébrale lorsque les muscles ne fonctionnent qu'en contraction tonique. La colonne vertébrale est alors harmonieusement courbée, toutes les vertèbres sont en contact les unes avec les autres. Lorsque nous nous baissons ou que nous nous tournons, il est essentiel que le mouvement fasse intervenir le plus grand nombre de vertèbres possible afin qu'aucune ne soit victime d'une extension de ligament. Si un certain nombre de vertèbres se retrouvent immobilisées de façon permanente, l'effort se reportera sur les autres, ce qui peut être très dangereux et non seulement entraîner des problèmes fonctionnels, mais également avoir des répercussions sur l'état général.

Tout mouvement volontaire provoque une contraction musculaire, et cela peut se traduire de deux manières : soit l'effort se propage directement du bassin au tronc et remonte uniformément le long de la colonne vertébrale — auquel cas nous obtiendrons une « acture » parfaite : gracieuse, efficace et coordonnée, permettant de tout faire avec facilité —, soit la contraction musculaire est menacée de fragmentation et d'inversion, par une série d'efforts dont un seul est transmis le long de la colonne vertébrale, et les ligaments tenteront de compenser cet effet. De ce fait, nous nous contractons instinctivement, non seulement pour permettre au corps d'accomplir ce qui lui est demandé, mais aussi pour respecter la forme de la colonne vertébrale. L'« acture » est alors inefficace car, lorsque les vertèbres sont trop écartées ou que la colonne est trop courbée, les articulations ne jouent pas leur rôle. La pose est disgracieuse, le tronc n'épouse qu'en partie le mouvement qui devient lourd et mal coordonné, tandis qu'il fait par ailleurs d'autres mouvements dans la direction opposée.

Avant d'illustrer ce propos, je voudrais revenir sur un point qui me semble très important, même si nous en avons déjà parlé : à savoir l'erreur qui consiste à faire passer les mauvaises postures pour des carences ou des faiblesses. Cette interprétation est indéfendable, ne serait-ce que parce que les mauvaises postures sont à ce point plus courantes que les bonnes. J'ai été, pendant plus de vingt-cinq ans, professeur de judo. A ce titre, j'ai enseigné à presque cinq mille personnes de races et de nationalités différentes, toutes jeunes et en bonne santé, et j'ai eu tout le loisir de les observer. Je peux témoigner que cette affirmation n'est valable que pour quelques rares cas qui relèvent de la pathologie. Pour les autres, il s'agit seulement d'un problème de société, qui impose à ses membres des demandes inconsidérées, et auxquelles ceux-ci essayent de répondre avec toute la vitalité et la souplesse dont ils sont capables. Il va sans dire que la société ne se préoccupe pas non plus de leur donner les moyens dont ils auraient besoin.

Le problème des mauvaises « actures » est toujours lié à des exigences prématurées ou trop violentes à l'égard du sujet. La manière contractée dont certains se tiennent, quoi qu'ils fassent d'ailleurs, traduit toujours une perturbation émotionnelle. Ils ne sont pas sûrs d'eux ou feignent de l'être. Ils sont raides, la tête baissée, les épaules voûtées, le ventre tendu. Ces comportements, lorsqu'ils ne sont pas justifiés, ne sont rien d'autre qu'une mesure de protection. Toutes les réactions de défense (comme par exemple porter les mains sur sa tête, sur sa gorge, sur l'estomac ou les parties génitales) sont produites par les muscles fléchisseurs, et sont des mesures efficaces qui donnent un sentiment de sécurité relative face à un danger important et inattendu. Elles ont deux sortes d'avantages : présenter un obstacle matériel à la menace, ou mettre la zone vulnérable hors d'atteinte. La contraction des muscles fléchisseurs empêche, comme nous l'avons vu, l'intervention des extenseurs, et la mauvaise posture entraîne forcément une tonicité insuffisante des extenseurs, ces muscles « antigravité ».

La mauvaise « acture » peut être due au doute, à la peur, à l'hésitation, à la honte ou encore à l'impuissance. Elle peut résulter également de phénomènes émotionnels individuels qui se manifestent de façon variable selon les critères de risques établis préalablement. Pour certains ce sera le manque d'affection, pour d'autres le manque d'approbation, de beauté, d'agressivité, de force physique — un manque de toute manière, que le sujet a appris à croire essentiel pour lui, en tant qu'être humain.

Le problème se complique encore le jour où l'on se rend compte que sa propre « acture » est loin de ressembler à celle, tant admirée, des idoles de notre jeunesse. C'est généralement à ce moment-là que se produit le phénomène de compensation et de parade. Les adolescents, conscients des différences flagrantes avec ces images, essayent d'y remédier en rectifiant leur comportement. Mais, comme nous l'avons vu, la volonté ne suffit pas à changer une mauvaise « acture ». Les apparences, en tout cas, font illusion, car à défaut de supprimer les contractions néfastes, celles-ci sont compensées par d'autres. L'aspect est à peu près respecté, mais au prix d'un effort constant. Il faut une vigilance et une observation de tous les instants pour apprendre à faire coexister deux contractions conflictuelles. Le mouvement se résume aux seuls gestes réclamant de l'attention. Le corps est tendu, la respiration retenue, et j'en passe. Avec le temps, ces habitudes deviennent semi-automatiques et nous finissons par croire qu'elles sont naturelles. Mais que de contraintes et de fatigue nerveuse cela peut entraîner ! Le bien-fondé de ces habitudes n'est d'ailleurs jamais remis en question. Ces dernières forment un tout avec le contexte psychologique qu'elles alimentent sans cesse et qui, dans ces conditions, ne peut pas progresser en maturité. Le sujet, assailli par ses contradictions qu'il tente pourtant parfois de résoudre en échappant au piège dans lequel il s'est englué, se croit maudit car il retombe inmanquablement dans ses travers précédents. Et comment pourrait-il en être autrement, dans le cercle vicieux qui unit le corps et les émotions ?

Nul ne peut, plus qu'une mère, couvrir sa fille de honte, en lui faisant remarquer que sa poitrine commence à pousser. L'enfant fait alors tout pour cacher ses jeunes seins. Elle rentre le buste et n'ose plus bouger le haut du corps, excluant tout mouvement des clavicules et du sternum. Le résultat est catastrophique : son cou s'allonge de plus en plus, sa voix devient aiguë, ses seins tombent, ses bras sont mous, elle a un métabolisme bas et accumule la graisse sur les parties du corps restées inactives. Bref, son « acture » n'est pas naturelle, car elle ne maîtrise plus certaines parties de son corps, et ne s'articule plus que d'une seule manière, à l'exclusion de toute autre. Elle se sent coupable, mais non responsable. Le monde lui semble hostile, puisqu'il la punit cruellement. Une telle réaction ne peut se produire que lorsque la mère a savamment inculqué auparavant un besoin de sécurité et d'approbation énorme, qui élimine toute spontanéité et engendre le besoin compulsif d'être docile. Personne ne peut imaginer à quel point les enfants peuvent en souffrir. De toute évidence, ils ne connaissent pas leur propre corps, et il faudrait, par exemple, expliquer aux petites filles que leur poitrine est un attribut dont elles n'ont pas à rougir, et qu'il ne sert à rien d'essayer de la cacher, au contraire, cela ne peut qu'attirer l'attention de tout le monde.

Comme il n'existe pas de critère absolu de beauté, tout est prétexte à se tenir mal : d'ailleurs, si nous y réfléchissons bien, nous voyons que ces problèmes n'existeraient pas s'il n'y avait, au départ, un besoin d'identification sociale qui fausse toutes les valeurs. L'ignorance est source de tous les maux, mais elle est, fort heureusement, en voie de régression. *Déjà, la nouvelle génération est nettement mieux préparée, et, bombe atomique ou pas, l'avenir s'annonce prometteur. Chaque fois que l'homme a pu se prendre en main, il l'a fait, et continuera de le faire, non pour se détruire mais pour accroître sa sécurité.*

Si l'on veut repartir d'un bon pied il faut, avant tout, éliminer toutes les sources d'irritation qui font monter le niveau émotionnel et empêchent de sortir des sentiers battus. Si la moindre tentative d'originalité se passe dans la douleur et l'inconfort, il y a peu de chances pour qu'elle se renouvelle. Bien au contraire, c'est le plus sûr chemin du retour vers la case départ. Il est bon, avant toute chose, d'éliminer tout ce qui peut entraîner une gêne physique quelconque (cors aux pieds, ongles incarnés, etc.). La thérapeutique courante ne peut apporter qu'un soulagement passager à des problèmes qui — comme les pieds sensibles ou plats — ont une incidence directe avec la façon de se tenir. On met des chaussures étroites pour ne pas montrer que l'on a les pieds larges, et pour avoir l'air élégant et raffiné. On marche d'une certaine manière, même si elle ne nous convient pas, uniquement pour complaire aux autres. Aucun problème n'est jamais purement fonctionnel et tous se rejoignent pour former un contexte très cohérent. Ils sont au cœur du malaise et disparaîtront ensemble le moment venu. En attendant, il faut les traiter comme de coutume pour les soulager momentanément.

Prenez la constipation, par exemple, il faut s'en préoccuper dès les premiers signes. Aucun traitement ne constitue la panacée, mais voici quelques suggestions qui pourront vous être d'une grande utilité. Si vous avez un buste très long par rapport aux jambes, je vous conseille un régime à base de légumes. Si, au contraire, vous avez le buste court, éliminez donc, ou tout du moins réduisez, votre consommation de fibres végétales. Vous trouverez aussi qu'il est préférable de s'accroupir (comme dans des toilettes à la turque), plutôt que de s'asseoir, et, si vous le pouvez, essayez d'appuyer le buste sur les cuisses, à même la peau. Il vaut mieux également boire après les repas et non pendant. Enfin, évitez de mélanger les protéines et les farineux.

Autre source de problèmes, et non des moindres: l'alimentation qui, elle aussi, est l'objet de contraintes plus ou moins grandes. Il faut se nourrir de façon rationnelle, ce qui n'est pas le cas la plupart du temps. Je ne vous apprendrai rien en vous rappelant que les enfants ont, à l'égard de la nourriture, une attitude bien particulière liée à leur éducation, et à travers laquelle ils s'expriment. Ils choisissent à qui avouer qu'ils n'ont pas fini leur assiette ou qu'ils ont une indigestion. L'enfant sait très bien pourquoi il est malade et quand il a mangé quelque chose qui lui fait mal ou qu'il a trop mangé, mais c'est plus fort que lui: il ne peut s'en empêcher et ses efforts restent lettre morte. Se sentant coupable, il trouve normal d'être puni par où il a péché. Il est en réalité en proie à des motivations conflictuelles, et nous verrons plus loin comment résoudre ce problème.

Passons maintenant au chapitre des odeurs, qui font fuir les prétendants et séparent les époux. Elles créent un malaise souvent lourd de silence. Comment en parler à l'autre?... Il faut donc commencer par vérifier nos craintes en demandant carrément si nos sécrétions sont désagréables. Cela peut n'être que le fait d'une indisposition passagère (mauvais moral, menstruation). Lorsque nous allons aux toilettes, si l'odeur est plus forte que d'habitude, nous devons vérifier notre haleine, par exemple, ou toute autre odeur. Il faut, dans ces cas-là, redoubler de soins en ce qui concerne l'hygiène ; se laver très souvent et, bien sûr, demander l'avis d'un médecin.

Je ne reviendrai jamais assez sur l'importance de la posture, qui est peut-être la première chose à modifier lorsque se présente un problème fonctionnel de toute évidence lié, dans le passé, à une mauvaise dépendance relationnelle. C'est la raison pour laquelle je lui ai consacré l'essentiel de ce livre.

Mais pour indispensable que soit cette modification, elle se doit d'être étayée par un meilleur contrôle de soi et une meilleure coordination, si l'on veut que les efforts ne soient pas accomplis en vain. Tout cela n'a pour but que d'enrayer l'angoisse, puis de l'éliminer définitivement ; car rien ne vaut sa disparition pour progresser en matière de posture. Se tenir mal n'est pas une maladie, c'est le fruit d'un mauvais apprentissage ou d'un apprentissage qui repose sur de mauvaises méthodes. S'en rendre compte, c'est déjà se retirer un poids des épaules !

Il ne serait peut-être pas mauvais d'expliquer clairement le rapport entre les troubles fonctionnels et les problèmes psychologiques. La constipation, par exemple, est une forme de compulsion. Elle est connue pour aller de pair avec la mauvaise humeur, être souvent liée à un caractère difficile. Beaucoup de gens se contentent d'aller voir leur médecin, l'ostéopathe ou l'homéopathe. Ils croient qu'il suffit de se sentir mieux pour être bien portant. Tout le monde sait que les ulcères à l'estomac sont, d'une certaine manière, psychosomatiques. Malgré cela, les traitements en vigueur comportent généralement un régime alimentaire et une éventuelle opération chirurgicale. Le traitement psychologique n'étant envisagé que comme alternative. La raison à cela est simple : il n'existe pas, pour l'heure, de traitement psychosomatique véritable.

13.
COMMENT RÉUSSIR

Nous passons pour être nos plus mauvais juges. Cette opinion est loin d'être fausse. Nous croyons non à ce que nous savons, mais à ce que nous voyons. Et nous le croyons d'autant plus que nous le voyons davantage.

Décidés à nous reprendre en main, nous ne savons par où commencer. Tout semble important; nous passons d'une chose à l'autre, incapables de connaître nos priorités.

Essayons d'y voir plus clair et, pour commencer, voyons quelle est la relation entre le physique, le mental et les émotions que nous éprouvons. Ces dernières ne doivent pas être comprises uniquement comme une exacerbation des états végétatifs tels que la colère, la tendresse, l'amour ou la haine. Cela comprend également l'imperceptible pulsion à bouger, dire ou penser quelque chose. Le processus mental qui s'y rattache est progressivement lié à l'image que nous avons de notre corps et du monde extérieur, tels que nous les pratiquons. Notre cerveau est capable d'intégrer beaucoup plus de modèles de situations que nous ne lui en demandons, mais nous n'utilisons que ce que l'expérience nous a appris. Il n'existe par conséquent aucun acte qui soit purement mental, ni aucune pensée qui n'ait de rapport avec la réalité. Nous ne pouvons que procéder à des modifications de données qui, bien qu'empruntées à la réalité, finissent par n'avoir plus aucun rapport avec elle.

Prenons par exemple les notions de *droite* et de *gauche.* Elles sont purement abstraites et n'ont d'existence que par rapport au corps. Par conséquent, lorsque nous pensons en termes de « droite » et de « gauche », nous énonçons des concepts issus d'un vécu purement physique et qui font donc partie du corps lui-même. La pensée se fait par une stimulation des schémas « droite » et « gauche » inscrits par le vécu dans le cortex, dont les autres schémas restent, pendant ce temps, inhibés. Le contrôle volontaire a le pouvoir de nous faire sélectionner n'importe quelle partie d'un schéma relatif au vécu. Cette spécificité se vérifie dans l'expérience bien connue du pendule. Quel que soit votre effort pour garder un objet immobile au bout d'un fil, il oscille de gauche à droite dès que vous commencez à y penser. Il oscillera de même en avant et en arrière si telle est votre pensée, après une rapide courbe elliptique inévitable due au frein que produit son inertie par rapport au plan d'oscillation. Cette expérience démontre l'influence de la pensée sur le système musculaire. L'immobilité elle-même en résulte, quoique en partie seulement. Cela tient au fait que nous sommes capables de discerner un élément de son ensemble, c'est-à-dire, dans ce cas particulier, de dissocier l'activité nerveuse de l'activité musculaire. Plus ce pouvoir de dissociation sera grand, plus grande sera notre faculté à inhiber certains actes. Si nous faisons de cette inhibition notre priorité, nous pourrons encore mieux la contrôler. Ainsi, nous pouvons garder la main immobile si nous y pensons très fort et replaçons les notions de droite et de gauche dans un contexte général. Cela n'est cependant pas toujours aussi simple : il faut tenir compte de trois facteurs susceptibles d'interférer avec notre projet : le premier est le phénomène d'*induction* ; le second est notre faculté d'inhibition et le troisième est celui qui nous permet de sélectionner et donc de privilégier certaines idées par rapport à d'autres qui occupent la toile de fond.

Les processus mentaux issus du réel ne sont possibles que parce qu'ils consistent à réorganiser des schémas formés au préalable à partir de notre réalité charnelle et celle du monde.

Prenez par exemple la lecture qui, après la pensée, est l'acte mental par excellence. Pourquoi nous faut-il si longtemps pour lire une page ? Nous la voyons tout entière d'un seul coup d'œil, pourquoi ne pouvons-nous pas la déchiffrer en même temps ? Simplement parce que nous avons appris à lire en prononçant chaque mot, et cela demande un effort musculaire. Nous ne pouvons pas nous empêcher de lire mentalement mot à mot et nous ne pouvons pas parler plus vite que nos muscles. Le sachant, nous pouvons cesser de prononcer les mots mentalement et accélérer notre lecture. En effet, l'activité mentale n'est véritablement telle que si nous coupons l'activité nerveuse de ses références au vécu. La pensée a d'ailleurs été définie comme la parole muette. C'est possible. Il n'en reste pas moins, et c'est là l'important, que la pensée est une fonction issue de nos sens et de nos muscles.

Là encore, prenons l'écriture. Nous trouvons que l'activité musculaire ralentit et empêche la pensée. Mais si, au lieu d'écrire réellement, nous n'écrivons plus qu'en pensée, les mots se forment dans notre tête aussi lentement que d'habitude. Il existe une méthode pour apprendre à jouer du piano qui consiste à visualiser les touches seulement. Il paraît qu'elle est plus efficace que les méthodes traditionnelles. Toujours est-il — et c'est là l'important — qu'il semblerait qu'en accélérant notre activité musculaire, nous accélérions par là même notre pensée et réciproquement. Cela n'est apparemment valable que pour toute pensée relative à un acte physique.

Nous savons tous, pour l'avoir déjà tenté, qu'il est impossible de s'imaginer en train de faire quelque chose dont nous sommes incapables dans la réalité. La difficulté reste la même que dans le réel. Ce théorème s'applique aussi bien à la sexualité, et rien ne saurait être imaginé qui n'a pas déjà été vécu au quotidien. Rien ne sert de phantasmer, les blocages seront les mêmes en rêve que dans la vie de tous les jours.

Tout cela est tout de même contradictoire, car enfin, si nous ne pouvons pas penser sans référence au passé, et si ce passé est toujours dépassé, comment pourrons-nous jamais progresser? Il n'y a qu'une seule réponse: « en apprenant », c'est-à-dire en formant, physiquement, de nouvelles attitudes et donc en changeant les éléments qui sont en relation avec notre mental. C'est exactement ce qui se passe lorsque nous apprenons une langue étrangère. Au bout d'un certain temps, nous finissons par ne plus traduire, et par penser directement dans la langue. C'est ce que l'on appelle une méthode active, et qui nous fait le plus défaut quotidiennement. Freud affirmait que l'analyse est un mode d'enseignement, et c'est sûrement vrai, quand elle est bien menée. Mais même dans ce cas-là, elle n'utilise jamais vraiment la méthode active, puisqu'elle repose sur un tâtonnement du patient vers une meilleure approche de sa vie, après un retour sur ses propres erreurs. Tout sujet qui entreprend une psychanalyse exprime un refus (ses résistances) à l'égard de l'analyste, qui s'efforce de le sortir, malgré lui, du camp retranché où il a cherché refuge. Ce refus est le même que celui qui nous retient de parler une langue étrangère que nous maîtrisons mal. Nous avons besoin de nous sentir à l'aise dans une langue pour ne plus avoir recours à la traduction. Sinon, la moindre précipitation, la moindre surprise, ou la moindre connotation familière font immédiatement resurgir la langue maternelle sans que nous puissions y faire quoi que ce soit. Psychologiquement parlant, on pourrait dire que l'inconscient livre sa propre bataille.

Nos premières expériences sont autant physiques que sensorielles. Nous reconnaissons les situations à l'effet qu'elles ont sur nous. Nous apprenons à sucer, à boire, à manger, à tourner la tête, à nous asseoir et à nous tenir debout en facilitant l'usage de certains schémas musculaires, et la prise de conscience du processus mental se fait par l'intermédiaire de l'activité volontaire. La pensée relative à l'action chemine à la même vitesse qu'elle. Quand nous parlons du mental de façon abstraite, en oubliant qu'il ne fait qu'un tout avec le corps et le monde extérieur, nous aboutissons à des conclusions qui sont bien loin de la réalité. Je suis, pour ma part, persuadé que l'acte d'apprendre est global, et ne peut être satisfaisant que s'il a une dimension expérimentale. Tout le reste ne se révèle utile qu'ultérieurement, lorsque nous sommes suffisamment à l'aise pour avoir le temps de penser aux détails. A condition, bien sûr, que rien d'imprévu ne survienne. Mais l'expérience nous prouve qu'un acte se résume en grande partie aux gestes que nous avons appris, quels que soient nos efforts pour qu'il en soit autrement.

La réciprocité entre le physique et le mental est à la base de toute acquisition, et elle est l'expression classique de l'ensemble unique que forment le système nerveux et le corps.

L'expérience de ce dernier est indispensable au système nerveux pour établir le lien avec la réalité. Cet élément devient utile par la suite, car le fonctionnement du système nerveux et les modifications électromécaniques qui s'opèrent en lui peuvent être traduits en termes significatifs, relatifs au monde extérieur.

Il nous faut maintenant éclaircir un autre point : partant du principe qu'il existe des fonctions volontaires et d'autres qui ne le sont pas, comment pouvons-nous espérer influer sur nos fonctions végétatives et produire les changements organiques qui s'imposent ? La réponse est simple : ces deux fonctions sont de même nature. Leur différence n'est que quantitative. Les muscles volontaires nous obéissent directement, tandis que les autres le font indirectement seulement. Il faut donc savoir un certain nombre de choses pour pouvoir les contrôler, faute de quoi nous serons portés à croire qu'ils fonctionnent de manière autonome. Examinons quelques cas en détail.

Le centre de contraction des bronches est situé dans une partie appelée médulle oblongue. La sensibilité de cette médulle dépend des antécédents héréditaires et individuels. Chez les asthmatiques, cette sensibilité est particulièrement aiguë et les bronches se contractent spasmodiquement. Nous ne savons pas encore, à l'heure actuelle, comment faire pour supprimer directement ces spasmes. Mais nous savons le faire artificiellement, avec l'aide d'antispasmodiques ou par un contrôle du rythme respiratoire. En effet, lorsque nous respirons plus ou moins vite, ou que nous retenons notre souffle, nous influons sur les centres broncho-constricteurs. Et par conséquent, grâce à une intervention volontaire, nous agissons sur des centres inférieurs autonomes. Le changement de rythme respiratoire produit indirectement un changement au niveau de la moelle, ou de quelque chose qui lui ressemble beaucoup. Nous sommes devant une évidence scientifique : les centres moteurs volontaires peuvent agir sur les systèmes végétatif et cérébrospinal de l'organisme, de manière indirecte mais beaucoup plus importante que nous voulons bien l'admettre.

A l'occasion du centenaire de Pavlov, Angus McPherson, lors d'un exposé sur la technique des réflexes conditionnés, a rappelé un certain nombre d'expérimentations, dont celle de J. Hundgins, rapportée dans la revue médicale *Le Journal de Psychologie générale* (8 mars 1933), sur le contrôle volontaire de la pupille. Partant de la méthode de Casson, il a d'abord conditionné les contractions, au son d'une cloche. Puis il a muni ses patients d'un dynamomètre, sur lequel ils appuyaient chaque fois qu'ils entendaient l'ordre « contractez ». Au même moment la cloche sonnait et ils étaient éblouis par une lumière vive. Ensuite, les ordres n'étaient plus que chuchotés par les patients eux-mêmes, et enfin dits chacun pour soi.

Au bout d'un certain temps, « la réaction pupillaire, conditionnée verbalement au départ, présentait l'aspect d'un contrôle spontané de l'organisme, caractéristique du comportement volontaire ».

La communication de McPherson se réfère à un nombre important de travaux similaires portant, entre autres, sur les changements du métabolisme et du système intestinal obtenus à partir d'une connexion entre les zones motrices du cortex et les centres nerveux inférieurs.

Nous avons tous entendu parler de ces malades qui guérissent en prenant n'importe quel médicament, fût-ce de l'eau distillée. Le salut, pensons-nous, est dans la foi en l'ordonnance du médecin. Paul Cauchard (dans *Le Système nerveux,* PUF), fait allusion aux expérimentations suivantes : un patient atteint d'albumine est soumis à une série d'injections d'insuline (ou d'un produit similaire). Lorsque l'insuline est remplacée par de l'eau distillée, le taux de sucre contenu dans le sang continue de baisser comme auparavant. Ce type d'expérience a été mené aussi bien sur l'homme que sur des bovins. Il ne peut donc s'agir d'un phénomène de croyance abusive ou d'autosuggestion, mais d'une propriété du cortex qui lui permet d'initier des réactions en chaîne dans les centres inférieurs, dès lors que ces réactions se rattachent au domaine de l'expérience vécue.

Le professeur H. Schultz, de l'université de Berlin, inventeur du « training autogène », a démontré que l'on peut parvenir à contracter et dilater les vaisseaux sanguins à volonté. Bien préparé, il suffit de penser « ma main est chaude » pour que la température de celle-ci augmente aussitôt de quelques degrés. Cette préparation, qui permet de dicter mentalement sa volonté aux vaisseaux sanguins, se fait grâce à une méthode de relaxation spéciale, pratiquée à raison d'une minute trois fois par jour. Le professeur Schultz a également appris à ses patients à détendre et à contracter leur estomac, leur utérus et autres muscles sphincters, dans un dessein thérapeutique. Nous voyons donc qu'il est possible, non seulement de contrôler les muscles volontaires, mais également — indirectement — ceux qui ne le sont pas, ainsi que les mécanismes végétatifs. Chacun le sait — et nous nous sommes déjà penchés sur ce problème — certaines personnes sont capables de maîtriser leurs émotions. L'inhibition, qu'accompagne le phénomène d'induction, est au premier plan des mécanismes servant à diriger nos actes. Si nous voulons qu'un acte réponde à une seule motivation, il faut apprendre à inhiber les activités parasites adjacentes dues à la fois à l'habitude et à la topologie du cortex. Si nous pouvions manipuler le système nerveux lui-même, en modifier les circuits et atteindre les diverses sources d'influx, nous pourrions probablement obtenir des résultats directs. Mais nous ne savons pour l'instant qu'agir sur l'enveloppe du système nerveux uniquement. Les processus mentaux se font parallèlement à l'activité physique. La motivation unique s'obtient en portant tour à tour notre attention sur les divers plans de l'action, et nous permet ainsi d'en ressentir les effets au niveau des muscles. Ces approches approximatives sont le seul moyen dont nous disposons pour assurer l'utilisation correcte des mécanismes internes qui fonctionnent à notre insu.

Nous avons déjà insisté sur le fait que les personnes incompétentes sont conscientes de leur faiblesse, aussi bien sur le plan physique et mental que social ou sexuel. Comme rien ne peut se faire sans l'ordre du système nerveux, toute acquisition aura, forcément, dans leur cas, de mauvaises bases. Il faut donc faire en sorte que le sujet se trouve devant une situation nouvelle. Pour ce qui est de la respiration, il faut faire appel à une position du corps radicalement différente, et à des muscles non utilisés jusque-là, afin de créer un contexte nouveau et des sensations sans rapport avec les précédentes. Il y a alors peu de chances pour que les vieilles habitudes reprennent le dessus. Telles sont les conditions permettant de contrôler l'inhibition et l'induction, c'est-à-dire de gérer nos motivations.

Lorsque nous sommes éveillés, tout ce que nous faisons repose sur le travail des muscles extenseurs, dont nous avons vu les propriétés plus haut, et qui sont mus par des influx réflexes. Nous leur devons notre allure habituelle (port de tête, mouvement du bassin), grâce à laquelle n'importe qui peut nous reconnaître même de loin ou pratiquement immobile. Le schéma relationnel qui unit notre cerveau à notre corps date de notre plus jeune âge. Il a grandi avec nous, porte la marque de tout ce que nous avons vécu, même si nous ne nous en souvenons pas toujours.

Si nous devions nous orienter sans l'aide de nos extenseurs, nous trouverions cela curieux et tout à fait anormal. De plus, nous serions obligés de réduire nos efforts afin d'en percevoir les moindres variations. En effet, l'intensité d'une variation est proportionnelle à sa cause. Par conséquent, elle sera d'autant plus légère que sa cause est infime. Je m'explique : lorsque nous soulevons un poids très lourd, nous sommes incapables de dire si nous avons en même temps soulevé un bout de papier qui pouvait s'y trouver collé. Mais si nous prenons une feuille de papier à la main, nous savons très bien si nous en avons pris deux ensemble. La même chose se produit si nous laissons une lampe allumée en plein jour : nous ne la voyons pas. Alors que la nuit nous remarquons la lueur d'une cigarette. Si nous sommes à proximité d'un moteur d'avion en marche, le bruit nous empêche d'entendre quoi que ce soit ; mais dans le silence nous pouvons entendre une mouche voler ou le bruit de notre respiration. Nous voyons donc bien que pour être avertis des changements les plus imperceptibles, il faut réduire l'intensité du stimulus.

La position couché sur le dos, tête levée et jambes pliées avec pieds touchant le sol remplit toutes ces conditions préalables. Aucun muscle extenseur n'est sollicité, puisque aucun phénomène de gravitation ne s'exerce sur les centres nerveux comme c'est le cas d'habitude, et cette position ne réclame qu'un effort musculaire très léger. La respiration se fait, comme il se doit, au niveau de l'abdomen. Mais cela n'est possible que si notre contrôle musculaire est bon. Si, au contraire, nous avons la fâcheuse habitude de trop

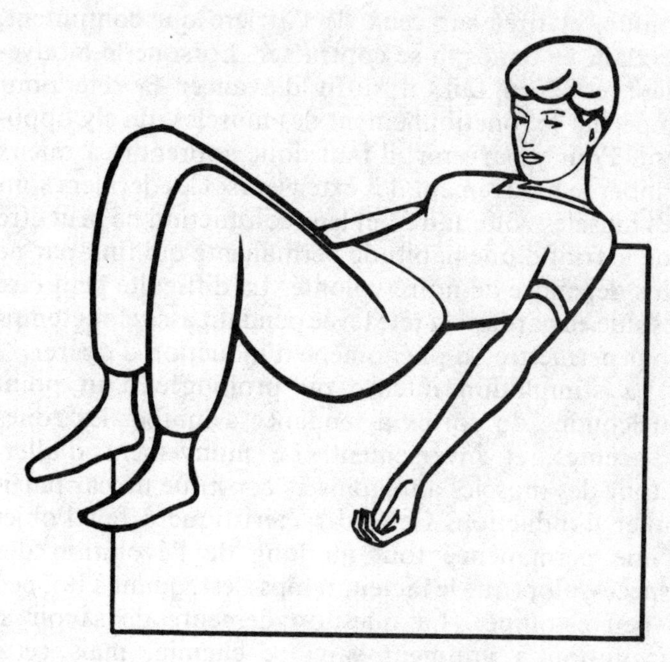

Étendu sur le dos, tête décollée du sol et genoux pliés.

contracter les muscles du cou et du bassin, nous ne pourrons pas lever la tête à la verticale, bien que ce soit la position normale, car la contraction ordinaire aura disparu. Nous sommes obligés de faire un effort qui tire sur les muscles. Cette sensation pénible provient d'une contraction antagoniste des extenseurs du cou. En temps normal, le mouvement des deux jeux de muscles devrait s'équilibrer, ceux de l'avant du cou se contractant pendant que ceux de l'arrière se relâchent et sont étirés par le mouvement.

Mais si le contrôle est mauvais, nous devons forcer sur ceux du devant pour amener la tête dans la position voulue, et tirer sur ceux de l'arrière qui continuent, pendant ce temps, à se contracter. Lorsque le mouvement est bien fait, il suffit d'avancer la tête pour empêcher le fonctionnement des muscles qui s'y opposent. Pour y parvenir, il faut donc apprendre à mieux inhiber le mouvement des extenseurs. Ces derniers sont des muscles volontaires, et leur contraction ne peut être que le fruit d'une habitude permanente qui finit par ne plus dépendre de notre volonté. La difficulté peut être résolue en gardant la tête levée pendant assez longtemps pour permettre au phénomène d'induction d'opérer.

La stimulation intense ou prolongée d'un point quelconque du cortex a tendance à inhiber les zones adjacentes, et inversement. Le mouvement d'aller-retour des muscles antagonistes constitue un cas particulier d'induction. Cette caractéristique a fait l'objet d'une permanence tout au long de l'évolution des espèces, alors que le facteur temps s'est, quant à lui, peu à peu estompé. (La question demeure de savoir si l'évolution a vraiment suivi ce chemin, mais cette formulation est commode car elle nous permet de mieux saisir les différents aspects de l'induction.)

Si nous gardons la tête en l'air pendant vingt ou trente secondes, pour commencer, nous diminuons la contraction des muscles situés à l'arrière du cou, qui s'allongent et lui permettent de s'approcher de la verticale. Le travail des fléchisseurs diminue au fur et à mesure que le poids de la tête intervient, car l'effort repose alors sur les vertèbres cervicales. Ainsi, rien n'est demandé au corps humain qu'il ne soit capable d'assumer en fonction de son rapport à la force de gravitation. Les défauts ont tendance à se corriger d'eux-mêmes, et nous agissons alors aussi bien que les gens qui en sont exempts.

Retournons maintenant à notre position allongée, et voyons l'effet que produit un mouvement bien fait. Il faut faire preuve de persévérance car, au début, notre position est loin d'être correcte. Le fonctionnement des mécanismes internes est de la plus haute importance : ce sont eux qui règlent le mouvement. Nous croyons ne plus pouvoir compter sur eux et recherchons une aide extérieure alors qu'elle est en nous.

A force d'essayer, nous réalisons que, pour lever la tête, il nous faut faire deux mouvements bien distincts : d'une part soutenir la boîte crânienne, et d'autre part faire pivoter la tête sur son axe, comme lorsque nous remuons le menton. Peu à peu nous gagnons en subtilité et en précision dans la perception et l'exécution du mouvement. Parallèlement, nous prenons conscience des gestes machinaux inutiles et gênants et les éliminons : nous découvrons alors ce que l'on ressent à produire un acte dicté par une motivation unique. Ce faisant, la sensation d'effort disparaît, et nous finissons par comprendre, à travers notre propre corps, les raisons de son origine. Très vite, le mouvement devient totalement réversible, c'est-à-dire qu'il peut, à tout moment, être facilement interrompu, continué, arrêté définitivement ou bien encore recommencé.

Il faut s'y prendre doucement au début, et ne pas bouger tant que nous n'avons pas retrouvé une respiration régulière. Nous voyons que le simple fait de rester allongé, tête levée, est très complexe, et que nous mettons un certain temps à comprendre exactement ce que nous faisons. Nous sommes assistés dans notre position par un certain nombre de processus physiologiques qui s'opèrent au même moment. A défaut de cela, l'effort que nous sommes obligés de produire devient une motivation en soi. Autrement dit, nous réveillons en nous la conscience d'avoir pris une position qui ne convient pas à notre corps.

Lorsque nous respirons régulièrement et profondément, la bouche et les mains se détendent. Nous avons déjà vu que le taux d'alcalinité du sang avait un rapport avec la contraction musculaire. Ainsi, les petits mouvements superflus, cachés par une tension musculaire d'ordinaire trop grande pour les rendre perceptibles, disparaissent-ils. Beaucoup de gens qui, par exemple, contractent leur anus en permanence cessent de le faire dès qu'ils sont détendus.

J'aimerais ouvrir une parenthèse et m'adresser à tous ceux dont l'équilibre est fragile et qui se croient accablés par le destin, coupables de tout et promis à l'expiation. Ils ont tendance, de ce fait, à attacher une importance quasiment mystique aux choses les plus banales. Qu'ils n'aillent surtout pas s'imaginer que la position à laquelle j'ai fait allusion confère à celui qui l'exécute des pouvoirs particuliers. Elle ne sert en tout et pour tout qu'à nous apprendre à reconnaître et à gouverner des phénomènes parfaitement ordinaires.

Pour en revenir à notre exercice, remarquons maintenant ce qui se passe au niveau du ventre, car c'est grâce à cela que nous pouvons lever la tête. Posez donc la main sur cette région, légèrement, puis redressez votre tête. Vous remarquerez que l'abdomen se gonfle juste avant l'amorce du mouvement. Les muscles concernés tirent sur les extrémités auxquelles ils sont attachés — la tête et le buste. Ce dernier doit faire corps avec l'ensemble de la masse pour permettre aux extrémités de s'y ancrer solidement. C'est le travail des abdominaux qui, en se contractant, soudent le bassin au tronc. Le ventre, qui n'a pourtant rien à voir avec la respiration, donne l'impression d'être gonflé. Cela est normal et montre que le mouvement a été bien fait.

Ce mouvement, pourtant si simple, nous apprend encore autre chose. Si vous placez la main dans le creux du dos, vous verrez que, lorsque vous levez la tête, celui-ci se redresse, comblant l'espace ordinairement vide quand vous êtes allongé, les jambes tendues, la tête touchant le sol.

Il apparaît donc que dans tout mouvement, le bassin bouge toujours en premier. La tête s'appuie sur les vertèbres cervicales, qui forment une tige souple qui pivote et s'incline dans toutes les directions. Le tronc, quant à lui, repose sur les vertèbres lombaires qui répondent à la même description. Le corps ne peut pivoter en souplesse que par un mouvement de l'ensemble des vertèbres. Tout changement de position doit se faire de bas en haut, aussi bien pour les vertèbres lombaires que pour les cervicales.

Un mouvement bien fait commence toujours par le bassin, qui se déplace pour pouvoir amener la colonne vertébrale et la tête en position tout en laissant à la tête une liberté totale de mouvement. Le contrôle de cette dernière, ainsi que celui du bassin, est, par conséquent, absolument essentiel pour réussir un bon mouvement. Ils sont aussi importants l'un que l'autre et doivent faire l'objet de la même attention, bien que la position de la tête soit parfois plus évidente à trouver. En matière de sexualité, la mobilité du bassin est capitale. Pour ce qui est des handicapés moteur, je traite de leurs problèmes spécifiques dans un de mes ouvrages sur le judo. J'ai consacré également un autre livre, *Body and mature behaviour,* aux problèmes consécutifs à la raideur de la nuque et du bassin chez tous ceux qui se croient en apparence normaux mais sont, en réalité, figés dans un seul type de comportement, ne se sentant à l'aise que lorsqu'ils ont le temps de réfléchir à ce qu'ils vont faire, ou lorsqu'ils n'ont à répéter que des gestes familiers.

Le lecteur trouvera également dans *Body and mature behaviour* comment la position allongé sur le dos peut aider à soulager l'angoisse. Un effet n'a pas besoin d'être expliqué pour être ressenti. Ce n'est pas un phénomène d'autosuggestion, c'est une réalité physiologique liée à l'équilibre entre les systèmes sympathique et parasympathique. (Voir plus loin.)

Passons maintenant à l'étape suivante qui permet, elle aussi, d'apprendre à faire un mouvement correctement : comment se lever quand on est allongé sur le dos. C'est l'une des premières choses qu'un tout-petit apprend à faire avec l'ensemble de son corps. Lorsqu'il veut s'asseoir, il commence par appuyer la nuque sur son lit, ou par terre, pour mieux se soulever. Puis il tourne le bassin pour amener ses genoux à toucher le sol. Il dégage ensuite les épaules et appuie son front par terre, pour pouvoir se mettre à quatre pattes, solidement appuyé sur ses mains, avant de s'asseoir enfin. Nous ne saurions plus faire cela à notre âge. Il nous faudrait un croquis devant les yeux, ou un aide pour nous superviser.

Mais nous pouvons apprendre à faire un mouvement correctement sans obligatoirement copier la nature. Contrairement à l'enfant, qui ne sait pas encore se servir de tous ses muscles, nous pouvons, théoriquement, faire tout ce que nous voulons. Voyons donc comment procéder pour arriver à se lever.

Allongez-vous sur le dos comme précédemment, et levez la tête en position normale. Regardez autour de vous pour vérifier que vous n'avez pas le cou raide. La respiration doit rester régulière. Le mouvement doit se faire sans effort. Soulevez alors les deux pieds ensemble et fléchissez les jambes en ramenant les genoux vers l'abdomen. Ne bougez plus et reprenez votre souffle. Puis posez à nouveau les pieds par terre et recommencez en vérifiant que le mouvement se fait en souplesse et sans bloquer la respiration. Il doit être réversible.

Répétez cela plusieurs fois. Maintenant recommencez

en mettant la main sur le ventre. Si le mouvement est bon, vous devez le sentir s'arrondir. Posez les mains sur les genoux comme si vous les repoussiez ; le ventre doit rester tel qu'il est. Vous remarquez que, pour s'asseoir, quand le mouvement est bien fait, le menton rentre légèrement. Ce geste est nécessaire à l'atlas pour soutenir la tête par simple compression. Vérifiez à nouveau que le ventre est toujours bien arrondi et asseyez-vous. Le mouvement doit être maintenant agréable et surtout très gracieux. Il a l'air simple et continu, et vous le ressentez comme tel. Le terme de « mouvement continu » doit être pris en son sens mathématique, et fait référence à l'accélération progressive du déplacement normal de l'ensemble des vertèbres

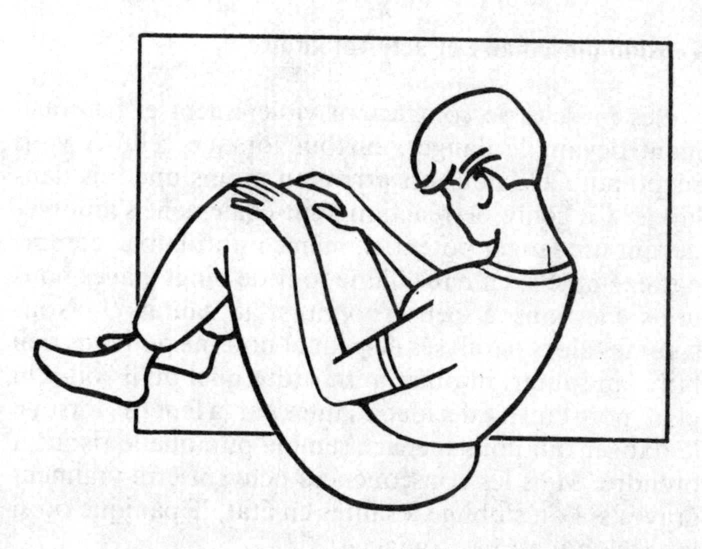

Posez les mains sur les genoux comme pour les repousser.

dans un corps en mouvement (point d'inflexion nul sur l'hodographe), la vitesse angulaire restant constante sur toute la hauteur de la colonne vertébrale en partant du bassin.

Mais ne soyez pas impatient, et attendez le temps qu'il faudra pour être sûr de ne pas vous tromper. Attendez, en somme, la confirmation de ceux qui vous regardent. Lorsque vous serez prêt, la sensation que procure un mouvement bien fait pourra vous servir de référence pour apprendre à vous lever le matin, à marcher, à parler, à faire l'amour, et à un grand nombre de choses encore. Il est préférable de prendre quelques cours pour commencer. Un individu moyen a besoin d'environ une trentaine de leçons. Cela ne vous apprendra rien de nouveau, mais cela vous permettra de mieux sentir ce que vous faites.

Tension musculaire et acte volontaire

Les muscles se contractent violemment et brusquement devant le danger, surtout lorsque celui-ci vous surprend. Cela nous est arrivé au moins une fois dans la vie. Ce genre de réaction peut également s'amorcer devant un danger potentiel, même improbable, comme par exemple si en haut d'une tour de vingt étages nous nous mettions à penser: « Et si je sautais? » Nous sommes alors paralysés de peur et nous ne pouvons rien faire: ni sauter, ni obéir à un ordre quel qu'il soit. On peut, pourtant, se décider à sauter par la fenêtre, lorsque le danger qui nous menace semble pire que le risque à prendre. Mais les conséquences peuvent être vraiment graves si l'on s'oblige à sauter en état de panique ou si la tension n'est pas soulagée.

Lorsque nos muscles sont entièrement crispés, nous

devenons sourds à tout appel et à tout conseil, qu'il vienne de nous ou de l'extérieur. La même chose se produit dans les moments de grande colère.

Il se passe un phénomène analogue dans les cas d'hypnose, puisque nous perdons alors tout contrôle, mais dans le même temps nous sommes totalement sous influence. Pour y parvenir, il faut tout d'abord être parfaitement décontracté. Cette décontraction, comme l'a démontré le professeur J.H. Schultz, doit aller au-delà d'une simple démonstration musculaire. Elle doit également s'accompagner d'une décontraction des capillaires et des petits vaisseaux sanguins, ce qui confère à la fois une impression de lourdeur dans les bras et dans les jambes, et de chaleur dans tout le corps ; à ce stade, nous sommes complètement manipulables. Il n'est d'ailleurs pas nécessaire, pour l'être, de perdre toute conscience.

A l'opposé, la contraction totale nous fait perdre le sens du poids de notre corps et de nos membres. Entre ces deux extrêmes se situe toute une gamme de contractions plus ou moins fortes, dont le milieu correspond à un état exempt de contractions volontaires, où le corps est donc soutenu uniquement par des contractions toniques. Nous éprouvons une sensation de légèreté et d'unité du corps tout entier, nous sommes plus influençables que lorsque nous sommes entièrement contractés, et moins que lorsque nous sommes totalement détendus. Ce sont les conditions idéales pour apprendre, c'est-à-dire pour acquérir des réactions nouvelles. Le processus d'acquisition se transfère facilement dans des schémas proches des anciens. Nous sommes également beaucoup plus maîtres de nous.

L'état de suggestibilité est aussi un état de passivité. Les muscles et les vaisseaux sanguins sont complètement relâchés, le corps est lourd et chaud, aucune motivation ne nous pousse à faire quoi que ce soit. Dans l'état tonique cependant, les muscles ne sont ni mous ni contractés. Le corps se sent léger, les vaisseaux sanguins ne sont ni dilatés ni comprimés, la température du corps est moyenne, il est frais. Tout est prêt, non pour des efforts violents, mais pour des initiatives en douceur, faciles, telles que danser, faire des pirouettes, avoir les idées claires. L'équilibre des systèmes sympathique et parasympathique y est bien sûr pour quelque chose. En effet, le premier, lorsqu'il est stimulé, produit un phénomène d'affirmation de soi comme lorsque nous nous battons ou que nous faisons des efforts violents ; le second amène une certaine tranquillité et favorise les fonctions de récupération.

Lorsque nous sommes tout à fait détendu, notre personnalité est moins affirmée, ce qui est normal puisque cela est incompatible avec une suggestibilité complètement passive. C'est l'occasion d'opérer en nous des modifications fort utiles. Il faut cependant noter que lorsque la relaxation est trop forte, la confiance en soi est alors trop faible pour permettre d'apprendre quoi que ce soit. L'état tonique est celui qui convient le mieux à l'initiative. Les contractions permanentes contrastent suffisamment avec la sensation générale de légèreté pour être immédiatement perçues et, autre avantage, nous sommes prêts à l'action, ce qui n'est pas le cas quand nous sommes totalement détendus.

L'« acture » tonique ne s'acquiert pas immédiatement. Il faut apprendre à neutraliser progressivement les contractions indésirables et savoir utiliser à bon escient toutes les propriétés complémentaires (en recourant à l'innervation réciproque et aux propriétés inductives des fonctions réciproques). Alors nous pourrons dire que nous avons réussi.

14.

PREMIÈRE VUE D'ENSEMBLE

Après quatre ou cinq leçons, vous remarquerez que la tête se place beaucoup plus facilement, les yeux sont à l'horizontale, et vous pouvez demeurer ainsi, sans effort, pendant deux, voire même trois minutes. L'immobilité du buste et de l'abdomen permet une respiration profonde et régulière. Le corps est envahi par une sensation de bien-être et de repos. Les muscles habituellement contractés, et plus particulièrement ceux de la bouche et des phalanges, surtout le pouce, se détendent et semblent ne plus peser. Pour la première fois vous entrevoyez ce que l'on peut ressentir quand le corps est en état d'activité et de motivation uniques. Il ne vous reste plus qu'à éliminer encore certaines contractions visiblement inutiles ; mais vous n'aurez aucun mal à les reconnaître.

Les muscles fléchisseurs, nous le savons, se contractent pendant que les extenseurs s'allongent. Par conséquent, lorsque vous êtes debout, l'effet latent du réflexe d'élongation et d'induction nerveuse qui l'accompagne vous permet de vous tenir encore plus droit. La position du corps est donc, comme le maintien, corrigée par des mécanismes internes et non par le simple vouloir, qui est à la merci de la moindre inattention.

Maintenant que nous avons franchi cette étape et savons comment placer notre corps, intentionnellement, nous pouvons appliquer ce principe à d'autres champs d'activité. Généralement, nous ne percevons les raisons d'une contraction musculaire qu'à son relâchement. Les motivations qui les provoquent sont à ce point grossières qu'elles apparaissent très clairement, et qu'il est facile de les éliminer sur-le-champ, à moins que l'environnement ne vienne les renforcer.

Si la motivation parasite n'est pas accomplie spontanément, sa prise de conscience se fait par la seule pensée de la partie du corps concernée au moment de la décontraction. C'est déjà un premier pas vers l'ébauche d'une révision générale de nos attitudes et de nos sensations.

Si les poumons sont correctement ventilés, au bout de quelques minutes les muscles de la bouche se détendent. L'alimentation est souvent à elle seule source de problèmes. Combien d'enfants se forcent à manger « pour devenir grands », et non parce qu'ils ont faim ! Combien aussi d'adultes mangent, plus ou moins, par peur du manque, pour de vagues raisons de statut social ou pour oublier leur médiocrité ! Tout ce qui entoure un repas a une influence décisive sur sa digestion : le lieu, notre façon de mâcher, de respirer, de nous tenir à table. Soit l'individu a le sens du devoir et se force à faire quelque chose dont il n'a pas envie, soit il se gave à seule fin de sentir son estomac lourd. Sa respiration est alors irrégulière et chaque bouchée réclame toute son attention. Nous pouvons, dès maintenant, remédier à ces défauts.

Il est impossible d'énumérer toutes les mauvaises manières de s'alimenter car elles sont trop nombreuses. Mais elles ont toutes un point commun, à savoir l'habitude, qui pousse à manger pour des raisons qui n'ont rien à voir avec la faim, et perturbe profondément le sujet. Celui-ci s'impose un régime que personne ne pourrait supporter bien longtemps sans être malade. En effet, le taux d'alcalinité du sang est partiellement neutralisé par l'excès d'acidité des voies digestives. Cela provoque des maux d'estomac, des indigestions, des nausées, ainsi que de la constipation ou de la diarrhée. Chacun de ces troubles correspond à un schéma précis et habituel de motivations conflictuelles.

Les sujets ayant un long transit intestinal, le tronc très long par rapport aux membres, et qui croient bien faire en mangeant une nourriture très riche en viande ou en protéines ont autant de problèmes que ceux qui ont un transit intestinal très court et sont végétariens. Chaque fois que notre conduite alimentaire est en défaut, c'est qu'elle obéit à une sérieuse raison psychologique. Certains boivent énormément au cours des repas, non parce qu'ils ont soif, mais parce qu'ils pensent que c'est « bon » pour eux. Ces mauvaises habitudes alimentaires sont inévitables en cas de problèmes psychologiques, car nos instincts en ce domaine sont très limités.

Les habitudes, qui ne devraient avoir pourtant aucun rapport avec l'alimentation, accentuent le phénomène de régularité et d'irrégularité. Le lecteur devrait maintenant être en mesure de reconnaître les plus évidentes d'entre elles. Il ne s'agit pas pour autant de posséder des compétences particulières en matière de chimie alimentaire ou des connaissances médicales sur le processus digestif. Il suffit simplement de remarquer les signes qui témoignent d'un acte mal motivé au départ : résistance, réversibilité impossible, souffle court.

Ce premier examen est important, non seulement pour des raisons de santé, mais parce que le problème s'étend également au domaine de la sexualité, et, d'une manière plus générale, à tout ce que fait un sujet mal adapté. Il arrive souvent que l'on prenne le sentiment de malaise dû à des troubles digestifs pour un problème sexuel. La raison en est, si j'ose dire, simple. La trame émotionnelle a été déformée par un élément majeur : le sacro-saint tandem : besoin de sécurité-dépendance relationnelle. De ce fait, le sujet se trouve perdu dans un labyrinthe de motivations, et rien de ce qu'il fait ne peut soulager sa tension présente, puisqu'en réalité il obéit à des motivations refoulées. D'où la confusion classique entre le besoin d'approbation, d'affection ou de sécurité, et le désir sexuel. Dans ce cas, la frigidité n'est pas due à un manque de force sexuelle, mais c'est un phénomène lié à l'absence de dominance parasympathique, qui exclut la présence de tension sexuelle, et donc par définition, son relâchement.

Maintenant que les contractions externes vous sont plus familières, vous pouvez peut-être déjà remarquer une particularité : à la fin d'un cours, alors que votre souffle est aisé et régulier, votre anus n'en demeure pas moins contracté. Les hommes vous diront qu'ils peuvent maintenir ou rattraper une érection défaillante simplement en contractant l'anus. Il faut préciser qu'ils le font sans s'en rendre compte, mais qu'ils se satisfont d'un vague sentiment d'effort. Dès lors ils retiennent leur respiration et sont à l'écoute d'eux-mêmes, tout en restant paralysés par la peur que le moindre geste n'empêche l'érection de se produire. Cette attitude est, bien entendu, incompatible avec les exigences de la tension sexuelle qui a besoin, pour monter, d'une totale liberté de contraction au niveau du bassin et de la musculature.

Il suffit d'être conscient de cette contraction anale pour en découvrir la raison. Dès qu'elle se trouve éliminée, le bassin peut alors retrouver une plus grande liberté de mouvement.

Certes, cette démarche n'est pas complète. Elle ne permet pas d'éliminer les raisons de nos erreurs. Mais elle a du moins l'avantage de nous faire prendre conscience de la sensation de résistance et de l'angoisse qui accompagnaient le rapport sexuel. Et cela est déjà en soi un soulagement, car nous cessons de vivre sous la menace de la punition, de l'abandon ou autre calamité. Auparavant, nous étions si tendus que le corps réagissait sous forme de transpiration, de palpitations, de diarrhée, de ballonnements, et ainsi de suite. Comme rien ne semblait justifier ces phénomènes, nous étions obligés d'en conclure à un problème de fond urgent à résoudre. Mais maintenant que nous savons mieux reconnaître les motivations conflictuelles, nous savons également ce qui nous contracte et provoque notre angoisse. Qui plus est, nous savons également comment l'aborder. Il n'y a donc plus de raison de se sentir coupable ou d'avoir honte. Parvenu à une certaine clarté d'esprit, on détecte l'erreur à temps au point de changer d'environnement, suffisamment pour éliminer les réponses indésirables sans avoir besoin d'en apprendre davantage. Il ne sert à rien d'être parfait, et c'est déjà beaucoup que de pouvoir assumer ce que nous avons entrepris sans être tracassé par une motivation refoulée. L'amélioration de nos conditions d'environnement constitue un gage de progrès qui nous permettra d'avoir plus de souplesse et d'adaptabilité devant l'adversité.

N'essayez pas de rectifier vos erreurs par un effort de volonté. Vous n'en retirerez qu'une impression de résistance due à des motivations externes et refoulées. De plus, cela entraîne, même à un moindre degré, en même temps que la pratique, l'augmentation de cette résistance. Il faudra beaucoup de temps et de persévérance avant d'obtenir un résultat significatif et donc satisfaisant. Attendez d'avoir atteint un niveau de contrôle suffisant sur votre corps et votre psychisme. Ce temps viendra lorsque vous saurez assurer l'équilibre des systèmes sympathique et parasympathique.

15.

LA TECHNIQUE

L'homme bouge avec tout son corps. Il en est parfois empêché par des motivations conflictuelles, mais il y revient dès qu'elles ont disparu. Cette disparition coïncide avec celle d'un grand nombre de contractions, qu'elles soient ou non conscientes. Pour les éliminer, nous devons faire en sorte d'être en pleine possession de nos moyens. Les méthodes ne manquent pas. Il s'agit simplement chaque fois de trouver la meilleure. Nous avons vu que l'environnement, le physique et le mental ne font qu'un. Pour être efficace, une méthode doit toujours tenir compte de l'ensemble de ces éléments. Lorsqu'un résultat positif est obtenu à partir d'un traitement qui semble n'avoir porté que sur le psychique ou que sur le physique, ne nous leurrons pas : il était sûrement beaucoup plus complet que nous ne voulions le croire et répondait à cette règle incontournable. La seule question est de savoir par où commencer. La réponse est simple : par l'ensemble, puisque c'est la meilleure façon d'obtenir des résultats.

L'important n'est pas de savoir que nous pouvons résoudre, par exemple, un problème d'ulcère duodénal en ayant recours à un traitement psychologique ou à une opération chirurgicale, mais que nous devons le faire en nous attaquant à cette fameuse trinité des éléments. Elle constitue à nos yeux une pierre d'achoppement, au même titre que la relation entre le physique et le mental constitue une abstraction née de l'intelligence et du langage. La plupart des gens admettent que le physique et le mental ne sont que deux aspects d'une même chose, ou deux pôles d'une même entité, mais ils n'arrivent pas à comprendre qu'il ne saurait y avoir de psychisme sans environnement. Si nous faisons abstraction de l'expérience du système nerveux par rapport à l'environnement, c'est-à-dire si nous coupons le corps du reste du monde, il ne reste rien de ce que nous appelons la vie cérébrale. Aucune pensée, aucun sentiment qui ne se réduise à une simple variation de tension électrique dans la structure du système nerveux. Toute la différence vient du rapport qui s'établit entre ces variations et le milieu, et produisent tantôt un sentiment d'affection pour quelqu'un, tantôt la perception de la couleur rouge, ou bien encore une représentation de la continuité, de l'accélération, de la beauté ou de la justice.

Voyons maintenant comment fonctionne cette unité dans les exemples que nous venons de citer. Tout le monde ne peut pas se fabriquer d'ulcère à partir d'un problème réel ou imaginaire. Il faut d'abord s'appliquer à construire le terrain ulcéreux pour que les ennuis puissent s'y traduire sous forme d'ulcère. L'attitude d'un individu et ses réactions face aux événements dépendent de son système nerveux, selon qu'il a été plus ou moins malmené, de son environnement passé et présent, et de son milieu. C'est ce que l'on appelle le caractère d'un individu. Rien qui ne touche à sa vie intime ou sociale, rien qui ne concerne ses relations avec les autres et avec lui-même, ses manies, ses marottes, sa santé, sa sexualité même — et cet aspect n'est pas des moindres —, rien en somme n'est étranger à son vécu. Tout se passe en fonction de lui.

L'homme en question a donc dû s'adapter à son environnement en adoptant une certaine « acture », à tel point qu'il ne se sent bien que lorsqu'il réagit de façon hautement émotionnelle face à tout ce qui lui semble important. Son taux d'adrénaline augmente, et sa tension monte chaque fois qu'il fait quelque chose. Autant dire qu'il ne sait rien faire sans perfectionnisme ni peur de l'échec. Jusqu'à son bonheur et ses fêtes qui ne soient teintés d'inquiétude : il ne peut pas rire de bon cœur, mais seulement sourire. Rien, chez lui, n'est spontané.

Au bout d'un certain temps, l'ulcère se trouve n'être rien d'autre que le symptôme le plus révélateur d'un comportement lui-même ulcéré, et une opération d'urgence s'impose. Mais une opération chirurgicale n'est pas une simple affaire de corps. Le fait de s'allonger ou de laisser quelqu'un jouer du scalpel avec nos entrailles est une expérience aussi riche que de se retrouver sur le canapé d'un psychanalyste. Il suffit d'avoir un tant soit peu de bon sens pour en tirer profit et se mettre à relativiser bien des choses. C'est un moment inespéré pour prendre conscience qu'il ne sert à rien de courir puisqu'on se retrouve cloué au lit et que la Terre n'en continue pas moins de tourner. C'est également l'occasion de comprendre à quel point nous importons peu au reste du monde mais beaucoup à nous-même et à notre entourage. Bref, ce peut être un rendez-vous avec la maturité, d'où nous sortirons différent.

Il faut ajouter à cela le choc opératoire, l'immobilisation et le régime car pendant le séjour en clinique les repas sont établis par quelqu'un de rationnel. Pendant plusieurs semaines le patient ne pourra plus se laisser aller à ses mauvaises habitudes, véritables causes de son mal. Une intervention chirurgicale, qu'on le veuille ou non, est une expérience féconde et une leçon utile. Si le patient a su en tirer profit, il n'aura plus de problèmes psychosomatiques, et ce sera un succès. Si tel n'est pas le cas et si l'opération se résume à l'ablation pure et simple d'un élément organique amenant une amélioration locale correspondante, il se retrouvera tôt ou tard avec un nouvel ulcère. A la différence que, cette fois, son estomac aura déjà été recousu une fois.

Il en va de même avec le traitement psychologique. Celui-ci peut se limiter à quelques améliorations concernant ce domaine, ou avoir des répercussions au niveau général, engendrant des transformations profondes, psychosomatiques et émotionnelles. Si l'analyste est objectif, le patient se mettra peu à peu à respirer différemment, et la respiration joue un rôle beaucoup plus grand dans le taux d'alcalinité du sang qu'il n'est communément admis. Un bon rythme respiratoire aide le patient à se décontracter, et cette décontraction peut amener une nette réduction de la tension musculaire. De ce fait il en découlera une amélioration de l'« acture ». Il se peut même qu'il cesse de manger comme un glouton. Là encore, l'amélioration sera proportionnelle au changement qui se sera opéré au niveau de l'environnement et qui est purement psychosomatique. Sinon, à part la mise en lumière du complexe d'Œdipe, de celui de la castration et de quelques autres, ainsi que l'élimination de symptômes mineurs, l'analyste n'aura pas raison de son invisible adversaire et l'inconscient — cet inconscient rustre et maudit —, dans un dernier effort désespéré de « résistance », sortira du combat vainqueur en produisant une hémorragie. *Car « l'inconscient », comme chacun le sait, préfère les chirurgiens aux analystes.*

Nous voyons donc que toutes les méthodes sont

bonnes pour résoudre un problème. Cela dépend de l'attitude du sujet. Le mérite d'une méthode ne tient qu'à son efficacité, qui elle-même dépend de la facilité avec laquelle le patient saura intégrer les nouvelles données, au niveau de sa personnalité. Nous voyons donc bien à quel point il est important de pouvoir apprendre chaque jour à mieux nous comprendre, à mieux nous comporter. Il faut développer cette faculté, car la santé (comment l'appeler autrement?) de la structure physico-psychique en dépend. A partir de là, les progrès doivent, de toute évidence, porter sur la plate-forme commune de tous nos actes: c'est-à-dire sur les propriétés fondamentales du système nerveux, à savoir l'excitation, l'inhibition, l'induction, etc., au moyen desquels le conscient contrôle l'ensemble du système. Si, par ce biais, nous pouvons atteindre à un fonctionnement plus harmonieux, nous parviendrons à une bonne maîtrise de nous-mêmes, ce qui est l'essence de toute vie consciente.

Tout part du corps. En voici la raison: que nous soyons en train de faire une chose, ou que nous en soyons empêchés, nous n'avons aucune manière qui nous est propre et familière de vivre la situation. Notre langage à ce moment-là est entièrement sensoriel et kinesthésique, et il est donc difficile de traduire ce que nous ressentons dans un langage parlé commun à tous. Les mots *facile, amour* ou *doux* n'ont pas le même sens pour vous que pour moi. La meilleure façon d'exprimer un événement subjectif est encore de le symboliser: « je me sens des ailes », « je me sens comme un poisson dans l'eau », « je m'éclate ». Ce sont toutes des expressions symboliques qui expriment des sensations subjectives.

L'un des grands mérites de Freud aura été de percer le mystère de ce symbolisme, en expliquant aux patients le sens caché de ces expressions qu'ils privilégiaient. Il a pu ainsi leur faire découvrir leurs motivations profondes. En agissant directement sur le corps lui-même (comme lorsqu'on demande à quelqu'un d'adopter une certaine position ou de faire un mouvement précis), il est possible d'éviter les lenteurs et les erreurs d'interprétation qui ne manquent pas de se glisser hors du passage du jargon aux mots courants, et inversement. Il n'est plus besoin de trouver une interprétation rationnelle aux sensations physiques, ni de vérifier constamment si les mots ont été bien compris. Cette méthode permet de mieux percevoir nos motivations réelles. Elle constitue une étape indispensable dans l'amélioration du comportement. Selon Freud, l'analyste ne doit pas servir à faire le tri entre nos différentes motivations, mais à apprendre à gérer chacune d'elles.

La technique dont il est question ici s'attache avant tout à l'amélioration de nos mouvements, et pour cela utilise le corps, qui permet à chacun d'apprendre directement, à travers son propre langage corporel. Les problèmes habituels de résistance ne se posent pas, puisqu'elle est ressentie uniquement dans un contexte qui n'est pas traumatisant et permet de l'évacuer facilement. Il va sans dire que cette technique n'est pas toujours la meilleure. Elle est impossible, par exemple, quand le sujet est trop perturbé pour se voir confier sa propre rééducation. Dans ces cas-là, il faut faire appel à une aide extérieure et appliquer une autre méthode. Le reste du temps, elle devrait y être d'une grande utilité.

L'essentiel de cette technique consiste à nous restituer le plein usage de nos fonctions. Autrement dit, à prouver que la spontanéité, loin d'être une manière de parer au plus pressé, caractérise tous nos actes, à partir du moment où ceux-ci ne sont pas compulsifs. Cette formulation peut paraître évasive, mais ne vous y trompez pas : la compulsion a son utilité. Prenons la voix, par exemple. Si notre maîtrise vocale est parfaite, nous pouvons varier l'intensité et l'intonation de notre voix selon les besoins. Alors que si nous n'avons qu'un seul ton de voix, celle-ci sera forcément mal adaptée à certaines circonstances, même si elle ne pose aucun problème la plupart du temps. La compulsion vient alors du manque de choix qui nous oblige à parler d'une certaine manière à défaut d'une autre. Cette compulsion n'est d'ailleurs pas mauvaise en soi, mais elle est déplacée. Le sujet réagit en automate, de façon systématique et intemporelle.

Un certain nombre de gens se sont vu inculquer un code de moralité extrêmement rigoureux, et continuent de l'appliquer toute leur vie. Ils ont l'air aussi guindés que les malheureux qui ont le dos raide. Une colonne vertébrale saine peut adopter un grand nombre de positions, et par conséquent demeure toujours souple et bien courbée (même en état d'immobilité totale). De même un code moral doit-il être flexible et répondre aux situations les plus variées afin que les interdits soient vécus sans rébellion. Cela s'appelle une contrainte librement consentie. Ceux qui ne savent jamais rien refuser aux autres passent pour être bons et généreux, mais à leurs dépens. Ils se font plus de mal à eux-mêmes et aux autres que ceux qui savent dire non quand il faut. Comme si l'on disait : se servir d'un couteau pour tailler la chair à vif n'est pas bien. Donc les chirurgiens ne sont pas des gens bien.

L'impossibilité d'agir s'explique souvent par un défaut de la fonction concernée, qui ne peut s'exercer que sur un seul registre. L'action intéresse les zones du cortex les plus étendues. L'inhibition d'une partie d'entre elles interfère avec le déroulement de l'action. Notre incapacité devant certains actes ne provient pas d'une déficience physique locale, mais d'une mauvaise « acture » générale.

C'est la raison pour laquelle nous n'enseignons jamais ici La bonne manière de respirer, mais toutes les manières de le faire. De même que nous n'enseignons pas non plus La façon de se tenir le ventre plat, mais toutes les contractions abdominales, du relâchement le plus total à la contraction la plus intense, comme on le fait en yoga. Ce principe s'applique également à toutes les articulations, y compris celles du bassin. Il en résulte une adaptation optimale du corps en toutes circonstances, car nous prenons peu à peu conscience de nos erreurs. Notre champ d'inhibition et de stimulation est total, nous permettant ainsi d'agir en toute conscience et en toute responsabilité.

Cette méthode de réajustement n'a, pour ainsi dire, rien à voir avec la gymastique, qui cherche avant tout à assouplir les muscles et à les fortifier, ainsi qu'à accroître leur vitesse de réaction par des mouvements répétés. Notre méthode consiste au contraire à élargir et à raffiner le contrôle général que nous avons sur les muscles. Tout ce que nous faisons est fait lentement. Chaque fois qu'une difficulté se présente, nous ne cherchons pas à la surmonter par la volonté ou la force, mais en utilisant l'induction pour arriver à comprendre d'où vient le problème. Ainsi nous pouvons y remédier en retrouvant le contrôle des muscles inactifs et en inhibant la contraction des autres. Il n'est pas rare de pouvoir récupérer toute la souplesse d'une articulation en quelques minutes, là où il nous faudrait des mois pour le faire avec de simples exercices d'assouplissement. De plus, le sujet apprend l'art de se perfectionner, ce qui lui sert ultérieurement dans tous les domaines. Cette nouvelle habitude a tôt fait de devenir une seconde nature et n'exige aucun effort particulier.

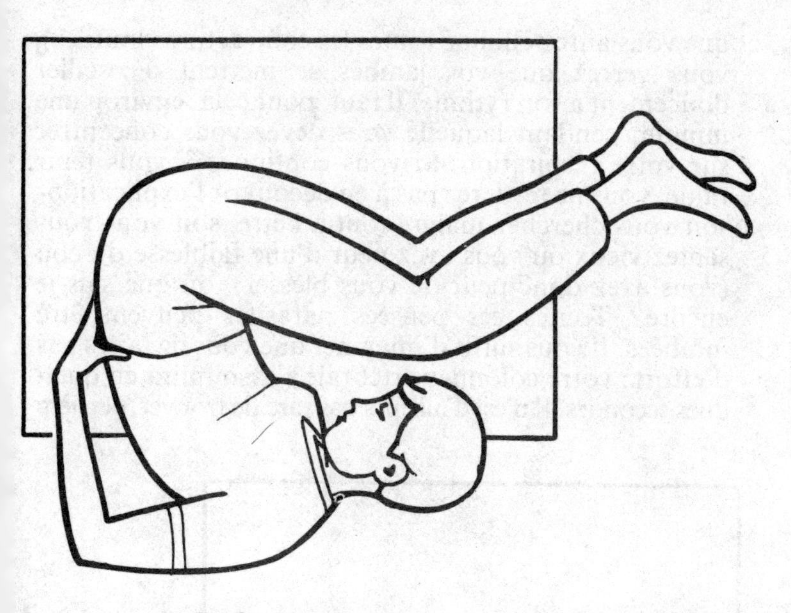

Soulevez vos hanches et vos jambes
et faites peser le poids sur vos épaules.

Voici maintenant quelques exemples pratiques. Ils portent sur les diverses manières de fléchir la colonne vertébrale et montrent l'effet que peut produire la réduction des contractions des muscles extenseurs. Allongez-vous à nouveau et soulevez les jambes et le bassin. Le poids du corps doit reposer sur les épaules, sans bouger, avec un maximum de confort. Vous pouvez alors adopter un grand nombre de positions différentes. Observez votre attitude. Vous comparerez plus tard avec celle que vous adopterez spontanément. Relâchez le ventre et respirez librement. Tant que votre respiration ne sera pas bien rythmée, non seulement vous l'entendrez par saccades, mais votre corps sera tendu et vos jambes resteront immobiles. Dès que la respiration sera redevenue normale (autrement dit dès que vous aurez éliminé toutes les contractions inutiles), vous verrez que vos jambes se mettent à osciller doucement à son rythme. Il faut, pour cela, environ une minute, pendant laquelle vous devez vous concentrer sur votre respiration. Si vous continuez à vous tenir raide, vous ne tarderez pas à en découvrir l'explication : soit vous cherchez malgré tout à l'être, soit vous vous sentez vieux ou vous avez peur d'une faiblesse du cou (vous avez donc peur de vous blesser), ou que sais-je encore ? Toutes ces pensées parasites peuvent être inhibées. Il vous suffit d'imaginer que vous ne faites pas d'effort : votre colonne vertébrale s'assouplira en quelques secondes. Il n'est d'ailleurs pas rare de trouver, derrière

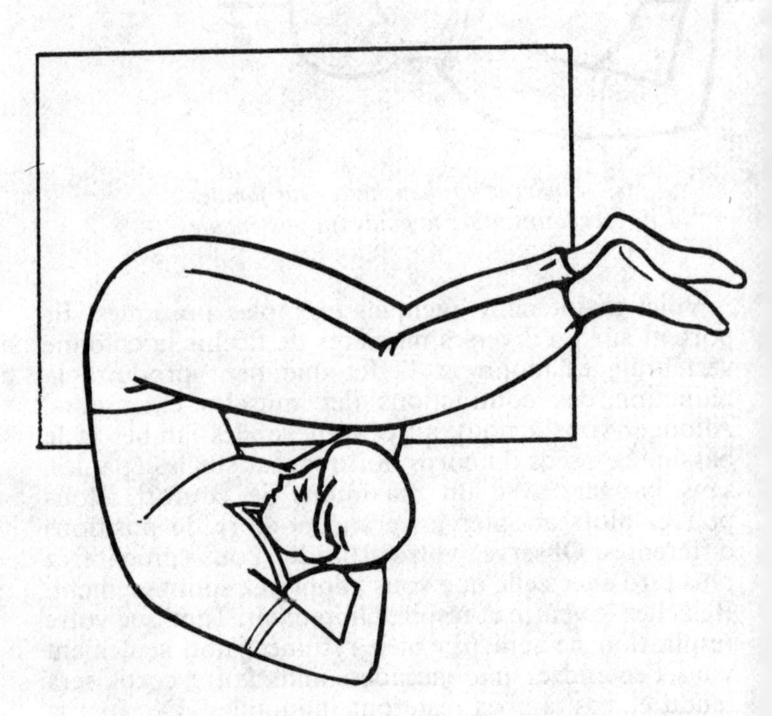

Soulevez la tête du sol, en vous aidant des mains.

cette raideur involontaire, les raisons qui la provoquent. Vos jambes se rapprochent maintenant de la tête à chaque fois que vous expirez, en même temps que le dos s'arrondit, et elles s'en éloignent chaque fois que vous expirez. Cela signifie que l'inspiration se fait en tendant les muscles extenseurs du dos qui, par ailleurs, sont allongés au moment de l'expiration.

Vous pouvez encore réduire la contraction des muscles du dos en plaçant vos mains sur les genoux et en poussant. Ce geste doit être fait en douceur pendant une vingtaine de secondes sans interruption et sans changer sa respiration. Cela provoque une contraction permanente des muscles fléchisseurs des hanches et de l'abdomen qui permet de réduire encore davantage les contractions des extenseurs du dos. Essayez ensuite de fléchir le corps sans forcer, en gardant les mains sur les genoux. La position du corps varie d'un sujet à l'autre dans cet exercice. Chez certains, il est à la verticale, chez d'autres, il est incliné et arrondi. Le corps des premiers repose sur l'alignement des épaules à la base du cou, et les derniers touchent le sol avec les omoplates. Dans les deux cas il est possible de soulever la tête du sol, surtout si vous vous aidez légèrement des mains pour le faire. De toute évidence, donc, si vous n'arrivez pas à amener les pieds loin au-dessus de la tête, ce blocage ne peut venir que d'une raideur des articulations au niveau des épaules et du cou. Il suffit de peu de chose : retenir son souffle, par exemple, comme lorsque l'on a peur ou que l'on a mal. Il faut donc essayer d'inhiber ce blocage pour pouvoir basculer encore plus loin.

Vous pouvez plier le corps davantage en touchant le sol avec les pieds de chaque côté de la tête. Décrivez alors un arc de cercle avec la pointe des pieds jusqu'à ce qu'ils se rejoignent, puis ramenez-les ensemble au-dessus de la tête.

L'étape suivante consiste à mémoriser le corps tel qu'il est pendant le mouvement. Une fois allongé, vous n'aurez plus qu'à vous en souvenir pour ramener les pieds derrière la tête. Vous pouvez même faire mieux : pensez à votre dos, imaginez-le libre de se plier sans aucune contrainte. Vous verrez que vous pourrez alors faire toucher le sol, non plus à vos pointes de pieds, mais à l'entre-pieds. J'invite tous ceux qui partent du principe qu'ils sont « trop vieux », ou « trop coincés », que c'est « trop difficile », ou bien encore qu'ils ont « besoin d'entraînement », à oublier tout cela pour ne plus penser qu'aux directives que je viens d'énoncer ; elles sont nécessaires mais surtout suffisantes pour parvenir à faire le mouvement. Beaucoup ont l'heureuse surprise d'y arriver en trois ou quatre leçons, surtout s'ils font travailler toujours les mêmes muscles, et si la méthode active est utilisée. Dans ce cas, la réussite est quasiment assurée.

Maintenant levez-vous lentement, sans faire d'effort, et, après quelques minutes, observez et notez l'effet produit par l'induction sur les muscles extenseurs du dos : ayant été très longtemps inutilisés, ils possèdent une réelle tonicité et ont tendance à redresser le dos pour lui donner une bonne position. Vous verrez que sans avoir rien fait vous êtes plus droit, et par conséquent plus grand que d'habitude. Vous sentez bien aussi que vous vous tenez mieux. Votre ancienne façon de vous tenir vous paraît bizarre, surtout lorsque vous essayez d'y revenir. Il faut d'ailleurs le faire pour apprécier la nouvelle posture et apprendre à préférer, parmi toutes les possibilités qui vous sont offertes, celle qui vous apporte le plus de satisfaction. La meilleure façon de se tenir n'est pas celle que l'on prend à défaut de pouvoir en adopter une autre, mais celle que l'on a choisie.

Cette leçon nous enseigne beaucoup plus de choses

qu'il y paraît au premier abord. Elle nous permet de mieux nous diriger mentalement, et nous apprend à agir en ayant les idées claires. L'enseignement se fait à travers le langage de notre corps. Des semaines entières passées à discuter la question n'aboutiraient sans doute pas à un résultat aussi net : déceler les mauvaises habitudes qui nous empêchent de faire ce que nous voulons, et dont nous prenons conscience quand nous réduisons le niveau d'excitation. Nous l'avons déjà vu, plus nous sommes détendus, plus nous sommes sensibles à la moindre différence. Mais l'aspect le plus intéressant de cette leçon est peut-être le suivant : nous y découvrons que non seulement nous sommes loin d'utiliser toutes nos ressources, mais que nous nous gardons activement de le faire. En tant qu'analyste, il n'est pas facile de dire à quelqu'un : « Tout ce qui vous arrive est de votre faute. Vous ne savez pas tirer parti de vous-même. Vous avez — même sans le savoir — un comportement infantile. » Il faut peu à peu faire une brèche dans la résistance du sujet en lui livrant de temps en temps l'interprétation de ses comportements et de ses habitudes. Ici, par notre méthode, nous arrivons au même résultat, mais de manière plus directe, en passant par l'intimité de l'expression corporelle. Nous ne demandons pas l'impossible — en l'occurrence d'abandonner une certaine façon de faire, tant qu'il n'en existe pas d'autre pour la remplacer. En élargissant le champ de ses possibilités, le sujet se donne une grande liberté de choix, et il n'est plus contraint de se soumettre à la seule alternative qui lui était offerte auparavant. La nouvelle façon de faire s'impose d'elle-même, chassant l'ancienne, comme nous le ferions pour ouvrir une porte si, entre deux moyens, l'un était efficace et l'autre pas. Personne n'hésite à faire un choix si l'on sait qu'il est le bon. On regrette même de ne pas y avoir pensé plus tôt.

Savoir plier son corps en deux ne semble pas, *a priori,* d'une importance capitale. Après tout, que nous importe de savoir si le corps est un objet flexible ou non? Mais le sens de ce constat est plus profond qu'il n'y paraît. Tout acte, quel qu'il soit, n'est important que si sa valeur est reconnue socialement. *Mais*, du point de vue physiologique, la non-utilisation de certaines fonctions au point d'entraîner leur invalidité est, quant à elle, fondamentale. L'« acture » est la même chez un individu, qu'il essaye de plier son corps en deux, de résoudre un problème ou d'aller aux toilettes. Il se prépare à agir de la même manière, et tout changement ne peut être que lent, sauf si l'on s'y attaque directement.

Ainsi, un professeur ayant de l'expérience peut-il détecter assez rapidement tout ce qui peut entraver la bonne réalisation d'une flexion. Il voit que Mme X, par exemple, garde les genoux serrés même quand elle perd l'équilibre, alors qu'il faudrait normalement écarter les jambes. De là il peut en déduire, sans grand risque d'erreur, que Mme X a un blocage sexuel dû à la honte, et qui est plus fort qu'elle. Il voit également que M. G., là-bas, ne pense qu'à son anus. Il a sans doute des problèmes de constipation et d'hémorroïdes. Avec l'habitude, il peut dire quelles sont les parties du corps à tous moments présentes à l'esprit de ses élèves, et qui les fait se contracter abusivement.

Mais à quoi bon raconter tout cela? Il ne peut en résulter qu'un flot de rationalisation qui ne servent qu'à alimenter l'« acture ». Elles constituent en fait ce que l'analyste appelle « résistance ». Nous cherchons ici avant tout, à donner à l'élève les moyens d'agir sans avoir à s'y préparer physiquement ni psychologiquement. Cette manie disparaît dès que l'exercice de la fonction est suffisamment varié. (Notons au passage qu'auparavant il ne pouvait se passer de manifester une résistance, partie intégrante de son approche.) La contrainte s'élimine dès qu'apparaît le choix. Il se produit alors un phénomène — connu de ceux qui pratiquent le zen sous le nom d'*insight* ou de *satori* — par lequel nous devenons soudain tout à fait conscients de cette résistance.

La résistance disparaît en devenant inutile. Cette vision soudaine — insight — qui en résulte, n'a que peu de répercussions, et ne présente pas les mêmes dangers qu'une interprétation prématurée, en psychanalyse. Nous en donnerons quelques exemples plus loin.

Revenons à notre position : allongé sur le dos, jambes ramenées derrière la tête. Elle présente encore de nombreux avantages. Le corps se trouve presque à l'opposé par rapport à son champ de gravitation. Pendant plusieurs minutes, le sang arrive à la tête en quantité plus abondante. Les vaisseaux se dilatent davantage puis, une fois l'opération terminée, ils se contractent et la tête paraît aussi fraîche que dans nos meilleurs jours.

Presque toutes les langues ont une expression idiomatique qui fait allusion à cette fraîcheur de la tête ou, disons, du sang. « Avec sang-froid » : *cool-headed, chladnokrovno ; kalt-blutig, bkorrauch.* Pour ce qui est de la respiration, nul n'est besoin maintenant de forcer pour expirer ; l'air sort par simple *pression* des parois intestinales. D'autre part, le repos d'abord et le phénomène d'induction ensuite ont revitalisé les centres ordinairement actifs en permanence.

Maintenant que nous savons tout sur la flexion de la colonne vertébrale, voyons comment arriver à rendre ce mécanisme réversible. La réversibilité est à la dynamique du corps en action ce que l'équilibre instable est à la stabilité. Nous allons donc nous consacrer à la façon dont nous nous comportons en action. La dynamique de tout acte peut varier considérablement d'une personne à l'autre selon la représentation que nous nous faisons de nous-même. Si nous pensons à nos pieds, par exemple, ils se contractent et deviennent centre d'intérêt de l'action. Le reste du corps s'adapte à la situation et se borne à faire en sorte que les pieds puissent aller là où ils sont censés le faire dans notre esprit.

Il faut remarquer que seule la trajectoire est dirigée. Le rythme, quant à lui, va de pair avec l'action. Il s'agit donc d'apprendre à amorcer le mouvement, puis à le suivre, en commençant par projeter mentalement les sensations kinesthésiques, et en effectuant la projection de cette sensation. Prenez la tête, par exemple. Elle peut être vécue comme le lieu du « moi ». Auquel cas, le sujet la raidit instinctivement. Il est polarisé sur elle, attentif aux moindres sensations de mouvement qui la concernent ; le reste du corps n'est que secondaire et le sujet fait en sorte qu'il ne gêne en rien le trajet de la tête. Il est impossible d'expliquer avec des mots ce que l'on veut dire par « sentir son *moi* ici ou là » sans passer pour mystique ou pour fou. La difficulté est la même que pour traduire une sensation interne en langage verbal. La seule façon d'y parvenir est d'en faire physiquement l'expérience, et de trouver le symbole pour le nommer. Commençons donc par l'expérience.

Retournez encore une fois à la position précédente : allongé sur le dos, jambes tendues, pieds derrière la tête. La plupart des gens retiennent leur respiration, deviennent tout rouges et sont éreintés par l'effort. Pour éviter tout cela il suffit, comme nous l'avons déjà vu, de ne penser qu'à ce que nous faisons. Mais cela nous paraît difficile car, contrairement à nos habitudes, il nous faut intégrer plusieurs actes en un seul, plus complexe. Voilà bien l'erreur, que nous commettons par ignorance, et qui explique la raison pour laquelle nous devons encore et toujours nous entraîner. Si nous appliquons les principes donnés, nous pouvons nous épargner bien du travail inutile. Il faut explorer toutes les possibilités du mouvement, aussi bien dans l'espace que dans le temps, en se fondant sur le principe de la réversibilité. Tout ce qui n'obéit pas à ce principe doit être éliminé systématiquement. Ainsi apprenons-nous en nous rendant compte de nos erreurs, et voyons-nous clairement ce que signifie une motivation unique.

L'action n'est réversible que si le corps permet de l'arrêter et de la recommencer à n'importe quel moment. C'est une épreuve test. Au nom de cette réversibilité, le sujet peut être amené à adopter certaines positions, ou à procéder de façon inhabituelle, et ce, pendant toute la durée de l'exercice. Le corps est indispensable pour percevoir la signification de la réversibilité. Aucun effort de compréhension, même très grand, ne peut remplacer la configuration mentale la plus approximative.

Il faut se donner tout le temps nécessaire à ce genre d'exercice, et le faire par choix et non par obligation en référence à quelque chose ou quelqu'un. Ce doit être une décision personnelle et individuelle. Le professeur, quant à lui, doit tenir compte des niveaux différents de chacun, et avancer progressivement. Avec le temps, les différences s'estomperont. Il y a deux raisons à cela : d'une part les élèves cessent peu à peu de multiplier les efforts, et d'autre part ils prennent confiance en eux, se débarrassent de leurs doutes et hésitations.

Recommencez maintenant le mouvement en prenant bien soin de vérifier — et, au besoin, en corrigeant dans votre tête — que votre respiration ne change pas, quoi que vous fassiez, et que vous puissiez exécuter le mouvement aussi bien dans un sens que dans l'autre. Le principe de réversibilité, c'est-à-dire, en d'autres termes, l'équilibre instable entre l'excitation et l'inhibition, devrait s'appliquer d'un bout à l'autre de l'exercice. Inutile de chercher la perfection. Elle vient d'elle-même. Il suffit de faire ce qu'il faut — et uniquement cela. D'ailleurs, il est impossible de manœuvrer sa colonne vertébrale en respectant ces deux principes (réversibilité et respiration), sans une parfaite coordination. De même qu'il est impossible de maîtriser les contractions inutiles et gênantes sans savoir exactement ce que l'on veut au départ. Il y faut du temps et de l'expérience. Il ne sert à rien de vouloir accélérer le processus, au contraire. Seul un enseignement plus efficace peut y aider.

Tant que vous n'êtes pas parvenu au résultat escompté, concentrez votre attention sur les sensations du corps. Vous verrez qu'il n'y a qu'une seule façon de bien faire, sans être gêné par des tensions musculaires diverses : en gonflant le ventre. Le centre de gravité de notre corps se trouve à peu près sous le nombril. Si vous sentez bien cette zone comme étant la source et le centre de votre action, votre « acture » ne peut qu'apparaître facile, naturelle, en un mot la vôtre sans conteste. Si ce point est localisé comme le lieu du « moi », tel que nous l'avons défini plus haut, et si le reste du corps ne sert qu'à permettre son déplacement, il en résultera, quelles que soient les circonstances, des mouvements coordonnés, faciles, sans efforts et réversibles. Le corps est aérien quand la tête et la colonne vertébrale sont décontractées, car ces contractions ont la particularité de raccourcir la colonne pour des raisons annexes.

Est-il nécessaire de souligner que si les efforts demandés étaient aussi concentrés qu'il peut le paraître en lisant ces lignes, ils auraient tôt fait d'avoir raison de nous. En réalité, l'exercice dure environ dix minutes, dont une grande partie dans une ambiance détendue et une attention posée.

Maintenant asseyez-vous, puis roulez sur le dos sans rien changer ni à votre respiration, ni à la position de votre corps, ni surtout à la contraction abdominale. Si le mouvement est fait correctement, vous allez basculer jusqu'à décoller le bassin du sol, le poids du corps sur les épaules et la tête. Il faut, pour cela, procéder lentement. (Vous pouvez également faire une roulade complète par-dessus tête et vous retrouver genoux à terre. Mais cela est assez rare car généralement les gens contractent les extenseurs situés à l'arrière du cou, et de ce fait la tête bloque le mouvement avant la fin.) Restez dans chacune de ces positions pendant une minute au moins, en faisant bien attention de toujours respirer régulièrement pour éviter de raidir le buste.

16.

PHYSIOLOGIE ET SOCIÉTÉ

Nous prenons rarement la peine de réfléchir sur la valeur de ce qui nous paraît évident. Les choses les plus simples sont en réalité plus complexes qu'il y paraît, et leur compréhension facilite et enrichit la vie. Si une livre de pommes de terre coûte deux francs, un kilo coûtera quatre francs et dix kilos quarante francs. Voilà qui est simple. Les scientifiques appellent cela la loi de la proportionnalité. Eh bien, cette loi qui est pourtant élémentaire est en réalité d'une extrême complexité si l'on y regarde de plus près. Elle n'est valable que si la quantité totale des éléments considérés est suffisamment grande pour que leur marché ne la modifie pas de façon sensible. Cette règle ne s'applique qu'aux nombres très élevés. La loi d'Ohm, par exemple (selon laquelle le courant est proportionnel au voltage appliqué aux pôles d'une résistance), n'est plus valable quand le nombre des électrons libres disponibles est trop petit. Dans ce cas, le voltage est constant mais le courant, lui, ne l'est pas.

Autre exemple encore: il faudrait se donner beaucoup de mal et faire preuve d'une grande ingénuité si nous voulions, par exemple, essayer de suivre les effets que la faim et le froid ont sur notre organisme. Aussi incongru que cela puisse paraître, il y a un facteur économique partout, jusque dans les pensées les plus abstraites. De la même manière, l'influence de la sexualité se retrouve aussi bien dans notre adaptation sociale que dans notre travail ou notre besoin de sécurité matérielle et émotionnelle. Prenons le complexe d'infériorité. Nul n'est besoin d'aller chercher très loin pour démontrer que sans la société il ne saurait y avoir ni sentiment d'infériorité ni sentiment de supériorité. Tout individu, pris séparément, n'a pour norme que lui-même. Il est facile de concevoir qu'un sentiment d'infériorité puisse entraîner l'impuissance sexuelle. On peut donc en déduire que l'impuissance et la frigidité peuvent naître de problèmes d'adaptation au milieu social, et n'avoir aucune origine physiologique. Il apparaît donc utile d'essayer de comprendre le rapport qui existe entre l'environnement et la société d'une part, et de l'autre la sexualité, qui est pourtant *a priori* une fonction purement physiologique. La résolution d'un problème passe avant tout par sa compréhension.

Lorsque nous sommes en colère, lorsque nous avons peur, lorsque nous nous bagarrons, ou lorsque nous sommes absorbés dans une tâche difficile, nous sommes complètement asexués. Les animaux sauvages se battent souvent violemment avant de s'accoupler. La tension sexuelle monte donc jusqu'à consommation de l'acte, après un effort physique important pouvant aller jusqu'à l'épuisement. Cela est tout de même assez étrange. Et pourtant, il se passe la même chose pour nous. L'Histoire est pleine de soldats affamés, épuisés par la guerre, et qui se jettent sur les femmes et les violent en entrant dans les villes. La sexualité est également plus active après les périodes de grande tension et d'épreuves. L'augmentation du nombre des naissances en temps de guerre n'est sans doute pas étrangère à ce phénomène.

Les hommes d'entreprise, les comédiens, les acteurs, les peintres ont une sexualité plus forte que les secrétaires et les fonctionnaires. Et lorsqu'ils rencontrent le succès, leur sexualité devient encore plus active.

Toutes ces choses, apparemment sans rapport les unes avec les autres, ont cependant des points communs : une période d'activité physique intense, une attention démesurée à sa propre image, ainsi qu'une volonté de s'imposer mais aussi de se protéger en ne comptant que sur soi-même. Le tout est généralement suivi d'un élan sexuel très intense. Pendant la période d'activité, toute l'attention se trouve concentrée sur l'action elle-même, et tout ce qui peut la contrarier est très mal vécu. La sexualité est alors inexistante à tous points de vue. Ce phénomène est dû à l'excitation particulière du système nerveux sympathique, qui conditionne le corps à l'énergie physique en procédant à un certain nombre de modifications. C'est également lui qui met en place tous les éléments permettant d'agir avec plus de confiance en soi et moins de risques. Sa stimulation augmente le taux d'adrénaline du sang, accélère le pouls, et accroît non seulement la tonicité des muscles mais aussi la lucidité.

Le système parasympathique, comme son nom l'indique, fonctionne en réciprocité avec le système sympathique. Les stimulations du premier annulent les effets du second, et vice versa. Un grand nombre de réactions du corps — comme la dilatation de la pupille, par exemple — peuvent se produire de deux manières : soit par stimulation du système sympathique, soit par inhibition du système parasympathique, ou l'inverse. Ce dernier facilite la digestion, protège les yeux de la lumière quand elle est trop vive, réduit la tonicité musculaire, ralentit le rythme cardiaque, dilate les vaisseaux sanguins et, d'une manière générale, contrôle les fonctions de récupération. Les deux systèmes fonctionnent l'un par rapport à l'autre. Leurs stimulations s'équilibrent, réglant ainsi tout notre système en alternant les efforts pénibles avec le repos réparateur.

Cet équilibre est largement influencé par notre attitude consciente et nos actes. Le contrôle de soi, auquel nous faisons souvent référence, n'est autre que la faculté d'accorder la priorité à l'un ou l'autre système, selon les circonstances. Ainsi, en amour, il est indispensable que le système sympathique s'efface devant le système parasympathique, nous permettant d'être suffisamment détendus pour être réceptifs au sexe opposé. Les rapports sexuels peuvent être gravement — voire même totalement compromis —, tant que les fonctions protectrices demeurent sous l'emprise d'une stimulation quelconque.

Toutes les fonctions réciproques représentent également un phénomène d'induction; autrement dit, l'intensité de l'excitation qui suit la période d'inhibition est proportionnelle à la durée de celle-ci. Le facteur temps est primordial en matière d'induction. Ainsi, aucun phénomène particulier n'intervient si nous regardons successivement une tache d'encre sur une feuille blanche, et une même feuille sans tache. En revanche, si nous prenons le temps de regarder la tache longuement, et fixons ensuite la feuille de papier blanc aussi longtemps, nous apercevrons une tache blanche, plus blanche que le papier lui-même. (La durée de fixation nécessaire peut varier d'une personne à l'autre, mais disons que la moyenne est de trente secondes.) Ce phénomène, appelé phénomène d'induction, ne peut se produire que si l'on ne fait qu'une seule chose à la fois, et si l'action dure un certain temps. Le même phénomène peut également se produire lorsque l'intensité est si grande qu'elle en devient presque douloureuse. En résumé, une excitation extrême ou prolongée se rapportant à une action de préférence unique donne lieu, une fois disparue, à une inhibition d'égale intensité, et inversement.

L'expérience que nous venons de voir à propos de la tache d'encre révèle les deux aspects de l'induction. Au départ, la tache noire est entourée de blanc; elle élimine l'excitation, tandis que le blanc la stimule. A son tour, si nous regardons la page entièrement blanche, nous y voyons une tache encore plus blanche entourée de noir. Ce phénomène persiste tant que la fatigue ne vient pas l'annuler. Il est difficile de faire cesser l'inhibition ou l'excitation des centres stimulés. La durée et l'intensité de ces phénomènes varie selon le seuil de fatigue de chacun. Ce sont des propriétés du système nerveux qui, à ce titre, peuvent être améliorées.

Les systèmes sympathique et parasympathique innervent l'ensemble des viscères, mais de façon irrégulière. Les fibres cervicales et celles du sacrum, qui constituent les nerfs de la région pelvienne, alimentent le gros intestin, le rectum et la vessie en fibres motrices, et les organes génitaux en fibres vasodilatatrices. Ces nerfs et ces fibres constituent le système parasympathique. L'érection est produite par la stimulation des nerfs viscéraux pelviens, qui entraîne une dilatation des vaisseaux sanguins du pénis, et l'irriguent.

L'expérience que nous venons de voir et celles que nous verrons par la suite sont toutes destinées à accroître la maîtrise du système parasympathique, à aider le lecteur à en reconnaître la tendance dominante et à la contrôler. Le travail que nous effectuons pour distinguer les motivations les unes des autres a pour but de les répartir en deux groupes: d'une part celles rattachées à la fonction de dépendance et relatives à la protection et à l'autorégulation de l'individu. Elles sont, physiologiquement et traditionnellement, associées à une stimulation du système sympathique. D'autre part, celles rattachées aux fonctions de récupération, qui procurent le repos et sont associées à l'équilibre et au bien-être. Il est important de pouvoir agir en fonction d'une seule motivation, car l'entité physico-mentale ne peut pas répondre en même temps à deux types d'activités opposées. Lorsque nous sommes neutres, tout nous est indifférent. Nous n'avons aucune motivation particulière. Notre but est donc de parvenir à cette neutralité, tout en ayant les moyens de faire pencher la balance dans un sens ou dans l'autre.

La fonction mentale se développe à partir de l'expérience par l'enveloppe de notre conscience : le corps. Ainsi, le physique et le mental fonctionnent-ils en relation étroite, l'un s'intégrant à l'autre comme n'importe quelle partie d'un tout. Les deux approches sont indispensables pour obtenir un résultat.

L'acte sexuel a deux fonctions distinctes : la reproduction et la régulation de l'équilibre entre les systèmes sympathique et parasympathique. Cette double fonction n'est presque jamais remplie totalement. La sexualité est considérée en général sous deux aspects seulement : en tant que moyen de reproduction, et comme plaisir répondant à un besoin légitime, ou pardonnable dans certaines circonstances. La puissance, l'autorégulation et la protection coïncident avec une forte stimulation du système sympathique qui, lorsqu'il est fatigué, se met en retrait au profit du parasympathique. Cette réciprocité favorise la forte sexualité, le pouvoir, la possessivité, l'avidité et la convoitise. Toutes ces qualités sont rejetées pêle-mêle par la société quand celle-ci ne peut ni les contrôler ni les modérer.

Le plaisir, ou plus exactement la gratification, accompagne et suit tout acte sexuel véritable. Mais pour beaucoup il est synonyme de déception, de malaise et de frustration. Quant au plaisir, il est souvent absent. Et pourtant, les êtres continuent de s'infliger cette souffrance. Ils ne le font sûrement pas pour la pérennité du genre humain, car il existe maintenant une infinité de moyens contraceptifs. Ils ont besoin de rapports sexuels, non pour le plaisir — qu'ils connaissent à peine —, mais comme exutoire. La nécessité biologique d'alterner les effets de chacun des deux systèmes est ressentie comme un besoin. Cet équilibre est recherché d'où qu'il vienne, à seule fin d'assurer leur fonctionnement. Aucune structure nerveuse ne peut fonctionner correctement s'il n'y a pas alternance entre le travail et le repos. Il n'y a aucune exception à cette règle, à laquelle obéissent toutes les fonctions nerveuses.

La satisfaction totale est l'essence même de l'acte sexuel en regard du fonctionnement, puisqu'elle ne peut être atteinte que par une stimulation suffisante du système parasympathique. Sa relation avec l'acte est la même que celle du goût avec les aliments. L'attente du plaisir correspond au besoin d'accomplir l'acte biologique nécessaire au bon fonctionnement du système. Le goût des aliments et le plaisir sexuel ne sont pas indispensables à d'autres points de vue, mais leur absence nuit à chacun de leur domaine respectif.

Les fonctions de protection et de récupération forment un tout oscillatoire. Quand l'un est au plus haut de son activité, l'autre est au plus bas. Dans nos sociétés, l'exercice quotidien des fonctions de protection ne donne pas lieu à des affrontements physiques, comme cela peut être le cas ailleurs, mais à un combat plus masqué, et à la lutte pour l'indépendance économique ou la reconnaissance artistique, ce qui revient d'ailleurs au même. La concurrence représente l'une des caractéristiques de nos sociétés fondées sur l'esprit d'entreprise. Elle réclame à la fois des qualités d'organisation personnelle, et de la ténacité. Le combat en est son meilleur moyen d'expression. Nous nous « battons pour la paix », nous avons une « Armée du Salut », nous menons « le combat du Christ », et nous livrons des batailles d'avant-garde et jusqu'au-boutistes pour tout et n'importe quoi. Chacun y trouve son compte, le banquier, l'industriel, l'acteur, le peintre, le poète et le sportif. Au niveau de la motivation, l'attitude est celle d'un animal au combat; nous vivons sous le règne du système sympathique. C'est pour les mêmes raisons que les créatifs, tous les gens entreprenants et tous ceux qui cherchent à atteindre un but unique ont une sexualité plus forte que la moyenne. Rien ne peut plus soulager et reposer le système sympathique qu'une forte stimulation du système parasympathique, et réciproquement. Après une querelle sérieuse, la plupart des couples sont prêts à faire l'amour et leurs rapports sont plus ardents que de coutume.

L'orgasme est produit par la stimulation du système parasympathique. Les deux partenaires ont des contractions involontaires de toute la région du bassin, et celles-ci coïncident avec l'éjaculation de l'homme. Ces contractions sont indirectes, et toute interférence avec les contractions anales ou avec les mouvements involontaires du pelvis lui-même diminue ou même arrête le fonctionnement normal du système parasympathique. Dans ce cas, l'orgasme est absent ou moindre, et par conséquent ne remplit pas complètement son rôle biologique. Le plaisir, qui est en principe indissociable de l'orgasme, s'éteint trop tôt. L'équilibre entre les deux systèmes est perturbé, et le plaisir qui, normalement, monte avec l'exacerbation du système parasympathique pour s'évanouir progressivement par paliers laisse place à un effort pour se contrôler et parvenir à ses fins, qui déclenche l'intervention du système sympathique. Ainsi, au lieu du bien-être et du soulagement escomptés, il n'y a place que pour l'irritation, le dégoût et la crispation.

Dans une société comme la nôtre, les fonctions de protection et d'autorégulation sont à ce point sollicitées pendant toute la période de dépendance relationnelle qu'elles deviennent des fonctions dominantes. De ce fait, l'inhibition de la sexualité, qui pourtant constitue la réaction de récupération la plus importante, est totale. Les deux systèmes ne peuvent donc pas s'équilibrer. L'alternance ne se produit plus que dans les cas extrêmes, comme couronnement de la réussite personnelle d'un individu. La dominance bascule alors dans le camp du système parasympathique, qui se traduit au niveau sexuel par des orgasmes plus satisfaisants. Nous avons tous, un jour ou l'autre, connu des périodes d'activité sexuelle intense. Ce phénomène résulte d'une stimulation exceptionnelle des fonctions de protection et d'autorégulation. Dans ces moments-là, nous nous sentons détendus, nous respirons régulièrement, notre ventre est bien arrondi et nous connaissons tous les symptômes de la dominance parasympathique : pouls lent et vaisseaux sanguins dilatés. Il n'y a plus chez nous aucune irritabilité. Les hommes ont une érection plus franche et les femmes un orgasme plus fort, dans la grande quiétude du système sympathique.

Maintenant que nous connaissons le mécanisme de l'intérieur, nous comprenons pourquoi le travail (qui ne se résume pas toujours à griffonner quelques mots sur un bout de papier !), ainsi que tout ce qui suscite notre intérêt, a une telle influence sur notre comportement sexuel. Non seulement nous comprenons le rapport avec les différents phénomènes dont nous avons parlé en début de chapitre, mais nous voyons mieux maintenant quelle est la route à suivre pour nous améliorer.

Pour mieux situer le problème, il faut garder en mémoire un facteur physiologique essentiel, à savoir la fatigue des cellules nerveuses. Si nous faisons intensément travailler un nombre restreint de cellules, même pendant très peu de temps, elles se fatiguent. Et le premier degré de cette fatigue se traduit non par un refus de fonctionnement, mais par une activité maximale. Ainsi, si nous forçons sur un petit groupe de muscles en répétant le même geste avec autant d'intensité, au bout de cinq ou six essais l'efficacité ne sera plus la même. Quoi qu'il en soit, la fatigue se traduit surtout par l'incapacité de contrôler nos mouvements. Loin de se détendre et de cesser toute activité, les muscles se contractent sans cesse spasmodiquement, provoquant des crampes.

Il se produit exactement le même phénomène avec les cellules nerveuses. Si nous nous concentrons assez longtemps sur quelque chose de précis, cela devient obsédant et les cellules, même fatiguées, continuent d'être actives. La pensée ne peut alors cesser que par suite d'épuisement à moins d'avoir réussi à stimuler un autre groupe de cellules, ce qui inhibera physiologiquement celles qui sont fatiguées. La théorie de Pavlov sur la structure en mosaïque du cortex moteur donne une explication tout à fait convaincante de ces phénomènes. Comme nous l'avons déjà vu, une action ne peut en général être coordonnée que si les cellules voisines des centres stimulés sont elles-mêmes inhibées. Plus une action est précise et incisive, moins il y aura de cellules actives, et plus les cellules voisines seront inhibées. Une seule cellule stimulée à l'extrême se fatigue rapidement, d'où la difficulté d'effectuer la répétition rapide d'un même geste à la perfection quand il ne fait intervenir qu'un seul muscle.

Quand les fonctions d'autorégulation sont continuellement surexcitées, tous nos efforts de décontraction ne font que prolonger l'activité du système sympathique et le stimulent encore davantage. Les cellules fatiguées continuent d'être actives et ne peuvent être inhibées. Le cerveau, trop sollicité, perd sa faculté d'inhibition, entraînant l'insomnie. L'envie de dormir est si forte qu'elle rend le sommeil impossible. Cette théorie a conduit Pavlov à imaginer une méthode de traitement des névroses à partir de cures de sommeil.

Voilà donc quels sont les effets néfastes que produit la surexcitation de la fonction d'autorégulation et les difficultés qu'elle entraîne au niveau de la récupération.

De l'apprentissage sexuel

L'orgasme, et le plaisir qui s'y rattache, sont nécessaires à la bonne marche des fonctions de protection, d'autorégulation et de récupération. Du point de vue physiologique, l'orgasme est aussi important que la procréation. Au niveau de l'individu, il va jusqu'à primer sur elle, car donner naissance à un enfant dans de mauvaises conditions est un handicap aussi bien pour les parents que pour la progéniture. Il est nécessaire au bon équilibre des deux fonctions déjà évoquées, car sans lui aucune fonction biologique ne peut être accomplie pleinement. Un rapport sexuel sans orgasme ne fait qu'entraîner une baisse de la vitalité. Quelle que soit la diversité de notre vie par ailleurs, il faut savoir, de temps en temps, renoncer à nos habitudes de protection et d'autorégulation, comme le font les couples dont la relation est franche, spontanée et harmonieuse. Sinon, nous serons toujours en quête d'un bien-être idéal.

Pratiquement tous les cas d'impuissance ou de frigidité sont, finalement, dus à une mauvaise intégration sociale, qui rend les rapports entre les deux sexes superficiels et sans lendemain. Chacun est à la fois trop préoccupé par lui-même et cependant demandeur. Le conflit intérieur entre l'affirmation de soi et la vie en société n'a jamais pu se résoudre, psychologiquement, que par la négation tantôt de l'un ou tantôt de l'autre. Or, l'intégration sociale et la sexualité sont au fond la même chose. La fonction sexuelle est l'expression, au niveau biologique, du besoin de rapport et de communion avec les autres. L'être le plus individualiste doit renoncer à une parcelle de son égocentrisme s'il veut avoir des relations sexuelles. Nous devons nous rendre compte, si nous souhaitons nous intégrer correctement dans la société, que notre bien-être dépend des autres.

Le problème, bien sûr, n'est pas simple. Chaque civilisation tente à sa manière de le résoudre. Aucune solution n'a jamais fait l'unanimité; il lui a fallu affronter des obstacles. Cependant, celles qui se sont révélées durables présentent des avantages considérables qui leur permettent de durer. Dans notre civilisation occidentale, la maturité sexuelle ne scelle pas la fin de la dépendance économique par rapport aux parents, si bien qu'un individu physiologiquement adulte subit encore, pendant des années, une dépendance relationnelle infantile. L'intégration sociale et la société sont par conséquent intimement liées à l'intérieur de chacun d'entre nous, ne serait-ce que sur ce plan-là, bien qu'en réalité elles le soient également sur bien d'autres.

Notre éducation est contradictoire : d'un côté on nous prêche les vertus de l'affirmation de soi, et de l'autre on refuse de séparer les notions de sexualité et d'économie pendant toute la puberté. Au lieu de nous guider comme nous en aurions besoin, on nous enseigne le refoulement et l'inhibition. Cette situation est recréée en permanence ; la tradition n'est jamais transmise, ce qui nous oblige à toujours tout reprendre dès le début et dans les pires conditions.

Ainsi, l'adolescent se voit-il obligé de s'affirmer encore davantage pour se faire pardonner ses aspirations — pourtant physiologiquement légitimes — à la sexualité. La plupart des troubles sexuels vont de pair avec des problèmes d'ordre social relativement importants. Ceux-ci peuvent d'ailleurs passer inaperçus de l'extérieur, tout en étant mal vécus sur le plan psychologique. Il est nécessaire d'accroître le niveau social et l'indépendance économique de ceux qui souffrent de ces troubles, car la recherche active de la véritable affirmation de soi a des incidences directes sur la sexualité. La tension sexuelle sera d'autant plus forte que le niveau d'intégration sociale sera meilleur (quelle que soit, bien sûr, la profession exercée).

Il est donc absolument nécessaire de cerner les motivations autonomes d'autorégulation présentes en nous, et que nous contribuons à maintenir, alors qu'elles devraient être écartées pour permettre à la dominance parasympathique de s'exercer en toute liberté.

Nous avons maintenant devant nous un programme très clair. Érections défaillantes, orgasmes médiocres, frigidité, indifférence, tout cela disparaîtra si le flux sympathique et parasympathique est rétabli. Il faut cultiver une véritable autorégulation et apprendre à bien connaître cette fonction, car les seuls progrès véritables que nous puissions faire passent par l'amélioration de son fonctionnement. Nous pouvons — et nous devons — apprendre à sentir la dominance parasympathique, pour ensuite la contrôler, c'est-à-dire savoir reconnaître les motivations de protection et d'autorégulation qui excitent le système sympathique et empêchent l'érection et l'orgasme. Il nous faut également apprendre à reconnaître les motivations refoulées et automatiques d'autorégulation qui entretiennent un certain nombre de tensions musculaires interférant directement avec les contractions autonomes du pelvis, du ventre, des hanches, du sphincter anal, et empêchent tout orgasme. En résumé, nous devons apprendre à gérer harmonieusement cet ensemble indissociable que forment le physique et l'émotionnel.

J'aimerais insister sur un point important : à savoir que l'élément gênant n'est pas la contraction musculaire en soi mais très précisément d'une part les endroits du cortex constamment excités, et d'autre part ceux qui sont inhibés en permanence, car ils perturbent le libre exercice de l'excitation et de l'inhibition, et rendent impossible tout fonctionnement à motivation unique. Chaque fois que nous projetons un nouveau schéma, celui-ci doit, avant de s'exercer, se plier à cette obligation, et subir certains aménagements (de façon que les points de rigidité refoulés habituels ne soient pas dérangés). Il en résulte un sentiment de paralysie, comme le dit si bien le dicton : « Plus on change et plus on est le même. »

Le contrôle de nos muscles est celui que nous connaissons le mieux ; toute nouvelle attitude est immédiatement perçue au niveau de l'expression personnelle. L'influence sur l'état du système végétatif est directe puisque le pouls, la respiration et le système vasculaire sont tous immédiatement concernés. Il est plus facile de démêler les enchevêtrements de motivations une fois qu'ils sont ressentis et identifiés physiquement par le sujet que de passer par l'analyse verbale qui réclame l'intervention du symbolisme pour réussir à comprendre le sens caché des mots. Il faut donc qu'il puisse exercer sa nouvelle façon de faire dans des conditions lui permettant de s'y sentir à l'aise et donc de faire la différence. L'avantage de cette démarche tient à ce que nous pouvons physiquement *montrer* comment bien faire sans que cela soulève de contestation.

Nous avons le choix entre deux approches: soit procéder point par point en relevant les erreurs les plus flagrantes et en les corrigeant une par une, soit procéder systématiquement. Lorsque deux méthodes se valent, il est toujours préférable de choisir la seconde. C'est d'ailleurs ce que nous avons fait jusqu'ici.

Tout d'abord il convient de rétablir la liberté de mouvement du bassin. Tout le poids du corps repose sur lui, et à ce titre il en constitue la partie la plus importante. La tête, où siègent les organes d'orientation les plus précis, ne peut être maintenue correctement si le pelvis ne soutient pas le corps suffisamment bien pour éviter tout effort musculaire le long de la colonne vertébrale. Son port devient alors une tâche laborieuse et ingrate. Or, le contrôle de la tête est indispensable à la précision de nos mouvements. L'homme a commencé par redresser la tête. Mais pour faire ce simple geste, encore faut-il que le buste soit solidement ancré au bassin. Lequel, de la tête ou du bassin, se met-il en mouvement le premier? La question est sans intérêt, étant donné que leurs contractions respectives sont pratiquement simultanées bien que, strictement parlant, les muscles du bassin soient les premiers à se contracter en extensions rapides et que la tête, elle, ne s'ébranle que lentement. Le contrôle et la mobilité totale de l'ensemble du bassin permettent de dégager les centres du cortex de leur immobilisme et facilitent ainsi la réalisation de l'intention. Cela nous permet d'être en état de réversibilité générale. Tous ceux chez qui l'orgasme est courant ont également un bien meilleur contrôle de leur bassin que les autres. Leurs mouvements, leur allure, sont généralement plus décontractés et leur *acture* est plus simple et plus naturelle. Alors que ceux qui ont des problèmes sexuels ont un bassin plus ou moins mobile d'où certains mouvements sont complètement exclus. Il arrive même que le mouvement correspondant à la pénétration ou au coït soit inexistant et remplacé par un mouvement de retrait. Il arrive aussi que ce soit le contraire : bassin en perpétuelle position de pénétration totale, les articulations pelviennes complètement écartées. Dans un cas comme dans l'autre, la motivation pour un rapport sexuel normal est soit faussée, soit inexistante. L'individu n'agit pas spontanément mais en raison d'éléments annexes qui appartiennent au domaine de l'autorégulation. L'acte n'est ni dicté, ni prolongé par le plaisir. Dans le premier cas, la motivation au coït est contrariée par d'autres motivations relevant de la dépréciation de soi, de la faiblesse, de la culpabilité ou de la honte, ainsi que du sentiment de laideur. Les deux partenaires ont beaucoup de mal à se montrer nus devant l'autre, surtout l'homme, dès lors qu'il n'a pas d'érection. Dès qu'ils sont nus, ils perdent le tant soit peu de spontanéité dont ils sont normalement capables. Dans le deuxième cas, l'inquiétude est telle que la personne se demande si son coït durera assez longtemps, ou s'il se renouvellera ; il cherche alors à pénétrer sa partenaire le plus rapidement possible, dès que son érection le lui permet. L'homme et la femme sont tous deux malheureux : la femme restant le bassin immobile et l'homme éjaculant aussitôt après la pénétration, pour répondre à la motivation dominante du moment. Ils projettent l'idée de l'orgasme en tant qu'essence même de l'acte, alors qu'il devrait intervenir à notre insu, comme la salive que nous avalons peut-être au même moment sans nous en rendre compte. Les mouvements normaux qui accompagnent un rapport sexuel ne sont même pas envisagés dans la mauvaise *acture*; la personne ne peut avoir que deux attitudes: soit elle demeure immobile, soit elle fait des mouvements brusques et saccadés, le corps raide, comme à l'habitude. De toute façon, tant que le bassin demeure rigide, aucun mouvement rythmique n'est possible, quoi que l'on fasse. Le cercle vicieux qui s'instaure entre le corps et les fonctions mentales et végétatives dont il est le reflet et qu'il contribue à entretenir maintient l'individu sous tension et lui donne le sentiment d'être la proie du mal. L'importance qu'il faut attacher à libérer le bassin de ses contractions habituelles est donc incontestable. Non que telle position soit meilleure qu'une autre. N'importe quelle contraction devient bonne du moment qu'elle n'est plus un choix imposé, et même la plus maladroite ne présente qu'un inconfort mineur. Cet élément est nécessaire à l'activité autonome du sujet, qui ne peut se mouvoir librement qu'une fois que les schémas, enregistrés dans le cortex sur la base d'une immobilité pelvienne définitive, sont eux-mêmes dissous. En effet, tant que persiste cette immobilité, le sujet, ignorant ce processus mental, ne se rend compte de rien. Tout se passe comme si un mauvais génie s'appliquait à tout gâcher insidieusement, de sorte que l'échec ne puisse se révéler que dans la pratique. Sans un réajustement de la fonction musculaire, on ne peut procéder que par tâtonnements. L'angoisse disparaît avec l'élimination des complexes psychologiques, et avec elle disparaît également la tension musculaire. Autrement dit, les centres nerveux cessent d'être excités en permanence et se mettent à fonctionner normalement, et la qualité de l'action finit par s'améliorer. Dans ce cas, il se peut que le sujet soit capable de corriger ses erreurs sans les comprendre vraiment. Vient ensuite une période pendant laquelle les succès alternent avec les échecs, ces derniers ramenant invariablement le sujet à son point de départ. Une bonne connaissance du processus engagé, ainsi que sa maîtrise, permettent de ne plus *subir*, mais de transformer échecs et succès en réalités concrètes, positives et durables. Avec un bon traitement, la peur de l'échec peut être finalement largement réduite, et les rechutes sont moins graves. Peu à peu, l'objectif est atteint, mais au prix d'une grande souffrance, qui aurait pu être évitée en passant par une méthode d'apprentissage plus directe.

Clarification de certaines notions

Tout ce qui nécessite un apprentissage, comme l'amour, le langage, le raisonnement, la façon de marcher ou de s'asseoir, la sexualité, doit être appris consciencieusement. Aucune étape ne peut être sautée impunément. On peut bien sûr, parfois, avoir de la chance et s'en tirer sans trop de mal si les circonstances sont favorables. En principe cependant, on ne peut bien apprendre qu'en faisant des erreurs. Elles font partie du système et sont considérées comme utiles en leur temps. On ne peut se prévaloir de rien sans avoir appris ce qu'il faut faire, c'est-à-dire sans avoir appris à ses dépens ce qu'il *ne faut pas* faire. Le rôle d'un professeur se limite à éviter à ses élèves les erreurs les plus graves, ou celles qui sont susceptibles de laisser des traces indélébiles.

Le manque de références personnelles constitue la

source la plus fréquente de blocages. Le sujet se trouve contraint de suivre une procédure minutieuse jusque dans les moindres détails. Une telle démarche est éminemment compulsive, et le risque d'échec, permanent. C'est le défaut du comportement sexuel de la plupart d'entre nous, qui ne peut être corrigé définitivement sans un retour sur le passé. Les problèmes sexuels regroupent deux catégories de sujets : d'une part ceux qui ont bravé la vie trop tôt, et d'autre part ceux qui ont voulu être plus royalistes que le roi — ou, en l'occurrence, plus catholiques que le pape — et n'ont pas profité de la période idéale que sont les fiançailles pour aborder progressivement la sexualité. Au contraire, beaucoup d'entre eux ont jeté un voile pudique sur cette occasion qui leur était offerte. Tous ces individus ont un point commun : leur vie sexuelle ne s'est pas étalée régulièrement dans le temps, et ils se sont trouvés devant des problèmes qui les dépassaient (et les dépassent toujours).

Leur situation est semblable à celle des autodidactes qui atteignent, d'une certaine manière, un niveau bien supérieur à leurs camarades qui ont suivi une scolarité classique. Parfois l'un d'entre eux réussit de façon spectaculaire et devient exemplaire. Mais les ratés sont légion, qui vivent malheureux à l'idée qu'ils pourraient atteindre les cimes si seulement ils étaient reconnus. Leur vrai problème n'est pas, comme ils le croient, une question de reconnaissance, mais un manque de savoir-faire qui ne peut s'acquérir que par les voies régulières. Combien d'hommes et de femmes, par ailleurs fort compétents, ont gâché leur vie pour être passés trop vite — ou pas du tout — sur une étape de leur formation ! Je connais personnellement des ingénieurs très doués dans leur domaine qui n'ont pas la réussite escomptée simplement parce qu'ils ont eu la légèreté de croire qu'il suffit de s'y connaître en mécanique ou en mathématiques, et ont en conséquence totalement négligé l'aspect concret de leur métier. Ils ont gardé toute leur ingéniosité, inventent sans cesse, mais sont incapables de transformer leurs inventions en produits commercialisables. Plus vite ils se décideront à combler leur handicap, plus ils auront de chances d'atteindre ce qui est légitimement à leur portée.

Prenez, par exemple, le cas de cet homme qui n'arrive pas à amener sa femme à l'orgasme. Il se peut qu'il ait appris dans les livres, ou qu'un médecin lui ait dit, qu'une femme a besoin d'être caressée, embrassée et étreinte avant de faire l'amour. Cependant il ne fait pas ces gestes qui sont sensés être « naturels ». Cela prouve qu'il ne s'est jamais senti suffisamment sûr de lui ou capable de les accomplir. Il est mis à l'épreuve, et par conséquent aborde sa partenaire dans un esprit qui n'a rien à voir avec celui d'un homme mûr dans la même situation. Il essaye d'appliquer les instructions qu'on lui a données, probablement sans en avoir véritablement envie, et très vite il revient à sa façon de faire habituelle, avec les résultats habituels.

Chaque fois qu'un acte, quel qu'il soit, ne répond pas aux espoirs qu'il a suscités, une étape essentielle dans son acquisition manque, ou n'a pas été comprise au niveau intellectuel au lieu d'avoir été pratiquée. Il faut remédier à cette carence, et le plus tôt est toujours le mieux.

La plupart du temps, nous voyons les défauts des autres, leurs erreurs, la manière dont ils les corrigent. Il y a des professeurs pour enseigner et des élèves pour apprendre. Cela est impossible en matière de sexualité ; la société est telle que même si quelqu'un essayait d'ouvrir une école d'application, je doute fort qu'elle soit d'une quelconque utilité, même s'il n'y avait aucune censure et si elle était autorisée officiellement. L'enseignement qui y serait dispensé n'aurait forcément pas grand-chose à voir avec un enseignement traditionnel, et par conséquent il ne pourrait pour ainsi dire jamais être appliqué normalement. En fait, il se révélerait un handicap plutôt qu'une aide, à moins que l'homme et la femme ne fréquentent la même école. Mais ils seraient entièrement dépendants l'un de l'autre, à tel point que leur antagonisme et leurs ressentiments ne feraient que croître jusqu'à ne plus laisser place qu'au désaccord. De plus, ils se sentiraient différents des autres, et donc anormaux. Il suffit de réfléchir à cette éventuelle solution pour se rendre compte qu'elle soulève bien trop d'objections pour être envisagée sérieusement ; c'est la raison pour laquelle il n'existe pas d'écoles de ce type.

Avant de trouver une solution à ce délicat problème, voyons rapidement comment se présente l'apprentissage normal de la sexualité. Dès la tendre enfance, garçons et filles sont conscients de leurs organes sexuels et jouent avec eux. Ils le font tout simplement parce que ce sont des parties plus sensibles que les autres et qu'ils éprouvent des sensations particulières. Cette étape est à la sexualité ce que la marche à quatre pattes est à la marche. Comme Malinowski l'a montré à propos de certaines tribus, l'étape suivante consiste à manipuler les zones érogènes du sexe opposé. Beaucoup de gens ne dépassent jamais le stade de la masturbation. Plus nombreux encore sont ceux qui ne vont jamais au-delà du simple attouchement et se contentent de faire jouir leur partenaire par des caresses et des baisers. Dans les sociétés primitives, le passage à l'acte sexuel proprement dit se fait progressivement, sans grand succès pour commencer. Il faut un certain temps avant que la consommation de l'acte remplace les formes premières du plaisir. Peu à peu, sans tapage, et sans plus d'états d'âme que pour apprendre à marcher, ils parviennent à l'orgasme en toute sérénité. Leur démarche est empreinte de chaleur et de confiance mutuelle, dans un climat d'intimité que seul peut procurer le total abandon de soi. Il n'y a plus ni orgueil de la part du mâle, ni passivité de la part de la femme ; les barrières tombent le plus facilement du monde.

Dans nos sociétés, la sexualité fait l'objet d'un tabou jusqu'à la confrontation cruciale. Le premier rapport se fait lorsque l'individu se considère — et est considéré par les autres — comme adulte. Il est censé avoir un instinct « inné », grâce auquel tout lui « viendra naturellement », alors que pour l'instant il n'y a qu'une seule chose qui soit naturelle en lui, c'est le désir. Et encore, « naturel » est un bien grand mot, car le désir se manifeste sous une forme qui est largement tributaire du contexte personnel de l'individu, et qui n'a plus grand-chose à voir avec la nature.

Certains ont l'audace de rompre avec les tabous au tout début de l'adolescence, mais ils n'en sont pas plus avancés, car la situation devient alors pour eux liée à un certain nombre de craintes et d'émotions annexes. Les filles doivent se donner en cachette, et leurs partenaires n'ont plus pour elles, de ce fait, le respect qu'ils ont pour les autres. Elles se sentent coupables, bien souvent, et ne retrouvent plus le même plaisir dans la légalité.

Il est impossible d'avoir une sexualité épanouie si l'on a sauté les étapes intermédiaires. C'est exactement comme si l'on avait la prétention de devenir champion de tennis du jour au lendemain sans avoir jamais mis les pieds sur un court. Ou comme si l'on devait inventer le fauteuil idéal sans avoir jamais vu de fauteuil de sa vie. Je suis persuadé qu'une vie sexuelle ne peut être satisfaisante que si le sujet est passé plus ou moins par un certain nombre d'étapes, avant ou pendant les premières années du mariage. Les cas de frigidité et d'impuissance quasiment irrécupérables sont à mettre au compte d'une absence de cet apprentissage de la sexualité. Aucune psychanalyse ne pourra venir à bout de ce problème si elle n'offre pas un moyen de rattraper le temps perdu.

Les problèmes d'ordre sexuel occupent la première place chez tous ceux qui n'ont pas fait — ou ont mal fait — leur apprentissage dans ce domaine. L'autorégulation est toujours suffisamment importante pour que l'orgasme soit une chose rare, voire même impossible. Quand l'éducation sexuelle est bonne, le problème est extrêmement simple et ne constitue pas, dans ce cas, une préoccupation majeure, et le sujet peut évoluer positivement. Il arrive que l'état d'autorégulation fasse l'objet d'une totale et sincère adhésion. C'est un gage de succès et, dans ce cas, la sexualité n'est pas vécue comme une fin en soi, mais se transforme en un moment privilégié où toutes les barrières sont abolies et où l'être tout entier s'abandonne. C'est la seule façon dont l'orgasme puisse amener à un fonctionnement harmonieux du système nerveux. Cela atteint, le problème intègre sa juste place, et reste dans les eaux dormantes de la conscience.

La sexualité est un élément aussi crucial pour l'équilibre du comportement que la circulation sanguine. D'ailleurs, tous deux ne se manifestent à notre attention qu'en cas de problème. Il faut, dès le départ, utiliser notre énergie à bon escient. Cela permet d'améliorer l'*acture* qui, à son tour, augmente la vitalité. La meilleure façon d'utiliser cette énergie est encore d'accroître sa sécurité, aussi bien *économique* que *psychologique*, puisque ce sont une seule et même chose. Cela ne signifie pas seulement travailler, mais se rendre indispensable. Si un problème se présente, ce qui implique que notre activité n'est pas celle qui convient, il faut donc en changer — mais à condition d'avoir au préalable fait le tour des diverses motivations qui sous-tendent ces problèmes. Cette démarche peut apparaître ingrate. Mieux vaut sans doute attendre le moment où vous vous sentirez en bonne condition, et où vos problèmes émotionnels seront résolus. La solution vous paraîtra alors évidente. La créativité peut s'exprimer dans tous les métiers, même lorsqu'il n'y paraît pas, à condition que notre activité nous plaise. Bien sûr, il est plus facile de donner des conseils que de les suivre. Nous sommes tous, sans doute, logés à la même enseigne, mais il faut bien admettre que quand le raisonnement n'est pas suffisamment clair, nous passons notre temps à changer d'avis toutes les cinq minutes. Toute élimination d'une motivation non revendiquée est un bon signe pour l'avenir, même s'il s'agit d'un détail comme par exemple sa façon de manger, de respirer ou de dormir. Comme n'importe quel être vivant, l'homme ne peut se développer que dans un milieu qui s'y prête. La maturité confère à l'individu les moyens d'adapter le milieu à ses besoins, ainsi qu'une souplesse générale qui lui permet de vivre dans des conditions très variées. L'environnement, s'il ne subit aucune modification, est un facteur de stagnation, voire même de régression en matière de progrès et d'équilibre. S'il entretient une habitude passée qui n'a plus lieu d'être, cela ne s'effacera jamais, un peu à la manière d'un cor au pied qui revient sans cesse tant que le pied est comprimé, se faisant ainsi le signe d'une adaptation saine et correcte à une condition malsaine et douloureuse.

Quand quelqu'un ne s'intéresse à rien, il est en proie à des motivations contradictoires — aucune n'étant suffisamment dominante, il ne peut donc rien entreprendre et par conséquent aucun intérêt ne peut surgir pour quoi que ce soit. La tendance générale est à l'effort intellectuel, aux dépens du concret, et en particulier de la sexualité. Mais il ne sert à rien de faire des efforts de volonté; cela ne résout rien. Il faut en premier lieu démêler le nœud inextricable des motivations parasites. Dès lors que la lumière commence à se faire, nous découvrons des trésors de qualités et de vitalité cachés en nous et que nous ne soupçonnions pas. Il n'y aurait pas de société digne de ce nom s'il n'y avait place pour chacun d'entre nous, quel qu'il soit. Les êtres très exigeants vis-à-vis d'eux-mêmes, par exemple, qui ne trouvent pas leur place dans la société (et qui, à leur insu, ne croient pas en eux), pensent curieusement que le monde est fait pour eux, qu'ils sont exceptionnels, incompris, et qu'ils valent mieux que quiconque. Paradoxalement (à première vue), ceux qui passent leur temps à se critiquer eux-mêmes s'estiment en même temps supérieurs.

Le monde devient intéressant à partir du moment où l'on arrive à le transformer un tant soit peu. Il y a tellement à faire pour améliorer nos conditions de vie que nous n'avons que faire des têtes pensantes qui passent leur temps à se perdre dans des luttes on ne peut plus stériles. De toute évidence, il faut faire quelque chose pour changer et améliorer l'éducation et la société qui nous l'impose, pour mettre fin aux principes qui ravagent tant de cerveaux. Cela ne sera possible que si cette génération lutte pour elle-même, en se libérant des croyances génératrices de malheur et d'impuissance. En matière de sexualité, la plupart des cas d'impuissance et de frigidité (mis à part ceux qui relèvent d'une malformation physique congénitale) sont le produit d'une éducation mal faite ou mal comprise. Cette situation a créé une altération de la personnalité par des exigences trop élevées et sans jamais fournir les moyens d'y répondre. Il suffit d'avoir compris cela pour se rassurer et commencer à apprendre à se libérer. La maturité demande un certain nombre de sacrifices, comme l'abandon d'habitudes et de croyances qui nous sont chères. Mais soyez rassurés, vous pourrez les retrouver plus tard si vous le désirez, lorsqu'elles feront, de votre part, l'objet d'un choix librement consenti.

Beaucoup de gens ne récoltent pas toujours les fruits de leurs efforts parce qu'ils veulent à la fois changer et rester les mêmes. Cela ne tient pas seulement au fait qu'ils croient ne pouvoir modifier que certains aspects d'eux-mêmes dont ils ne sont pas satisfaits (alors qu'en réalité un changement apparent implique nécessairement un changement plus profond au niveau de la personnalité). Cela tient également à leur force d'inertie. On peut toujours se trouver de bonnes raisons pour se justifier. Mais les habitudes et les automatismes sont vite déjoués sitôt que l'on entreprend de se servir de son corps pour comprendre les effets que les différentes motivations peuvent avoir sur lui.

Il ne faut pas se raccrocher à ses principes. C'est une attitude négative qui empêche toute transmission du savoir. Cette notion est très importante, notamment en matière de sexualité, car toute innovation en ce domaine soulève nécessairement des difficultés sérieuses. L'intéressé est toujours abandonné à son propre jugement alors qu'un avis objectif serait des plus précieux. Mais il n'y a généralement pas d'autre moyen de se corriger que de déraciner la compulsion par l'acquisition de la réversibilité.

Ainsi que nous l'avons déjà expliqué, la réversibilité intervient lorsque les fonctions d'excitation et d'inhibition sont en équilibre instable, ce qui permet un contrôle volontaire aisé. Lorsque l'équilibre est pratiquement acquis, il suffit de peu pour faire pencher la balance d'un côté ou de l'autre, puisqu'il correspond au potentiel énergétique maximum du système.

Tout ce que nous avons appris jusqu'ici va donc servir à cela. Nous savons que les fonctions mentales sont formées par l'expérience individuelle du corps humain, de sorte qu'il y a corrélation entre notre état physique et notre état mental. Nous savons également que le contrôle conscient nous permet de dissocier le fonctionnement cérébral de son cadre d'exécution, ainsi que de reproduire n'importe quelle situation ou geste déjà expérimentés. Ces deux éléments constituent des moyens puissants et pratiques pour apprendre mentalement les choses pendant que les impulsions en provenance du cortex sont inhibées et que par conséquent les muscles ne travaillent pas. (A ce propos, le lecteur doit se souvenir de l'exemple donné sur la méthode qui permet d'apprendre à jouer du piano sans en effleurer les touches.)

L'inhibition de toute activité physique pendant l'élaboration de la projection mentale d'un acte est la façon la plus efficace d'apprendre à faire quelque chose correctement. C'est aussi celle qu'emploient tous ceux qui savent s'y prendre normalement et efficacement. *Tout acte, sitôt accompli, nous échappe. Il s'inscrit dans le passé et devient alors inaccessible*. Nous pouvons, à la rigueur, compenser ses effets ou les corriger, en lui superposant un nouvel acte, mais nous ne pouvons jamais rectifier l'acte lui-même. Tous ceux qui sont à l'aise avec eux-mêmes savent qu'il est impératif de gérer ses motivations avant de passer à l'action. Il faut bien maîtriser cette dissociation pour en arriver à la pratique en même temps que l'action elle-même. Parvenus à ce stade, nous agissons spontanément, sans l'ombre d'une résistance intérieure, et sans motivations parasites.

Lorsque nous apprenons une nouvelle *acture*, nous

devons absolument être aussi proches que possible de la réversibilité, et cela même pour l'acquérir. Il faut pouvoir arrêter l'action au moment même où nous nous apprêtons à la mettre en œuvre. La réversibilité est donc pratiquement atteinte, en tout cas suffisamment pour éliminer la compulsion. C'est alors que nous sommes en mesure de percevoir la tension musculaire flagrante que nous exerçons, et de ce qui, par-derrière, la motive. Rien ne peut nous empêcher donc maintenant de l'inhiber, et le corps peut être amené à approcher l'*acture* idéale. La réduction de la tension musculaire entraîne une augmentation de la suggestibilité, c'est-à-dire un contrôle de soi plus libre et plus facile, impliquant une réversibilité encore plus grande. D'après ce que nous avons appris auparavant, nous savons que cela correspond à l'influence dominante du système parasympathique, qui est donc amené à opérer.

Ainsi, nous passons successivement d'un état à un autre. En ce qui concerne l'inhibition et l'excitation, l'état du cortex facilite l'élimination de la tension, et sa réduction entraîne une plus grande réversibilité. La tension diminue encore et le souffle devient régulier. En résumé, nous sommes pourvus de mécanismes qui permettent un contrôle plus souple de l'ensemble de notre corps. La projection mentale est équilibrée, le corps en *acture* tonique, sa température plus chaude que celle du front, qui est frais, nous n'avons conscience d'aucune partie de notre corps en particulier, nous formons un tout dont le centre serait dans la région de l'abdomen, le bassin commandant tous nos mouvements. Telle est l'*acture* idéale à laquelle nous sommes parvenus.

Le cercle vicieux

Nous n'avons jamais, jusqu'ici, fait allusion au fait que la sexualité ne concerne pas seulement une personne, mais un couple. Chacun développe une dépendance similaire à l'égard de l'autre, et ils entretiennent le même type de comportement. Ces comportements se génèrent entre eux, et ont chacun besoin de l'autre pour exister. Lorsqu'un rapport sexuel n'est pas satisfaisant, l'échec est entretenu par les réactions respectives — et qui les rendent inévitables — de chaque partenaire.

Pendant sa grossesse, et après l'accouchement, la femme a besoin qu'on l'aide et qu'on la protège. Ce besoin lui fait adopter un certain comportement, qui amène l'homme à y répondre et à agir dans ce sens. La femme, à son insu, recrée le schéma de dépendance qui, en ce qui concerne la sexualité proprement dite, doit être aboli à tout prix.

La motivation sexuelle pure est, par conséquent, très difficile à conserver étant donné les rapports d'interdépendance qui unissent les hommes et les femmes dans notre société. C'est un cercle vicieux qui entretient la mauvaise qualité des rapports sexuels.

On apprend beaucoup en regardant les différents modes et schémas de dépendance qui ont cours. La tension sexuelle est universelle, et ne pose qu'une condition au partenaire : être capable de satisfaire au désir de l'autre. L'orgasme, quant à lui, est sous-entendu, mais passe bien souvent pour quantité négligeable. Le corps ne peut pas relâcher une tension qu'il n'a pas. Bien des gens perdent leur temps à essayer de faire monter la tension sexuelle par un effort intérieur de « volonté », ou par le biais de l'imagination, alors que c'est une question de relation entre soi-même et son partenaire.

Dans la pratique, toutefois, le poids de la dépendance relationnelle limite considérablement le choix du partenaire. Son statut économique et social, sa race, sa religion, sa nationalité, la mode sont autant de facteurs restrictifs. Si bien que seuls les adultes ayant atteint un niveau de maturité satisfaisant sont à même de faire un vrai choix. Pour la majorité, il est imposé par des motivations qui sont souvent en contradiction avec la sexualité. Les personnes qui souffrent d'un blocage ont des motivations sexuelles à ce point enfouies sous d'autres motivations parasites que leur choix se limite souvent à un partenaire imaginaire et qu'elles ne rencontreront jamais. La rigueur du choix imposé à une personne est à la mesure de son incompétence. C'est ainsi qu'elles ont toutes les peines du monde à prendre une décision, car elles sont prises dans des méandres de contradictions qui rendent le choix du partenaire bien aléatoire. La motivation sexuelle rend presque tous les candidats éventuels acceptables, alors que les motivations contradictoires les récusent presque tous. Ainsi va le cercle vicieux, l'incompétence étant perpétuée par la mise en œuvre de motivations conflictuelles.

17.

L'ABDOMEN, LE BASSIN ET LA TÊTE

La colonne vertébrale est soutenue par le bassin. A son sommet repose la tête, comme une assiette posée sur une tige de bambou. L'ensemble du corps est rattaché à la colonne vertébrale ou aux côtes, qui elles-mêmes sont rattachées à la colonne vertébrale. Le tout est donc porté par le bassin, et rien de bien ne saurait être fait sans un contrôle convenable des articulations de la hanche qui sont mues par les muscles les plus puissants du corps : les muscles fessiers, les abdonimaux, les pelvi-trochantériens, les muscles des cuisses, etc. Leur coupe transversale est la plus grande de toutes. En d'autres termes, la puissance de notre corps dépend de celle du bas abdomen, c'est-à-dire, plus largement, de la région du pelvis. Lorsque le bassin fonctionne convenablement, la répartition du travail qui incombe aux muscles est proportionnelle à leur taille. La sensation d'effort provient d'un travail excessif des muscles plus petits, comme ceux des mains, des pieds, des bras et des jambes. L'*acture* est telle que le bassin se trouve, d'une manière ou d'une autre, bloqué dans une certaine position et ne peut donc supporter le poids de la colonne vertébrale longitudinalement comme il le devrait.

La mobilité du bassin, c'est-à-dire celle des articulations des hanches et du bas du dos, est un élément essentiel, faute de quoi il ne peut y avoir aucune souplesse. D'où la nécessité, alors, de produire un effort considérable au niveau des épaules et des jambes, pour aboutir à un résultat comparable. Mais, pour être franc, rien ne peut égaler la qualité d'un mouvement fait à partir d'un bassin souple. Un bon judoka peut avoir, à cet égard, un ascendant considérable sur ceux qui n'ont pas la même souplesse que lui. Beaucoup a été — et continue d'être — dit ou écrit sur l'abdomen, qui ne sont que des semi-vérités. Rien n'est tout à fait faux, mais rien n'est tout à fait exact non plus. L'opinion la plus répandue est celle qui veut que l'abdomen soit aussi dur et plat que possible, et qui recommande de se tenir le ventre rentré. Ma position se rapproche de celle prônée par les écoles de judo qui, à mon avis, ont bien compris le fonctionnement de cette partie du corps et la maîtrisent parfaitement. Car, enfin, il ne faut jamais perdre de vue que tout, des intestins aux poumons, en passant par le cœur et les cordes vocales, est rattaché à la colonne vertébrale, tout comme le sont les muscles qui les soutiennent. Et ce qui concerne les intestins proprement dits, qui sont bien en dessous du diaphragme, ils sont également soutenus par les muscles pelviens. Tous ces muscles doivent être contractés de façon tonique; autrement dit, aucun acte volontaire ne devrait venir contrarier leur tension. Si nous tenons la tête et le dos correctement, la tension des muscles pelviens, de l'abdomen, du diaphragme, de la gorge et de la langue se fait en fonction de leur poids. Tout effort en avant ou en arrière et tout raidissement anormal sont incompatibles avec une posture correcte. Seuls quelques cas bien précis justifient une variation dans la tonicité musculaire de la région du bassin. S'asseoir et se lever ne devrait demander l'intervention que des muscles prévus à cet effet. Toute contraction parasite résiduelle relative aux contraintes de notre environnement devrait pouvoir être éliminée consciemment.

Les statues grecques passent pour être un modèle de ventre plat. Elles présentent, en effet, une excellente *acture* (le terme de posture serait d'ailleurs plus exact en l'occurrence). Mais vous remarquerez que l'abdomen est présenté de manière souple. Le ventre est gonflé, les muscles remontent le long de la paroi abdominale. Il n'y a aucune trace de contraction nulle part. Pour parvenir à ce résultat, la tentation est souvent de rentrer le ventre, c'est-à-dire de contracter les abdominaux vers l'intérieur ou vers le haut, ce qui nous amène à nous tenir soit la partie supérieure du bassin trop en arrière, soit le buste rigide et les côtes en avant.

En fait, il est ridicule de parler de la manière dont il faut tenir son ventre, son bassin, son buste ou son cou individuellement. Contracter l'un revient à contracter plus ou moins les autres. Tout doit donc être fait en tenant compte de cette contraction et, par conséquent, la coordination de nos mouvements ne peut être que mauvaise.

Comme nous le disions en début de ce chapitre, la tête pivote sur la colonne vertébrale en son sommet. Elle y est maintenue par les muscles du cou, qui réagissent automatiquement en fonction du poids de la tête, permettant ainsi à l'appareil vestibulaire de l'oreille de détecter à la fois le moindre changement par rapport à la position verticale normale, et la moindre variation de ses mouvements, c'est-à-dire leur accélération ou leur changement de rythme. Lorsque la corrélation est bien faite entre la tête et le corps, aucune contraction ne peut être réduite volontairement sans entraîner un changement dans la position de la tête. Celle-ci a la souplesse d'un bouchon de liège flottant sur l'eau. Son mécanisme est de la plus haute importance pour l'*acture*.

La tête contient tout l'appareil sensoriel qui nous relie au monde extérieur, et que l'on appelle les *télécepteurs*. Aucune information venue de l'extérieur n'est utilisable si nous ne sommes pas capables de savoir immédiatement d'où elle provient, sa distance et sa direction. Pour cela, deux organes bien distincts sont nécessaires, qui permettent l'un d'avoir une vision télescopique et l'autre une appréciation de la distance et de la direction du son. Les yeux et les oreilles sont parcourus par une infinité de nerfs. Aussi la tête bouge-t-elle jusqu'à ce que ces deux organes aient perçu le signal venu de l'extérieur avec la même intensité. Les yeux, en particulier, bougent ensemble afin que l'image perçue se superpose toujours de la même manière sur la rétine.

La tête étant articulée près de son centre de gravité et d'inertie, elle peut donc suivre le mouvement des yeux sans délai malgré son poids et sa force d'inertie. D'ailleurs, la stimulation des yeux et des oreilles augmente le tonus des muscles du cou. Ainsi, son énergie potentielle permet à la tête de bouger (sauf quand il s'agit de regarder droit devant), les muscles se contentant la plupart du temps de diriger la tête vers le bas.

Les yeux contrôlent les mouvements réflexes du cou, ce qui permet une grande précision de mouvement lorsqu'il n'y a pas précipitation. Nous allons maintenant examiner deux sortes de mouvements, en apparence assez semblables, mais dont vous pourrez apprécier toutes les nuances et toute la différence si vous les faites en douceur. Dans un premier temps, tournez la tête vers la droite. Répétez ce mouvement plusieurs fois. Vous remarquerez qu'il est assez brusque, comme si la tête allait d'un point à un autre. Puis refaites le mouvement, mais cette fois en balayant l'horizon des yeux à la vitesse que vous désirez, avant de poser le regard au même endroit que la première fois. Si vous répétez ces deux mouvements l'un après l'autre, vous remarquerez que la tête bouge en douceur chaque fois que les yeux sont en activité, c'est-à-dire, ici, dans le deuxième cas. D'autre part, vous pourrez également remarquer que vous pouvez inverser le mouvement de la tête sans le moindre effort à tout moment lorsqu'elle est entraînée par le mouvement des yeux. Ce geste est beaucoup plus difficile lorsque les yeux accompagnent la tête. Vous ne pouvez inverser le mouvement avant sa fin que si vous en avez décidé ainsi avant même de commencer.

Cette expérience pourtant simple fait ressortir clairement deux caractéristiques spécifiques au système nerveux humain : d'une part l'influence première de la vision sur les mouvements réflexes du cou, et d'autre part celle, encore plus grande, de la volonté consciente qui permet tantôt de relâcher le contrôle visuel et de laisser le cou se diriger à son gré, tantôt de rendre aux yeux l'initiative du mouvement. Lorsque le signal extérieur est inattendu ou particulièrement violent, le cou réagit automatiquement. Sinon, ce sont les yeux qui commandent. Chez les animaux supérieurs, comme le singe, les yeux jouent le même rôle que chez l'homme. En revanche, chez les animaux inférieurs comme le lapin, par exemple, le cou a une autonomie bien plus grande, et la position de la tête par rapport au corps détermine la tonicité de tous les autres muscles.

Nous sommes maintenant en mesure de dresser les principes généraux d'un bon usage de soi. En ce qui concerne la tête, sa mobilité, au sommet de la colonne vertébrale, doit être totale. Toute tension au niveau du cou et de la gorge la gêne dans ses mouvements, empêche une bonne coordination de nos actes. L'atlas, qui se situe au sommet de la colonne vertébrale, doit toujours pointer en direction du sommet du crâne, à l'endroit où celui-ci serait traversé par une ligne droite imaginaire allant de la colonne vertébrale au sommet du crâne, quand la tête est en équilibre sur un corps en position debout, libre de toute tension volontaire. Nous donnerons plus tard un certain nombre d'indications qui permettent d'identifier la sensation correspondant à un alignement correct.

La peur de l'échec est la cause la plus fréquente de tension au niveau du cou. Autrement dit, cette tension est l'expression physique du sentiment d'impuissance. Elle se manifeste quand le sujet s'applique à agir le plus rapidement possible et avec toute son énergie, en s'imaginant qu'il va ainsi réussir à faire ce qu'il veut. Mais il pèche par manque de coordination et d'étapes progressives. L'effort et la précipitation ne sauraient remplacer le savoir-faire. Ils sont au contraire révélateurs d'un doute existant. L'envie de réussir est, dans ces cas-là, plus forte que celle d'agir. Mais la réussite a pour corollaire l'échec, sans lequel la notion même de réussite n'existerait pas. Elle seule peut venir à bout de l'échec, et non pas la peur de ce dernier. Dans une *acture* correcte, l'alternative à l'échec ne comporte pas de tension compulsive. Quand la peur de l'échec est inhérente à nos actes, comme peut l'être une attitude compulsive habituelle, elle entraîne une perte de confiance en soi. Le sujet manifeste un tel parti pris contre lui-même qu'il a tendance à voir l'échec partout, même là où les autres sont en peine de le déceler. Il se sent crispé; il est conscient d'un problème tout en ne sachant pas l'identifier en terme de tension musculaire affectant la tête ou un autre point d'articulation de la colonne vertébrale. Il ne peut retrouver son naturel qu'après avoir appris à identifier l'action parasite et à comprendre les raisons de sa présence.

Le contrôle abdominal

Cette notion est très difficile à transmettre de manière purement théorique, sans contact avec le lecteur à qui ce livre s'adresse. Je ne peux que l'inviter à faire un certain nombre de choses, à adopter diverses attitudes, et espérer qu'il sera attentif à l'écoute de son corps pour, finalement, se rendre compte par lui-même de la signification de tout cela. Pour ce qui est des détails, ils ne sont visibles ou tangibles que par le professeur ayant une certaine expérience.

Il n'y a aucun mystère, aucun secret ici, qui échapperait au commun des mortels pour n'être l'apanage que d'une poignée de spécialistes. La seule différence est que le spécialiste élabore une méthode là où les autres découvrent par hasard, à l'occasion. Aussi, rien ne sert de forcer le hasard car, à l'inverse des spécialistes, la plupart des gens ne savent pas vraiment ce qu'ils font, et n'ont par conséquent aucun contrôle sur lui. Il nous arrive d'être « en forme », avec toute l'aisance, la facilité et l'énergie que cela comporte. Dans ces moments-là, nous faisons preuve d'une plus grande maîtrise et nous aimerions bien pouvoir, comme certains, y parvenir facilement et à volonté. Mais cela est rare, et nous avons tendance à penser que ceux qui le peuvent ont quelque chose « en plus », alors qu'il ne s'agit que d'une question de fréquence. Ils y arrivent plus souvent et plus longtemps que nous. Bien entendu, pour acquérir plus d'aisance, encore faut-il avoir une donnée de départ.

La voici donc, avec le contrôle abdominal, et commençons par le commencement. Lorsque vous tenez une hache au-dessus de la tête, prête à couper un morceau de bois, au moment où vous commencez à abaisser la hache, votre contraction abdominale est parfaite. A condition, toutefois, que le mouvement soit fait correctement, c'est-à-dire qu'il n'y ait aucune contraction particulière au niveau des bras et que le haut du corps soit positionné de façon que l'expiration se fasse librement. Maintenant, essayez de faire la même chose les mains nues plusieurs fois et arrêtez-vous, bras au-dessus de la tête, juste avant de les abaisser. Observez votre abdomen : les hanches et le ventre sont presque parfaits.

Maintenant, asseyez-vous sur une chaise, jambes écartées. Vos hanches doivent faire un angle droit. Regardez devant vous, puis mettez les mains sur les genoux et reculez le dos jusqu'à ce que les reins touchent le dos de la chaise. Poussez ensuite vers l'avant avec votre ventre de façon que l'expiration se fasse par la bouche, comme si vous vouliez tousser. Vous remarquerez que vos épaules se raidissent, que votre nuque penche en avant et que votre menton plonge vers le bas. Répétez cela plusieurs fois, puis une dernière fois en poussant plus fort sur le ventre.

Expirez normalement et restez immobile quelques secondes en notant la forme et la contraction de l'abdomen. Puis décollez le dos de la chaise en avançant le ventre davantage. Le dos s'arrondit, et vous éprouvez le besoin d'expirer une nouvelle fois. La tête se met droite, les épaules s'assouplissent et le ventre se relâche tout en demeurant plein et arrondi. Si votre respiration est régulière, vos épaules resteront immobiles, totalement décontractées, et votre champ de vision s'étendra jusqu'à 45 degrés de part et d'autre sans que vous ayez besoin de bouger ni les épaules, ni le cou, ni même le menton. Si vous avez réussi à faire cela, c'est très bien.

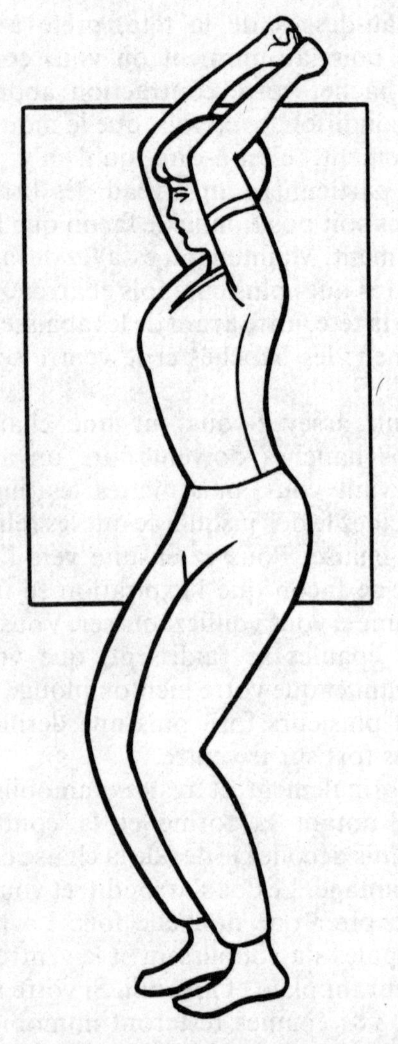

Lorsque vous vous apprêtez à abaisser la hache des deux mains placées au-dessus de votre tête, juste au moment où la hache change de direction et amorce son mouvement vers le bas.

Répétez cet exercice plusieurs fois. Si vous arrivez à tenir deux ou trois minutes sans que cela vous soit pénible ou sans avoir envie de modifier quoi que ce soit à votre position, vous pourrez considérer que vous avez gagné. Je dois ajouter que, pendant cet exercice, votre visage devrait être détendu, et vous devriez vous sentir envahi par un sentiment de bien-être. D'ailleurs, plus

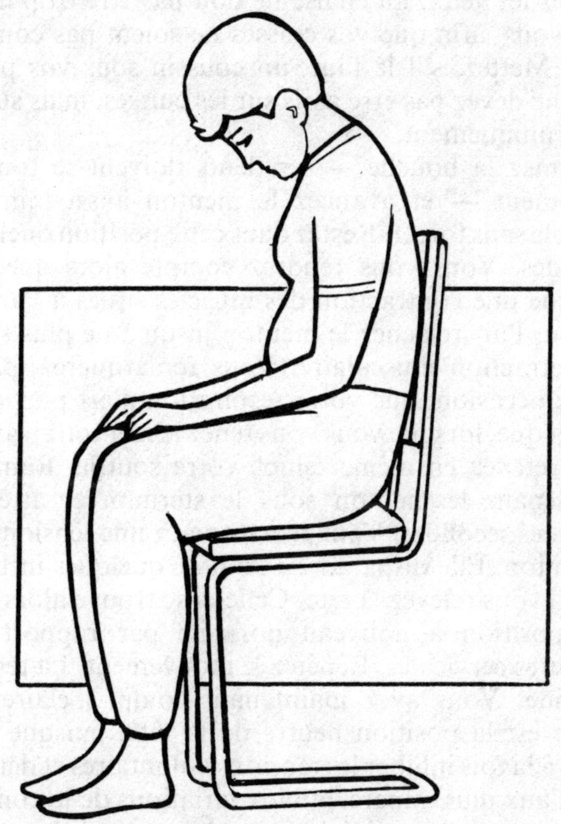

Amenez le menton vers la gorge en descendant vers le sternum (observation de soi étant assis sur une chaise, reins appuyés).

cette position se prolonge, plus ce sentiment grandit en vous. Mais si le temps vous semble long, il faut recommencer, car c'est le signe que vous n'avez pas bien fait le mouvement.

Maintenant, appuyez le dos contre la chaise, tête baissée en avant comme dans le premier exercice. Posez les mains sur les cuisses à la hauteur de l'abdomen. Fermez les yeux. La chaise ne doit pas être trop haute pour vous, afin que vos cuisses ne soient pas comprimées. Mettez, s'il le faut, un coussin sous vos pieds. Vous ne devez pas être assis sur les cuisses, mais sur les fesses uniquement.

Fermez la bouche — les dents doivent se toucher légèrement — et avancez le menton aussi loin que possible sans forcer. Restez dans cette position quelques secondes. Vous vous rendrez compte alors que cela entraîne une contraction des muscles situés à l'arrière du cou. Puis relâchez le menton jusqu'à ne plus sentir la contraction musculaire. Vous remarquerez, par la même occasion, que votre respiration n'est plus régulière et que, lorsque vous vous tenez le menton en avant, vous retenez en même temps votre souffle. Ramenez maintenant le menton sous le sternum et attendez quelques secondes. Vous remarquerez une tension sous le menton. Elle disparaît au bout de quelques instants, quand vous relevez la tête. Celle-ci se trouve alors dans une position à nouveau normale par rapport aux vertèbres cervicales. Répétez le mouvement. La tension diminue. Vous avez maintenant compris clairement quelle est la position neutre de la tête, puisque vous savez à la fois inhiber les tensions volontaires et détecter jusqu'aux plus imperceptibles variations de la contraction musculaire qui lui permet de rester dans cette position.

Maintenant, sans bouger la tête, mettez lentement le

ventre en avant aussi loin que vous le pouvez. Si vous n'y arrivez pas, aidez-vous de vos mains, en appuyant sur les aines avec le bout des doigts. Seuls les muscles abdominaux doivent bouger. Si le tronc reste souple, ainsi que votre tête, la poussée abdominale doit chasser l'air de vos poumons. Gardez le ventre en avant pendant quelques secondes, puis relâchez. Restez toujours assis le dos bien contre la chaise et, cette fois, rentrez doucement le ventre. Si vous êtes toujours décontracté, ce mouvement entraînera, lui aussi, une expiration. Cela est très important, car la respiration diaphragmique a fait l'objet de bien des approximations, en particulier la théorie selon laquelle elle rendrait impossible la coordination d'une action. J'aimerais insister également sur un autre point qui est, me semble-t-il, capital: si vous rentrez et sortez le ventre sans vous arrêter pendant un certain temps, vous remarquerez que, chaque fois, vous êtes amené à expirer. Vous n'avez apparemment pas besoin de faire l'inverse, c'est-à-dire de respirer. C'est un fait, l'inspiration n'est pas nécessaire à l'accomplissement d'un mouvement volontaire. Sitôt l'expiration terminée, les poumons s'emplissent immédiatement d'air, à condition toutefois que le cou, la gorge, la langue, le tronc et le diaphragme restent parfaitement décontractés. De plus, l'inspiration se fait dans le plus grand silence car le conduit nasal, comprimé pendant l'expiration sous l'effet de la montée de pression, est désormais libre de laisser entrer l'air.

Si vous répétez ces mouvements cinq à six fois, en appuyant légèrement sur le bas-ventre avec le bout des doigts, et si vous êtes parfaitement décontracté, votre respiration sera régulière et silencieuse, et vous vous sentirez à l'aise. Vous remarquerez par ailleurs deux phénomènes qui se produisent à chaque inspiration: d'une part le contact entre la partie inférieure des côtes et le dos de la chaise est plus étendu, et d'autre part les clavicules s'écartent au même moment que le sternum. La cage thoracique tout entière se soulève en même temps qu'elle s'élargit et qu'elle s'ouvre, puis le poids des organes internes ainsi que son propre poids la font s'abaisser, réduisant ainsi son volume et chassant l'air qui s'y trouve.

Ce type de respiration va de pair avec une *acture* correcte. Les grands judokas ne respirent que de cette manière, même en pleine action. Cela se fait automatiquement, avec chacun de leurs mouvements. Autant dire qu'ils peuvent épuiser à eux seuls une bonne douzaine de jeunes gens pourtant leurs cadets, et cela sans le moindre effort. Mais, au-delà de la prouesse physique, il faut souligner que cette respiration idéale est incompatible avec les contractions musculaires volontaires qu'engendrent la peur de l'échec, le doute, le manque de confiance en soi et le besoin d'approbation. D'ailleurs, vous n'apprendrez rien de bon si vous cédez à des motivations autres que le désir d'apprendre, et si vous abordez votre série de leçons les mâchoires crispées, les dents serrées, les yeux tendus et les sourcils froncés. Une activité régulée est un mécanisme et, à ce titre, réclame une perpétuelle rétroaction entre ses éléments de contrôle et d'exécution d'une part, et le milieu d'autre part, qui est, en l'occurrence ici, le corps. Le perfectionnement des uns entraîne une adaptation du second aux conditions physiques, lequel à son tour améliore les premiers, et ainsi de suite jusqu'à, si besoin en était, un niveau de perfection absolue. Le monde matériel est ce qui permet au système nerveux d'établir un équilibre entre l'excitation et l'inhibition afin de pouvoir contrôler les activités du corps. Un système nerveux bien réglé doit pouvoir lever les inhibitions ou inhiber les excitations en toute circonstance si nécessaire, et ne permettre de faire que ce qui est censé convenir à un moment donné. Ce n'est qu'à cette condition que nous pourrons chasser nos habitudes compulsives, au point que nos actes ne soient plus que le reflet de notre véritable spontanéité. Tous ceux qui ont en eux une certaine créativité y parviennent régulièrement. La coutume veut que ce soit la muse, ou l'inspiration en général, qui aide à ces moments propices. Mais les vrais créatifs, qui ont atteint un stade de maturité certain, et qui par conséquent se connaissent bien eux-mêmes, savent qu'ils peuvent y parvenir à volonté. Ils peuvent prédire le moment où la muse va fonctionner. Cela est vrai de tous les professionnels, le violoniste comme le funambule ; de toutes les relations intimes entre deux personnes mûres ; de tous ceux, enfin, qui savent faire la différence entre la compulsion et la spontanéité ; ils sont efficaces et sont seuls à l'être.

Nous allons procéder maintenant à un autre genre d'exercice. Mettez-vous debout à côté d'une chaise, en prenant soint de la protéger (cela vous évitera des ennuis chez vous !). Posez une main, la gauche par exemple, sur le dossier, et le pied opposé à la main (c'est-à-dire ici le pied droit) sur la chaise même. Rentrez le ventre, et essayez de vous mettre debout sur la chaise. Non seulement vous allez devoir retenir votre souffle, mais vous sentirez clairement que vous forcez sur votre jambe. Cette sensation d'effort ne cessera que lorsqu'il se sera passé quelque chose dans le ventre.

Recommencez cet exercice, mais cette fois en prenant soin de placer le ventre comme pour l'exercice précédent, quand vous aviez les mains au-dessus de la tête, prêts à faire retomber une hache imaginaire. Ou bien encore comme dans l'exercice où vous étiez assis, dans sa dernière phase. Maintenant que votre ventre est

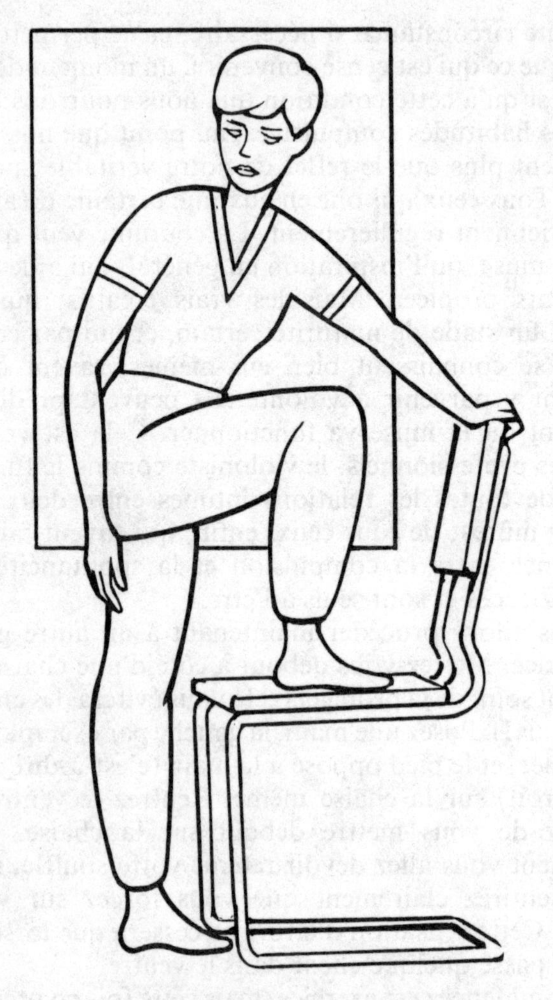

Posez une main sur le dossier de la chaise et le pied opposé sur la chaise.

correct, montez à nouveau sur la chaise. Vous le ferez sans peine, et sans retenir votre souffle.

Vous devriez être capable, désormais, de sentir

l'arrondi du ventre chaque fois que vous changerez de position, ou que vous commencerez ou arrêterez de faire quelque chose. Cela, bien sûr, à condition que rien ne vous paraisse trop difficile, et que votre respiration soit toujours régulière.

Nous avons parlé jusqu'ici de contrôle abdominal « bon », ou « correct », de manière assez large. Mais il faut cependant préciser que la notion de « bon » ou de « correct » n'existe pas en soi. Il faut toujours ajouter « bon pour quoi ? », « correct pour quoi ? ». Le contrôle abdominal en question est potentiellement correct chaque fois que nous changeons de position ou que nous commençons ou arrêtons de faire quelque chose. C'est ce qui convient le mieux, physiquement, pour passer d'un état à un autre. C'est, comme en voiture, lorsque nous sommes au point mort. Quoi que nous ayons l'intention de faire par la suite, il faut d'abord passer par là si nous voulons utiliser au mieux nos qualités physiques et mentales. La raison en est simple : le bassin représente le support mécanique de base du corps, et il doit soutenir la colonne vertébrale de façon ferme et solide. Il se doit d'être mobile afin de permettre aux vertèbres de résister à la compression. Ce système évite aux muscles de recevoir les influx envoyés par les centres nerveux inférieurs chaque fois que les vertèbres sont menacées de stress par des efforts qui ne se progagent pas le long de la colonne. Nous pouvons donc, de ce fait, faire fonctionner nos muscles sans qu'ils soient soumis à des contractions internes.

La raison pour laquelle nous employons le terme de « contrôle », et qui en fait un élément aussi important, est d'une part ce que nous venons d'évoquer, et d'autre part le fait que ce contrôle ne peut pas être obtenu sans un équilibre parfait entre les excitations et les inhibitions, qui permet d'arrêter, de recommencer ou d'inverser le procédé à tout moment. Lorsque nous avons du mal à faire quelque chose, la difficulté vient toujours de la présence de contractions non voulues résultant de l'accomplissement de motivations refoulées. Nous devons alors nous imposer un niveau d'excitation suffisamment élevé pour surmonter non seulement les difficultés objectives, mais aussi la résistance interne que nous ne manquons pas d'opposer. Quelque part entre le bassin et la tête, nous accomplissons ce que nous croyons par expérience être notre réalité : la faiblesse, l'infériorité, le désir de paraître ou d'être le contraire de tout cela. Bref, nous matérialisons la compulsion.

Revenons à notre exercice. Tout d'abord, essayez de monter sur la chaise d'une manière ou d'une autre à votre choix. Puis placez le ventre comme il convient, afin de pouvoir vous pencher en avant sans bouger la tête ni changer la position du corps par rapport à la colonne vertébrale. (Le mouvement doit donc se faire en jouant uniquement sur les articulations des hanches, des genoux et des chevilles. Cela implique que vous devez vous assurer en même temps que rien n'empêche les articulations de fonctionner librement.) Si vous parvenez à bouger le bassin en maintenant l'extension vertébrale en direction de la tête, vous n'éprouverez aucune sensation d'effort, et votre respiration restera régulière. Si vous avez l'habitude d'agir en force, il est possible que vous ne voyiez aucune différence dans cette façon de procéder. Mais vous n'en direz pas autant si vous appliquez le test de la réversibilité. Essayez donc de faire le même mouvement en vous réservant le droit de l'inverser subitement, sans effort et sans changer votre rythme respiratoire. Vous n'y parviendrez que si vous vous servez des muscles prévus à cet effet ; c'est-à-dire ceux qui sont rattachés au bassin à l'une de leurs extrémités, afin que les muscles des bras et des jambes puissent se contenter d'entraîner le mouvement dans la direction voulue. La meilleure référence pour cela — et qui évite de faire un effort de mémoire — est l'abdomen, dont on sent bien la position correcte quand on a éliminé les contractions gênantes. Surtout gardez-vous de faire des efforts de volonté ou d'essayer de vous rappeler quelle devrait être votre *acture*. Vous n'apprendrez que par votre propre expérience.

En ce qui concerne la sexualité, le contrôle de l'abdomen est nécessaire. L'orgasme est une excitation réflexe autonome, qui concerne la contraction musculaire de tout le tissu pelvien, y compris les hanches et l'abdomen. Si la liberté de mouvement est entravée par des contractions préexistantes, il ne peut se développer et, le plus souvent, il n'arrive même pas à poindre. Ces motivations contradictoires sont perçues comme un phénomène de résistance. Celle-ci se révèle par un effort musculaire intense, une rigidité du cou et des épaules, une respiration haletante et une absence de plaisir.

Vous pourrez peut-être mieux vous rendre compte de l'importance que revêt un bon contrôle abdominal, si vous vous observez attentivement en train de vous préparer à vous asseoir comme dans l'exercice précédent. Vous remarquerez alors que, lorsque vous éloignez le dos de la chaise, et que par conséquent votre ventre s'arrondit, votre anus se relâche très nettement, et ne se rétracte à nouveau que lorsque vous abandonnez cette attitude pour contracter l'abdomen. Le sphincter anal se contracte au rythme de l'orgasme. Il apparaît donc évident que sa contraction permanente ne peut qu'interférer avec le cours normal de ce dernier. Il arrive que certaines personnes fassent cela à dessein, afin de retarder l'orgasme. Cela peut, bien sûr, avoir les résultats que l'on souhaite, mais aux dépens de la qualité de l'orgasme qui s'ensuit.

Le contrôle abdominal épargne au bassin des contractions musculaires indésirables, permet une respiration régulière, et par conséquent détend les muscles de la mâchoire inférieure, de la bouche et des mains. Autant dire qu'il fait tout son possible pour préparer le corps à une dominance parasympathique. Cela nous place au même rang que les personnes bien coordonnées qui ont, quant à elles, l'impression de n'être pas différentes des autres. De plus, nous avons un avantage sur ces gens « normaux », nous savons ce que nous faisons, alors qu'ils n'agissent bien que jusqu'au jour où ils se trompent. Nous sommes à l'abri de ces mésaventures, car nous appliquons nos principes méthodiquement.

Le contrôle abdominal correct s'obtient chaque fois qu'intervient un changement rapide d'attitude présentant toutes les caractéristiques d'une action bien faite, telle que nous l'avons décrite plus haut. Elle se remarque en particulier chez les bons joueurs de golf lorsqu'ils manient leur club, chez les bons danseurs et patineurs, et chez tous ceux qui ont des relations sexuelles épanouissantes.

Je ne peux manquer de m'étonner, dans l'exercice de ma profession, devant la façon — pour le moins compliquée — dont la plupart des gens arrivent à éliminer certains mouvements du bassin. C'est d'ailleurs ce qu'ils cherchent à faire, car ces mouvements sont liés, dans leur esprit, à la sexualité ou à la défécation. C'est une réaction flagrante, qu'ils ne peuvent cacher quand on leur fait une démonstration. Les élèves ont parfois une telle répugnance à faire certains mouvements qu'il faut tout le naturel du professeur et toute la bonne volonté des élèves moins inhibés pour qu'ils se décident à emboîter le pas. Une fois décontractés, et le bon mouvement accompli, on leur montre comment l'*acture* peut souffrir de l'adaptation au milieu, et comment nous gommons certains gestes de notre vie pour ne garder que ceux qui y sont conformes, ce qui prouve bien que la société tisse la trame de notre système nerveux. Il est important de faire savoir ces choses-là, car cela permet aux élèves de se libérer d'un certain nombre de tabous enfantins, qui ont trait à la notion de décence et de vulgarité, et qui n'existent pas chez les gens d'une certaine maturité d'esprit. A partir de là, il est facile de démontrer qu'il n'y a rien d'anormal ou de malsain à remuer les hanches et qu'un grand nombre de gens le font sans que personne s'en offusque. Bien au contraire, leur grâce et leur naturel font l'admiration de tous.

Nous en profitons alors pour montrer à chacun tout ce qui se trouve, par répercussion, bloqué par la raideur du bassin. Les genoux, par exemple, qui ne peuvent s'écarter au maximum quand les jointures des hanches sont raides, et cela pour des raisons psychologiques uniquement. Ces muscles-là ne sont pas, comme vous pouvez le croire, trop courts pour s'étirer. Ils sont seulement contractés de longue date et vous pouvez, comme mes élèves, parvenir à les étirer considérablement, si vous vous appliquez à faire régulièrement des exercices d'élongation, et en essayant, de temps en temps, de forcer sur les muscles pour faire reculer le seuil de sensation de la contraction. Voici comment nous procédons: l'élève est allongé sur le dos. Je lui demande d'écarter les genoux autant qu'il le peut sans que cela lui fasse mal. Puis je place mes mains de part et d'autre des genoux pour essayer de les rapprocher et je demande à l'élève de résister à cette pression en forçant vers l'extérieur. Cet exercice dure environ trente secondes, ce qui correspond à peu près au temps qu'il faut à l'induction pour se manifester. A ce moment-là, la contraction des muscles de l'intérieur de la cuisse *se relâche,* en réponse à la stimulation excessive de leurs antagonistes, qui sont contractés dans un effort de résistance à la pression qui leur est appliquée pour tenter de rapprocher les genoux. Puis je demande à l'élève de fermer les yeux, afin d'éliminer le contrôle qu'ils ont sur le mouvement. La seule source d'information qui demeure, en provenance des membres, est maintenant le sens kinesthésique. Puis je relâche lentement la pression, et je demande à l'élève de continuer (par la seule sensation) à maintenir l'état de tension des muscles internes des cuisses, comme si j'appuyais toujours. Lorsque l'élève sent que ses genoux sont arrivés au même écartement qu'auparavant, je lui demande d'ouvrir ses yeux pour qu'il se rende compte par lui-même que ses muscles sont « allongés », et que son niveau zéro de contraction est beaucoup plus bas qu'auparavant. Il suffit d'une ou deux séances pour obtenir un assouplissement total chez certains. Chez d'autres, il en faut un peu plus. Lorsque les progrès ne sont pas significatifs, le mieux est alors de recourir aux leçons particulières. Ce que nous venons de voir constitue l'essence même de ce que l'on nomme « apprentissage », car le résultat est obtenu par le réajustement des mécanismes de contrôle, afin que les muscles puissent transmettre une information mieux adaptée à la réalité qu'auparavant.

Vous remarquerez que le résultat désiré n'est pas obtenu par des exercices répétés d'assouplissement et d'élongation, qui ne font qu'entretenir les mauvaises habitudes. Le progrès, ici, correspond seulement à la différence que produit l'effort de volonté conscient, concentré sur un point en particulier. De plus, tirer sur un muscle revient à produire une élongation, alors même que celui-ci est en train de recevoir des impulsions qui le font se contracter. L'élongation correspond par conséquent à une déformation des fibres musculaires qui sont tendues au-delà des limites de leur élasticité. D'où les courbatures, qui ne s'en vont qu'au bout de quelques jours, une fois que le muscle est guéri. Cela peut d'ailleurs, selon l'âge, durer sept à quinze jours. Après quoi les muscles reprennent leur longueur normale. Mais si tel est le but recherché, il faut donc supporter la douleur et étirer les muscles malgré tout. En principe, la guérison doit tenir compte de l'élongation des fibres musculaires. Cependant, nous savons bien qu'il suffit de ne pas s'entraîner pendant un mois ou deux pour être à nouveau courbatu.

D'autre part, la méthode que je conseille permet de retrouver une souplesse musculaire totale en restaurant directement notre pouvoir de contrôle sur les muscles et en éliminant les impulsions contradictoires. Cela présente des avantages considérables. N'oublions pas que la qualité essentielle des muscles réside dans leur contraction et non dans leur longueur. La méthode par induction augmente leur puissance de contraction et, par conséquent, augmente également leur force. Il peut arriver que le muscle devienne plus long, mais cela est purement fortuit, et cette longueur n'est que la longueur normale d'un muscle sain et non inhibé.

Il existe une pratique courante qui consiste à toucher le bout de ses pieds avec les doigts. Elle a pour but de permettre une plus grande souplesse du bassin, mais cette méthode est très mauvaise. C'est une perte de temps, puisqu'elle oblige à ne jamais s'arrêter si l'on veut que ses effets demeurent, car ils reposent sur une déformation mécanique des muscles, au lieu de s'attaquer aux causes directes qui les empêchent de s'étirer, c'est-à-dire au cortex. Les adeptes de ce genre d'exercices ne se rendent pas compte qu'ils accomplissent là leurs tendances coercitives. En revanche, tous les gens, enfants et adultes, qui sont complètement libérés peuvent toucher leurs pieds sans préparation préalable. Ils ont une grande souplesse du bassin, car ils l'exercent tous les jours simplement en laçant leurs chaussures, en se penchant pour se laver les pieds, et en prenant toutes sortes de poses quand ils se détendent, par exemple.

Il est très difficile de faire comprendre que le contrôle abdominal est une qualité essentiellement dynamique. Même pendant les cours, la plupart des gens ont tendance à rester raides, le ventre rentré comme ils pensent devoir le faire pour « se tenir bien », et se sentir à l'aise dans un corps souple et léger comme une machine bien huilée. Il ne faut pas oublier que nous nous occupons de l'*acture* et non de la posture, et que nous apprenons l'art d'« évoluer » et non d'« être » dans une certaine position, fût-elle la plus parfaite. Le contrôle abdominal, ne l'oublions pas, est au corps ce que la clé de voûte est au cintre : indispensable mais non suffisante à elle seule ; toutes les pierres de l'édifice doivent être taillées avec le même soin et la même précision que les pierres centrales. Le bassin est l'endroit où reposent les fondations du mouvement, c'est-à-dire de la vie. Il abrite les organes génitaux, et par conséquent doit être libre de toute contrainte et de toute rigidité. Il doit pouvoir bouger dans toutes les directions autour du centre de gravité du corps, comme une sphère autour de son centre.

Lorsque nous nous tenons le ventre arrondi, le bassin tout entier devient pratiquement sphérique, et son centre est le centre de l'action. Le point de rencontre de tous les stress physiques se situe au niveau du sacrum. Il est représentatif du corps dans toutes ses actions. Chaque fois que nous nous trouvons devant un blocage, que ce soit dans le domaine fonctionnel, psychologique, sexuel ou autre, il s'accompagne toujours d'une certaine rigidité compulsive, et de l'immobilisation d'une partie du corps, qui empêche certains mouvements de se faire normalement et délimite leur trajet, tandis que d'autres sont plus ou moins exclus, par compulsion habituelle. La disparition de l'angoisse est ressentie subjectivement comme la mobilité retrouvée du bassin. La décontraction des organes, des épaules, des yeux, de la bouche, etc., des membres et (surtout) de la tête agit sur la tonicité abdominale.

Ce problème de manque de mobilité du bassin et de tonus abdominal insuffisant, qui est lié à notre vécu et non à des considérations d'ordre héréditaire, est commun à tous les blocages, y compris le blocage sexuel.

La difficulté réside dans le recouvrement d'une autonomie absolue par rapport à nous-même, et dans l'acquisition d'une liberté de mouvement d'un bout à l'autre de l'action. Cette réalité se traduit concrètement par une grande souplesse de toutes les articulations, y compris celles des vertèbres cervicales et lombaires.

Nous allons maintenant procéder à un nouvel exercice. Étendez-vous sur le dos, en allongeant la tête, les bras et les jambes aussi doucement que possible. Posez les mains légèrement sur le ventre, de manière à l'effleurer à peine du bout des doigts. Nous allons nous intéresser à trois points de l'abdomen, qui sont particulièrement importants : le premier point se trouve à un peu plus de 2 centimètres au-dessous du nombril, et les deux autres sont situés juste au-dessus du pubis, de part et d'autre de l'abdomen, à l'endroit où le doigt s'enfonce de chaque côté des gros muscles abdominaux dans l'axe du corps. Poussez sur le ventre pour faire remonter les doigts sans raidir ni les épaules ni le buste. Recommencez plusieurs fois jusqu'à ce que vous puissiez le faire sans bouger les doigts. Vous n'y réussirez pas tout de suite, mais contentez-vous, pour commencer, d'éliminer toute contraction que vous sentirez se produire. Vous finirez par prendre conscience d'un certain nombre d'entre elles, que vous ignoriez jusque-là.

Après quelques essais, poussez le ventre vers l'avant d'un coup sec, le mouvement ne doit pas être violent ; laissez l'air se dégager de vos poumons ; recommencez tant que vous n'êtes pas satisfait de vous. Puis remettez les doigts de chaque côté du bas-ventre et poussez sur le ventre pour les faire remonter, ainsi que le point situé sous le nombril. Vous devez sentir votre ventre rond et gonflé comme un ballon. Essayez maintenant de lever les deux points du bas *sans* bouger celui du milieu. Il y a de fortes chances pour que vous n'y parveniez pas ; mais ne vous inquiétez pas. Essayez à nouveau, en vous concentrant sur le point central qui ne doit pas bouger, et pensez à vos reins. Si vous arrivez à pousser vers l'avant les deux points du bas tandis que celui du milieu se soulève comme auparavant, vous remarquerez que le creux de votre dos s'arrondit et touche le sol. Faites en sorte maintenant de faire toucher la totalité de la colonne vertébrale, du bassin aux épaules, sans le moindre espace. Vous verrez que vous n'aurez aucun mal à ne soulever que les deux points en bas du ventre. Le point central, lui, ne bouge pas. Si vous refaites cet exercice plusieurs fois, vous remarquerez que votre ventre a l'air de rouler doucement comme une boule vers votre visage chaque fois que la colonne vertébrale est en contact avec le sol. Pour ce qui est de l'expiration, qui se produit normalement chaque fois que vous poussez sur le ventre, elle doit vous arracher un grognement quand vous l'amorcez. Maintenant, prenez votre temps et essayez de pousser sur le ventre sans toucher le sol avec le dos, c'est-à-dire sans bouger le bassin. Faites ces mouvements pendant plusieurs jours, jusqu'à ce que vous les connaissiez par cœur; puis essayez d'en faire un seul parfaitement du premier coup. Vous vous rendrez compte alors par vous-même des effets d'un contrôle abdominal subtil. Il est important que vous sachiez que vous n'êtes pas en train de vous infliger un test d'aptitude. Vous êtes seulement en train d'apprendre à utiliser certains moyens de contrôle sur vous-même, que vous ignoriez jusque-là. Certains pourront s'étonner de voir qu'il est besoin de conseils pour faire ce qui leur semble une évidence. Ceux-là ont eu la chance de n'être ni trop gâtés ni trop maltraités par la vie. S'ils ont la curiosité d'ouvrir un jour ce livre, ils penseront sans doute que j'enfonce des portes grandes ouvertes ; mais du moins les refermeront-ils en sachant qu'ils n'ont pas besoin d'imiter qui que ce soit, sauf peut-être dans certains domaines bien précis, lorsqu'ils trouvent meilleur qu'eux.

En ce qui nous concerne, revenons à nos exercices : mettez-vous debout, jambes droites et pieds écartés. Pour être plus précis, essayez de créer un plan vertical, qui passerait par le milieu de la rotule et traverserait le fémur, le tibia, le talon, et s'appuierait sur le côté du deuxième orteil, face au gros orteil. Lorsque vous bougez, les genoux doivent toujours rester dans cette position pendant tout l'exercice (sauf si l'on vous précise le contraire). Lorsque vous pliez les genoux pour abaisser le corps, ceux-ci s'éloignent respectivement du sommet du triangle que l'on pourrait tracer sur le plan vertical. En d'autres termes, vos genoux s'écartent obligatoirement l'un de l'autre lorsque vous êtes fléchi. Cela correspond au mouvement anatomique normal des genoux, qui leur permet de soutenir le poids du corps sans effort. Si les hanches ne sont pas contractées et si le ventre est bien en place, la posi-

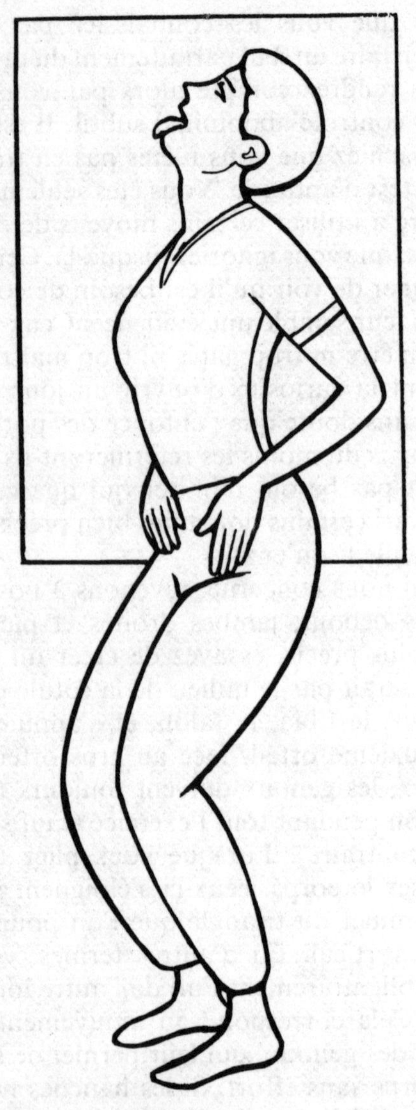

Ouvrez la bouche et sortez la langue pour toucher le menton.

tion des jambes est alors correcte par rapport aux hanches.

Vos genoux sont donc légèrement pliés, et les hanches sont le plus possible en avant pour éviter de retenir la respiration et de raidir les épaules. Poussez sur le ventre vers le bas afin de cambrer les reins. Décontractez le buste en reposant bien sur le bassin afin que les épaules soient descendues. Puis relevez la tête de façon que le nez soit à la verticale du ventre. N'hésitez pas, pour y parvenir, à basculer la tête en arrière jusqu'à ce que les muscles du cou bloquent la nuque. Puis ouvrez la bouche et touchez le menton avec la langue. (Cela n'est possible que si vous baissez complètement la mâchoire inférieure et si votre gorge est décontractée, de manière à respirer librement.) Gardez bien la langue dehors et relâchez le cou pour faire basculer la tête en avant. Si vous n'avez bougé ni la langue ni la mâchoire, la tête se mettra dans son alignement habituel par rapport au corps. Ne cherchez pas à relever la tête, laissez son poids se charger de détendre les muscles qui l'ont aidée à se pencher en arrière. Moins vous ferez d'efforts, mieux vous réussirez. Le nez doit maintenant se trouver plus ou moins à la verticale de votre ventre (je ne m'avancerai guère sur la précision de ce test; tout dépend de votre nez...).

Placez maintenant les mains sous le ventre et remontez-les lentement comme si vous vouliez soulever votre abdomen avec les mains, jusqu'à ce que vous puissiez, en baissant les yeux, apercevoir votre petit doigt. Ce mouvement devrait dégager l'air qui se trouve dans vos poumons, comme devrait le faire également le même mouvement en sens inverse. Si vous montez et descendez les mains régulièrement, et si vous êtes parfaitement décontracté, vous devez respirer sans vous en rendre compte, car cela se fait automatiquement, et il devrait en être toujours ainsi.

Répétez ces gestes plusieurs fois, puis essayez de remonter les mains seulement, en laissant le ventre retomber seul. Je vous rappelle que vous devez rester parfaitement immobile pendant tout l'exercice, si vous voulez qu'il serve à quelque chose. Lorsque vous sentez que vous remontez bien le ventre, sans effort, sans souffler, en étant complètement décontracté, continuez encore une vingtaine de fois avant de vous arrêter.

Reposez-vous un instant, puis passez à l'étape suivante, à savoir, toujours dans la même position, relevez le ventre sans l'aide des mains. Tenez-le le plus haut possible pendant environ trente secondes, en respirant comme bon vous semble. Vous verrez que vous y parviendrez très vite.

Lorsque vous vous sentirez prêt, essayez de remonter le ventre tout en poussant avec les mains pour l'en empêcher. Vous poussez vers le haut avec le ventre, et vers le bas avec les mains. Si vous n'y arrivez pas et que vous vous contractez, essayez de nouer une écharpe autour de la taille, et servez-vous de cela pour faire résistance au ventre. Si vous avez bien suivi toutes les indications, votre ceinture abdominale devrait se raffermir assez rapidement. Au bout de quelques semaines (plus vite encore si vous êtes suivi par un moniteur), vous aurez l'air d'un autre homme (ou d'une autre femme !).

Vous pourrez peut-être sentir la différence tout de suite en faisant l'exercice suivant. Mettez-vous debout devant une chaise, comme si vous vous apprêtiez à vous asseoir. Tenez-vous bien droit, les mains sur le bas du ventre, que vous gonflez et que vous remontez ensuite avec les mains comme dans l'exercice précédent. Puis asseyez-vous lentement en pliant les genoux. Si vous

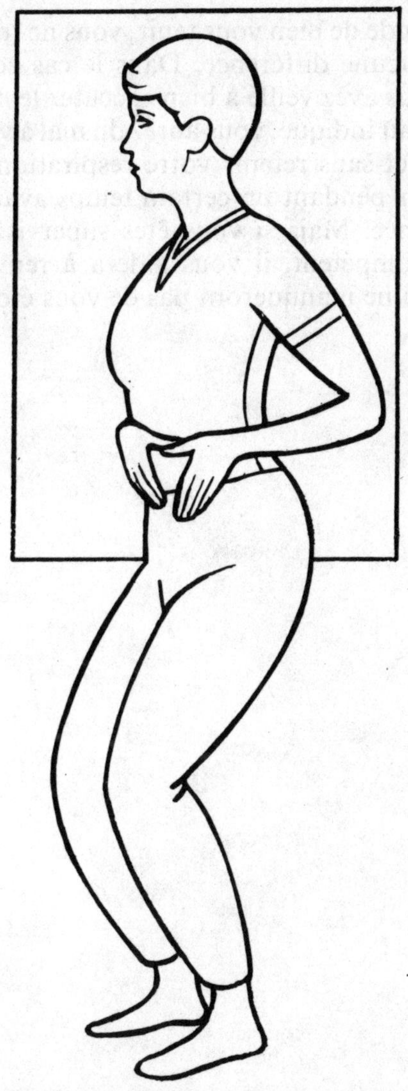

Tandis que vous êtes debout, la remontée de l'abdomen rond et plein doit s'effectuer en opposition à vos mains.

avez l'habitude de bien vous tenir, vous ne remarquerez peut-être aucune différence. Dans le cas contraire, et même si vous avez veillé à bien exécuter le mouvement comme il était indiqué, vous aurez du mal à vous asseoir sans effort et sans retenir votre respiration. Il faudra vous exercer pendant un certain temps avant de noter une différence. Mais si vous êtes supervisé par quelqu'un de compétent, il vous aidera à remarquer vos progrès, qui ne manqueront pas de vous étonner.

18.

UN PEU DE PHILOSOPHIE

Maintenant que vous possédez quelques rudiments sur l'art de contrôler le passage de la dominance sympathique à la dominance parasympathique, vous devez pouvoir accéder à l'état intermédiaire, c'est-à-dire neutre, qui est le vôtre lorsque vous avez le ventre arrondi. Le corps est plus droit que d'habitude, la respiration régulière, la mâchoire inférieure se détend ainsi que la bouche, et vous pouvez regarder dans toutes les directions en bougeant facilement la tête. Vous êtes prêts, physiquement et mentalement, à faire tout ce qui répond à des motivations claires. Il ne reste plus maintenant qu'à démêler l'écheveau de toutes les autres.

Nous allons nous attacher à comprendre ce que vous voulez. Ce ne sera pas facile, et vous ne le savez probablement pas vous-mêmes, sinon vous auriez déjà trouvé le moyen d'y parvenir et ce livre ne vous aurait rien appris que vous ne sachiez déjà plus ou moins.

Les motivations conflictuelles les plus difficiles à circonscrire sont celles qui relèvent de l'autorégulation et se mêlent à des fonctions de récupération. C'est le mal le plus pernicieux et le plus répandu à notre époque. Socialement, il est symbolisé par l'éternel conflit entre la société et l'individu, entre le collectivisme et l'individualisme. Conflit qui est loin d'être résolu, tant s'en faut. Nous ne pouvons échapper à la contradiction qui fait de nous l'être le plus important au monde (le nôtre, s'entend), et le plus insignifiant du point de vue de l'univers. Quelle importance, après tout, au regard du monde passé et futur, que nous sachions voir, marcher ou penser? Et cependant, comme nous sommes déçus quand nous ne sommes pas à la hauteur des autres! Nombreux sont ceux — et non des moindres — qui se sont penchés sur cette contradiction pour tenter de la résoudre, et les théories à ce sujet ne manquent pas. Les plus hauts responsables religieux ont prôné l'humilité et l'insignifiance de l'homme, tandis que leurs adversaires revendiquaient son affirmation à tout va.

Ce problème est sans solution, car toute question à ce sujet implique déjà, dans sa formulation — et même sans le vouloir —, un certain type de réponse. Nous croyons, quant à nous, que la vérité est unique et absolue, et ne saurait se partager. Nous croyons qu'un fait ne peut être autre chose que ce qu'il est. Nous sommes à la recherche d'une réponse unique et définitive, alors que rien de tel n'existe nulle part, pas même dans la particule de matière la plus élémentaire. Un électron n'a de réalité concrète qu'à partir du moment où nous l'identifions ; le reste du temps, il ne correspond qu'à une radiation. Plus un phénomène est vaste, plus précise et prévisible est la loi à laquelle il répond. La vérité, les faits, la certitude sont au nombre des éléments qui ne sont valables que dans un seul domaine à la fois, et ne peuvent s'appliquer à d'autres ; et, dans les cas tangents, ils sont valables soit dans plusieurs domaines à la fois, soit dans aucun. Dans les limites de notre corps, de notre entourage, et du temps dans lequel nous vivons, nous sommes ce qu'il y a de plus important au monde, mais au-delà nous ne comptons plus pour rien.

Nous sommes les maîtres à l'intérieur de notre petit univers clos, et les esclaves dès que nous en franchissons le seuil.

Si nous acceptons l'idée selon laquelle nous sommes insignifiants, que ce que nous pensons, faisons ou ne faisons pas est sans importance, nous sommes pleinement maîtres de nous-mêmes et conscients de nos limites. Cet équilibre instable, que nous perdons et retrouvons sans cesse, constitue l'essence même de la maturité d'un être humain. Pour parvenir à ce prodige à l'intérieur de nos propres limites, il nous faut distinguer les motivations d'origine physiologique et celles qui s'y ajoutent, par habitude, et qui remontent à la période de dépendance. Il suffit de savoir ce que nous faisons pour nous sentir maîtres de la situation et être sereins quoi qu'il advienne. Nous allons revenir quelques instants sur certains exercices pratiques, afin de mieux comprendre cela.

Asseyez-vous, ventre en position correcte. Puis, sans bouger les pieds, essayez de vous lever d'un seul élan. Vous serez obligés de retenir votre souffle et de contracter les abdominaux. Vous n'êtes plus en mesure de vous contrôler. Maintenant essayez à nouveau, en penchant le corps en avant, sans fléchir la colonne vertébrale, qui doit rester droite. Avancez légèrement le ventre, et essayez de vous lever. La respiration se bloque une nouvelle fois, et les cuisses (ou, plus exactement, les quadriceps) se contractent fortement. Ces deux indices prouvent que le contrôle abdominal est mauvais. Votre ventre n'est plus arrondi, mais dur et tendu. Essayez donc alors de recommencer le mouvement en avançant le ventre jusqu'à ce que vous soyez debout, sans en changer la contraction. Cette fois vous verrez que votre respiration est restée la même, et que vous n'avez fait aucun effort pour vous lever. Vous n'avez d'ailleurs, pour ainsi dire, pas senti vos cuisses se contracter.

Tous les enfants en bas âge tiennent leur ventre correctement ; ils cessent de le faire dès l'instant où l'éducation s'en mêle, et où ils sont obligés de ne plus faire certains mouvements pour des raisons de prudence ou de décence. Une fois ce contrôle rétabli (comme pendant notre enfance), il est relativement facile de réajuster notre comportement pour le généraliser à tout ce que nous faisons. Un bon contrôle abdominal est essentiel et les musiciens, les chanteurs, les danseurs ou tous ceux qui ont besoin, pour s'exprimer, d'avoir une grande habileté physique gagneraient en temps et en qualité s'ils s'attachaient à le travailler systématiquement. Nous ne pouvons malheureusement pas ici donner les détails de cette méthode, car ce serait trop long. Si vous avez compris les principes de base, et si vous sentez la différence dans votre corps, vous n'avez aucun souci à vous faire : vous progresserez lentement peut-être, mais sûrement.

Les motivations parasites

Le besoin d'approbation est, de toutes les motivations qui persistent à notre insu, la plus tenace. Elle se rencontre souvent chez ceux qui ont grandi dans des foyers où la tendresse était inculquée avec une sévérité et un rigorisme qui tiennent du despotisme. Ce type de parents se prennent pour l'élite et élèvent leurs enfants dans l'idée qu'ils sont des perles rares et que rien ni personne ne saurait les égaler. Ils ne ménagent pas les compliments, qu'ils distribuent sous le moindre prétexte, et font de leurs enfants des êtres extrêmement polis, propres et sages. Mais qu'ils commencent à s'opposer, et ils seront forcément punis et rejetés. Ces enfants-là sont constamment tiraillés entre les manifestations d'affection et de rejet, qui compromettent leur équilibre psychologique. Leurs parents les incitent, par exemple, à dénoncer les petits copains désobéissants. Aussi, en gagnant l'affection des leurs, ils perdent la faculté de se faire des amis, ce dont ils souffriront toute leur vie.

Affection et approbation ne deviennent pas une nécessité si l'enfant a la chance d'avoir, à l'école, un maître plein de bon sens. Sinon, le besoin d'approbation devient si fort que l'enfant en arrive à s'accuser de méfaits qu'il n'a pas commis, pour se voir féliciter de son honnêteté. A force, il finit par se prendre à son propre jeu, s'attribuant tous les défauts et se reprochant sa conduite au point de se considérer comme un être mauvais et pervers, à se détester lui-même. Dès lors, il s'ôte tout espoir de spontanéité et passe son temps, plus tard dans la vie, à se surveiller, à s'autocritiquer et à s'infliger les pires tortures pour se punir. Tout ce qui dérange lui fait peur, comme les bègues, les gens qui ont des tics, et jusqu'au mot « impuissance » lui-même. Devant son impossiblité à répondre aux exigences absolues que ses parents — eux-mêmes enfermés dans leur rigidité — faisaient miroiter à ses yeux, il a préféré un jour admettre ses faiblesses, sa méchanceté, son manque de courage et sa propre impuissance. Partant de là, il s'attend en permanence à en payer le prix — ce qui est rarement le cas —, sauf lorsque les circonstances de la vie le desservent et que cette attitude tourne à l'obsession. Vus de l'extérieur, de tels gens peuvent même passer pour des êtres très doués, car ils connaissent des périodes d'activité intense et de réel développement, qui leur donnent une bonne chance d'améliorer leur *acture*. Mais, la plupart du temps, ils renoncent à se hisser vers les sommets, trouvant la pente trop ardue, et se trouvent acculés à des situations que d'aucuns jugent tout à fait normales, mais qui constituent, à leurs yeux, la preuve tangible de leur échec et de leur médiocrité. Cette mortification est, en général, dénuée de tout fondement. Ils ne sont ni pires ni meilleurs que les autres. Mais leur besoin d'approbation est si fort qu'ils veulent à tout prix s'imposer. Ils sont tendus, incapables de se laisser aller complètement, d'où le sentiment d'insuffisance au niveau sexuel, qu'ils mesurent non sur la qualité de leurs rapports, mais sur leur fréquence et leur durée.

M. K.L. est, à ce sujet, un exemple parfait. Il est marié, a trois enfants et gagne bien sa vie. Mais sa vie sexuelle est déplorable. A quelques rares exceptions près, son érection lui fait défaut au bon moment et, généralement, au beau milieu de ses rapports. Il n'a jamais fait l'amour qu'avec sa femme. Il a suivi, pendant plusieurs années, une psychanalyse qui lui a été bénéfique sur le plan général, mais qui n'a pas résolu son problème sexuel. Il en souffre moins qu'auparavant, mais il passe par des périodes de grande dépression et n'a de rapports sexuels qu'une fois tous les deux ou trois mois. Il attend de se sentir dans de bonnes dispositions, ce qui est rare car il souffre de brûlures d'estomac qui le gênent considérablement. Il craint d'avoir un ulcère, ou même un cancer.

M. K.L. est extrêmement poli, très soigné, méticuleux, plutôt guindé, ventre rentré, torse immobile. Il respire peu profondément et garde les dents serrées et les lèvres pincées.

Dans tout son visage, son port et son attitude en général témoignent d'un besoin farouche d'être à la fois accepté et considéré comme un homme bien sous tous rapports. Cela part d'un bon principe, comme il est toujours bon également de chercher à s'améliorer. Mais la perspective est différente lorsque la démarche relève d'un besoin compulsif d'être « bien ». Dans une société comme la nôtre, il est évident que nous avons besoin d'avoir de bons contacts avec autrui, mais non dans le but d'obtenir l'approbation générale. Faut-il rappeler que notre propos ici n'est pas d'ordre moral, que nous ne cherchons pas à comprendre les mobiles ou le bien-fondé de nos agissements, mais seulement à traiter de notre aptitude — ou de notre incapacité — à faire telle ou telle chose. Le cas de M. K.L. n'est de notre ressort que parce qu'il ne sait pas s'assumer dans la vie. Il se trouve obligé d'adopter un comportement qui le rassure, car il suscite l'approbation de son entourage. Il suffit de le regarder pour comprendre que rien, chez lui, n'est spontané et que, par conséquent, il obéit malgré lui à un certain nombre de motivations refoulées. Comme dans tous les cas où la compulsion constitue la toile de fond et empêche toute motivation dominante de se dégager, il est incapable d'agir de façon réversible là où la notion d'approbation entre en jeu. Par conséquent, il ne rejoint jamais la réalité. Il ne peut s'empêcher d'agir comme il le fait, même si les circonstances exigent un comportement diamétralement opposé. Il ne peut faire autrement que d'être gentil quand bien même il lui arrive de souhaiter l'être un peu moins.

Il ne faut pas s'étonner si un tel comportement se trouve encouragé par le milieu. Beaucoup diront que c'est trop beau pour être vrai, une véritable aubaine. Ainsi conforté, par les autres et par lui-même, il s'en est donc fait un principe d'habitude. Or, cela soulève deux problèmes non négligeables : non seulement sa gentillesse est vouée à être tôt ou tard considérée comme un dû par son entourage, mais, de plus, son blocage lui crée des ennuis qui ne sont, en fait, que le résultat de tentatives positives de sa part.

M. K.L. accomplit un certain nombre de choses contre son gré, car il est sous l'emprise de stimulations fondamentales trop fortes pour lui permettre de détecter celles qui le sont moins. Pour mieux lui faire prendre conscience de sa manière d'être, il a fallu utiliser un exemple concret et lui démontrer que ses problèmes d'érection étaient inévitables étant donné l'état de son pénis dans les moments difficiles: rabougri, les vaisseaux sanguins contractés, l'érection était alors inconcevable, voire même inimaginable.

Il était d'accord sur le constat, mais ne voyait pas le rapport. Il trouvait l'hypothèse hardie et dénuée de preuves tangibles dans d'autres domaines. Et cependant, tout dans sa façon de se tenir, de respirer, de bouger montrait qu'il répondait à des motivations conflictuelles. Tantôt il gonflait son assurance et cherchait à forcer mon approbation, tantôt il paraissait angoissé et doutant de lui. La tension musculaire, la respiration inégale et peu profonde sont un signe de vasoconstriction, et la preuve d'un mauvais fonctionnement du système parasympathique chargé de dilater les vaisseaux sanguins. L'hypothèse était donc peu risquée.

Il avait, sans aucun doute, la même attitude en permanence, y compris dans les moments d'intimité avec sa femme. En d'autres termes, il s'attendait, là encore, à être approuvé et considéré comme le plus généreux et le meilleur, alors qu'au fond de lui il était persuadé du contraire. Il était en permanence à la recherche d'un indice rassurant. Si cette approbation n'était pas clairement manifestée, tout lui était prétexte à se décourager. Ce faisant, il ne pouvait gagner aucun délai dans l'accomplissement de l'acte sexuel, car son érection ne durait que tant qu'il était sûr de lui. Dans ces circonstances, il n'y a aucune tension sexuelle à assouvir. A la place s'est développé un amalgame de motivations autorégulatrices. Le besoin de s'affirmer est tel qu'il inhibe toute pulsion sexuelle, au point que ce patient était au fond assez content d'être contredit et contrarié. Cela justifiait (à ses yeux) sa décision de renoncer à essayer, et mettait fin à son supplice. L'inhibition étant levée, suivait, immédiatement après, une superbe érection; celle-ci lui confirmait ainsi qu'il n'était pas fautif et justifiait son comportement. Se sentant rassuré, un grand bien-être l'envahissait, et il s'endormait avec son érection. Ainsi n'est-il impuissant que lorsqu'il cherche à se rassurer lui-même ou à se faire rassurer par l'autre.

M. K.L. est, bien sûr, incapable de comprendre qu'il est, en fait, l'égoïsme personnifié et loin d'être gentil, car il n'accorde pas la moindre attention à l'attitude de sa femme dans ces moments-là. Il ne pense qu'à lui, à sa virilité et à la façon dont il parvient — ou non — à faire preuve de bonté. Il n'a pas ce désir de rapprochement que procure la tension sexuelle. Il n'y a de place que pour le tout-puissant besoin d'approbation, lui-même conflictuel, et qu'il prend pour du désir. Voilà où est l'erreur. Il renonce à ses approches parce qu'il sent la tension sexuelle qui l'oblige à rechercher l'intimité, alors que le rapport en soi ne peut que soulager la tension. L'égoïsme est incompatible avec une situation par laquelle deux personnes s'unissent pour partager du plaisir. M. K.L. était égoïste car il n'agissait qu'en fonction de lui. L'acte sexuel n'avait plus guère de sens au niveau physiologique. Au mieux il peut, dans ce cas, servir à la procréation (comme ici, précisément), mais est voué à l'échec pour ce qui est du plaisir, et la régulation des fonctions de récupération par rapport à celles d'affirmation.

Si un individu a l'habitude, au départ, de rechercher l'approbation, il répond à une motivation d'autorégulation qui a pour caractéristique de rendre la vasodilatation difficile — sinon impossible —, et par conséquent il se trouve prêt à tout, sauf à faire l'amour. Il doit donc, pour cela, s'obliger à produire une érection et par conséquent créer une sorte de tension sexuelle. Il n'obtient cette érection que par un effort de volonté qui consiste probablement, d'une part, à contracter le sphincter anal et le diaphragme (ou une autre partie proche), et, d'autre part, à penser à quelque chose qui l'excite sexuellement.

Pendant le traitement, M. K.L. se plaignait souvent de ne pas pouvoir penser à quoi que ce soit. Il disait que son cerveau était vide. Or, cela est révélateur de la présence simultanée de deux motivations opposées d'égale intensité. Comme un schéma de comportement ne peut disparaître que s'il est remplacé par un autre, le premier mis en place continue d'être valable tant qu'il ne peut pas être complètement inhibé. Rien n'est plus étrange que la période intermédiaire entre le moment où nous avons décidé de renoncer à une vieille habitude et celui où nous faisons autre chose. Nous avons l'impression de ne plus savoir rien faire, de ne plus pouvoir penser. Il faut profiter de ce que nous sommes, à ce moment-là, prêts à inaugurer un nouveau mode de comportement pour le faire, car, si nous tardons, il risque d'être trop tard et nous retomberons invariablement dans nos anciennes habitudes. Même si celles-ci sont devenus entre-temps physiquement impossibles à exécuter, elles continueront à se manifester dans l'imagination, du moins tant que le nouveau schéma n'aura pas été vécu au moins une fois au niveau du corps. Il ne suffit pas de comprendre les avantages d'un nouveau mode d'action, il faut en faire l'expérience.

Le lecteur sait, maintenant, comment amener le corps à une disponibilité parfaite pour accomplir ce qui lui est demandé sans préalable. A ce moment-là, tout changement d'attitude ou d'agissement entraîne une expiration naturelle et inconsciente. Dès lors il est impossible d'annuler l'habitude passée. Mais avant d'en arriver là, il importe de bien savoir comment l'inhiber correctement. Lorsque naît l'envie d'avoir un rapport sexuel, il faut arrondir le ventre comme nous l'avons déjà décrit, respirer régulièrement, et oublier toute idée de faire l'amour. (C'est-à-dire qu'il faut, au contraire, être résolu à ne pas le faire.) Cela permet un meilleur contrôle abdominal, une respiration encore plus profonde, et une plus grande relaxation musculaire à tous les niveaux. Le sentiment éprouvé est alors très agréable et, de ce fait, se prolonge naturellement. Toute pulsion sexuelle qui réapparaît alors doit être aussitôt rejetée une fois de plus.

Voici maintenant un dialogue qui j'ai reconstitué, en essayant d'être fidèle :

« Mais que dira ma femme si je me conduis aussi bizarrement ? »

Le schéma d'approbation était à ce point enraciné chez M. K.L., qu'il était présent à tout moment, quoi qu'il fasse et quoi qu'il pense. Je lui rappelai qu'il arrivait souvent à sa femme de refuser ses avances, sans que ce soit dramatique ni pour lui ni pour elle ; qu'il ne semblait pas trouver cela incongru et que rien de catastrophique ne surviendrait s'il faisait ce qui lui était conseillé. De plus, comme tout se passait en lui, rien ne se verrait et tout paraîtrait normal. Une fois l'ancienne habitude chassée, l'on se rend compte d'une quantité astronomique d'erreurs que l'on ne perçoit pas d'habitude.

« Vous m'avez parlé d'un tas d'erreurs que j'allais

découvrir ; eh bien, je crois qu'en fait je ne sais rien faire comme il faut. J'ai repensé à ma femme, quand elle me dit " laisse-moi tranquille ", quand elle ne veut pas faire l'amour avec moi. J'ai dû vraiment faire un effort sur moi-même pour entrevoir la possibilité d'une nouvelle tentative. Mais, du coup, je me suis rendu compte que je m'y prenais tellement mal que je serais incapable de dire quelle est ma pire erreur. Quand j'ai senti le phénomène de réversibilité pour la première fois, dans la leçon où il faut se lever de sa chaise, j'ai cru que j'avais compris. Ces derniers temps j'ai ressenti quelque chose de semblable dans ma tête, mais pas dans mon corps. Je suis arrivé à refuser l'idée de faire l'amour et, à ma grande surprise, j'ai vu que j'avais une érection, mais sans avoir envie de faire l'amour. Je ne sais pas quand elle a commencé ; je ne m'en suis rendu compte que lorsqu'elle a été complète. Alors j'ai voulu faire l'amour, mais l'attitude de ma femme m'a découragé, et je me suis retrouvé comme avant. C'était fini avant que j'aie pu faire quoi que ce soit. Je veux dire par là que, peut-être, après tout, ce n'est pas du tout ma faute. Je n'ose même pas y penser, mais il me semble que, peut-être, avec une autre femme, je n'aurais pas ce genre de problèmes.

— Il est encore trop tôt pour envisager un tel changement dans votre vie. Il faut d'abord creuser sous l'amas de motivations parasites et étrangères à la sexualité, pour déterrer la motivation sexuelle proprement dite. Je suis persuadé que, dans votre cas, étant donné que vous n'avez aucun problème anatomique ou neurologique, il suffit que vous appreniez à ne pas gêner le fonctionnement des centres inférieurs du système nerveux. Du moment que nous sommes en mesure de relever les erreurs de contrôle et d'*acture*, il est inutile de prendre des initiatives que vous pourriez regretter plus tard quand tout ira bien. Pour l'instant, vous reconnaîtrez que vous ne savez même pas ce qui se passe dans votre propre corps, qui ne fait pourtant que ce que vous lui dites de faire, et vous admettrez également que vous ne pouvez pas juger de ce que vous ne connaissez pas. Il faut être deux pour régler une relation sexuelle, et votre femme a certainement autant à apprendre que vous. Mais, au point où vous en êtes, des relations avec une autre représenteraient plus qu'un handicap pour vous. Vous avez sûrement déjà pensé à d'autres femmes, mais si vous n'êtes jamais allé jusqu'au bout, ce n'est pas uniquement pour des raisons morales. Tant que votre désir, au lieu d'être spontané, restera lié à des fonctions autorégulatrices, vous ne pourrez aborder quelqu'un d'autre sans que cela entraîne chez vous une angoisse et des difficultés encore plus grandes. Votre besoin d'affirmation ne pourrait pas être stimulé par n'importe qui. Cela ne peut venir que d'une femme qui ne l'évoquerait pas. Si vous aviez eu la chance d'en rencontrer une au bon moment, tout aurait été différent pour vous. Mais, d'un autre côté, cela était impossible, car votre *acture* était telle que vous l'auriez rejetée. Votre besoin effréné d'approbation vous a fait trouver celle qui est votre femme et qui, précisément, répondait à votre besoin et l'encourageait ; elle était rassurante. Si vous cherchiez à rencontrer une autre femme en ce moment, vous tomberiez à coup sûr sur quelqu'un qui ressemble étrangement à la vôtre. Du reste, les reproches que vous pouvez lui adresser vous permettent d'être relativement moins angoissé. Mieux vaut donc attendre avant de prendre une décision aussi importante. Maintenant que vous connaissez mieux le principe de réversibilité, jetez donc un coup d'œil en arrière sur votre comportement passé. Ne pensez-vous pas que vous êtes loin d'être le gentil monsieur que vous vous flattiez d'être ? Vous n'étiez certainement ni un bon mari, ni un mari très facile. Vous étiez, il est vrai, fidèle. Mais comment faire autrement ? Votre femme non plus ne peut pas être jugée uniquement sur sa conduite passée. Elle a, c'est certain, besoin elle aussi d'apprendre, car elle réagit encore en fonction de l'habitude que vous lui avez donnée. Mais le moment n'est pas venu de tout révolutionner. Comme vous le voyez, votre sexualité est parfaitement normale. Votre problème est d'ordre social. Votre besoin d'approbation est infantile. Vous ne pourrez prendre de décision que lorsque vous serez capable de réversibilité totale, et que vous pourrez isoler les motivations purement sexuelles et agir sur elles. Vous trouverez peut-être alors que votre attitude est devenue celle d'un homme face à une femme, et non celle d'un adolescent qui veut prouver qu'il est fort ou qu'il a bien fait ses devoirs. Ce changement aidera votre femme à devenir non seulement votre épouse devant la loi et la mère de vos enfants comme elle l'est à l'heure actuelle, mais également votre maîtresse.

— Je suis complètement désorienté. Je me rends compte que mes problèmes viennent de moi. Mais qu'est-ce que je dois faire ?

— Vous allez déjà mieux, sinon vous ne poseriez pas cette question. Être mûr signifie être capable de se prendre en charge à tous les niveaux. Vous avez demandé ce que *vous* devez faire, et non ce que l'on peut faire *pour vous*. C'est bon signe. Mais les seuls conseils que l'on puisse vous donner sont des conseils de sagesse, de détermination ou autres auxquels vous ne pouvez pas répondre. Vous savez très bien ce que vous aimeriez devenir. La question est de savoir comment y parvenir. Si vous pouviez faire ce que vous voulez, il n'y aurait plus de problèmes. Mais vous continuez d'être crispé, le menton en avant et les muscles tendus. Il est clair, à vous regarder, que vous êtes toujours angoissé, mal dans votre peau, et pas encore très sûr de savoir ce que vous voulez. Votre cerveau est encore trop imprégné du passé et renvoie automatiquement aux schémas que vous récusez maintenant, et qui reviennent sans cesse. Ces schémas sont relatifs à votre tension musculaire, c'est pourquoi vous contractez les muscles de la région du bassin, et particulièrement ceux de l'anus, en pensant que cela vous aide à obtenir — et à maintenir ensuite — une érection. Ces contractions étaient liées, jusqu'ici, au sentiment de peur et de doute, et vous pensez qu'il faut absolument faire l'amour très vite, de peur que cela ne soit plus possible après. Mettez-vous à la place de votre femme. Vous lui demandez d'avoir envie de faire l'amour en l'espace de quelques secondes alors que, de votre côté, vous y pensez déjà depuis un bon moment. Ce n'est pas le désir qui vous pousse, mais le besoin d'affirmer votre virilité: vous agissez sous de fausses motivations. Vous ne pouvez donc vivre votre corps que comme un instrument d'échec. Votre conduite est sans doute compulsive, exempte de tendresse et d'amitié, dominée par la routine. C'est plus fort que vous. Vous ne faites preuve d'aucune virilité, d'aucune tendresse, et vous n'essayez pas d'exciter votre femme.

— Je sais. J'ai lu, il y a longtemps, qu'il fallait embrasser, caresser et faire un certain nombre d'attouchements avant de pénétrer sa partenaire. J'ai essayé, mais cela me gêne, et ma femme n'aime pas ça non plus. Je commence maintenant à comprendre pourquoi.

— L'explication peut vous paraître différente par rapport à la compréhension de vous-même que vous avait donnée une précédente analyse, mais ce n'est, essentiellement, qu'une autre façon, plus concrète encore, de révéler le "complexe de la mère". Elle soulage en partie l'angoisse, mais l'important est d'apprendre correctement les ordres que l'on se donne à soi-même, et de pouvoir les exécuter. Nous avons appris à inhiber une action lorsqu'elle était incorrecte ou avait besoin d'être modifiée. Vous devriez essayer d'appliquer ce principe. Quand vous êtes sur le point d'agir selon votre habitude, arrêtez-vous et renoncez-y. Laissez s'évanouir votre érection. Vous en aurez d'autres, inutile de profiter de cette occasion. Et quand bien même ce serait la dernière, tant mieux pour vous ; vous n'aurez plus rien à apprendre et vous pourrez retourner tranquillement à vos affaires. Un homme viril a souvent bien mieux à faire que de se soucier de chacune de ses érections. Mais vous avez ainsi acquis le principe de la réversibilité ; il ne vous reste qu'à la parfaire. Continuez donc de refuser de pénétrer votre partenaire tant que vous n'êtes pas capable de l'embrasser, de la caresser, de la prendre dans vos bras pour le seul plaisir de le faire, en vous interdisant toute érection et en chassant jusqu'à l'idée même de pénétration. La motivation d'autorégulation sera ainsi inhibée et, avec elle, la peur de l'échec et l'angoisse qui l'accompagne. En réduisant votre tension musculaire à tous les niveaux (ventre, buste, bassin, cou, etc.) et en respirant calmement, vous autoriserez le réveil ou la domination des fonctions parasympathiques. Vous aurez du plaisir à embrasser, à caresser. En fait, vous ferez l'apprentissage de l'amour, tel qu'il se fait d'habitude pendant l'adolescence, au moment où la pénétration faisait l'objet d'un interdit moral. Vous verrez, par là même, que vous ne serez plus sinistre et bloqué comme avant. Aussi paradoxal que cela puisse paraître, en vous souciant de votre plaisir, vous en procurerez à votre femme et à vous-même.

— Je suis sûr que si je passais mon temps à m'observer il ne se passerait rien de ce que vous dites.

— Il se peut que vous ayez quelques difficultés au début, comme lorsque vous avez commencé à suivre les cours. Elles s'aplaniront à mesure que vous ferez des progrès. Vous en avez déjà eu un aperçu, et pu en ressentir les effets. Vous connaissez la sensation qui vous a aidé dans les leçons ; essayez donc d'apprendre, à travers votre propre corps, à votre manière, ce qu'aucune connaissance théorique ne pourra faire pour vous. Notre but n'est pas de réussir une fois, quitte à ne plus pouvoir recommencer. Voilà ce que nous appelons la plénitude d'une fonction. Si vous êtes attentif à vous-même, les débuts ne seront sans doute pas faciles ; mais rien ne peut se faire sans une projection mentale claire des ordres donnés aux organes chargés de les exécuter ; et, comme chaque fois que l'on apprend quelque chose, il faut passer par une période de contrôle conscient excessif. Vous n'aurez bientôt plus besoin de lui et vous finirez par oublier comment vous avez appris cette maîtrise tout comme vous avez oublié comment vous avez appris à lire et à écrire. Cela vous a d'ailleurs pris des années et, en comparaison, vous apprendrez infiniment plus vite, car plus efficacement.

— J'en ai vu de toutes les couleurs, j'ai eu des hauts et des bas, je suis passé de l'euphorie au désespoir. J'ai fait exactement ce que vous m'avez dit de faire la dernière fois, et je ne suis pas arrivé à faire disparaître mon érection complètement ; pourtant, j'avais chassé de moi l'idée de rapport sexuel. Mais mon pénis est resté lourd et gonflé. Il ne s'est pas recroquevillé comme d'habitude, mais je n'avais pas envie de faire l'amour. Je me sentais envahi d'une douce chaleur. Ma femme s'est plainte, comme toujours, d'avoir mal à la tête, ce qui a le don de m'exaspérer. J'ai failli m'énerver, mais je suis parvenu à me contrôler et à garder en moi cette impression de chaleur. Et puis, je ne sais pas ce qui m'a pris, mais j'ai tout raconté à ma femme. Je lui ai parlé de mes séances ici. Jamais je n'aurais pu faire une chose pareille avant; j'étais bien trop réservé pour cela. Mais je me suis senti fier de moi. Je croyais qu'elle serait contente; elle se plaint toujours tellement de ce que je ne lui dis rien, que je ne lui fais aucune confiance! Qu'est-ce que j'avais fait là! Ma femme s'est mise dans une colère noire et m'a couvert d'injures. D'après elle, je n'étais qu'une brute égoïste qui n'était gentil et aimable qu'avec les autres; je me moquais éperdument de ce qu'elle pouvait bien ressentir, je la traînais dans la boue. Elle ne comprenait pas que j'aie pu avoir la grossièreté de parler de sa sexualité avec un étranger, et livrer ses secrets les plus intimes sans même lui demander son avis. Elle s'est mise à pleurer et à sangloter, tantôt s'apitoyant sur son malheur, et tantôt me jetant des cris de haine. A la fin, elle a enfoui sa tête dans l'oreiller, d'épuisement. Elle avait l'air d'être calmée, mis à part des tremblements convulsifs qui la saisissent souvent.

» Je ne savais que dire ni que faire. J'avais peur d'arrêter ces sensations bizarres qui m'habitaient. Puis j'ai fini par réaliser que je venais de tout lui raconter, comme un enfant parle à sa mère d'une bêtise qu'il vient de faire. Je savais que je l'avais fait en espérant qu'elle serait contente, et aussi pour me soulager d'un secret. J'ai trouvé qu'elle avait raison de me traiter d'égoïste et de me reprocher mon manque de considération à son égard. C'est vrai que je n'ai jamais pensé à elle. Et, pour la première fois, je me suis rendu compte des dégâts qu'avait causés ce maudit besoin d'approbation. Mais j'étais calme; j'avais de la peine pour elle, mais je ne me sentais pas coupable. Alors je me suis agenouillé près du lit, j'ai posé ma main sur son épaule, et je lui ai demandé pardon. J'étais vraiment désolé. Je ne l'avais jamais été aussi profondément.

» J'avais oublié toute fierté; je me suis mis à lui raconter combien je souffrais de mon impuissance. Je lui ai dit également que, si j'étais allé vous voir, ce n'était pas seulement pour moi, mais aussi pour elle ; parce que je voulais lui apporter ce qu'elle aurait eu si elle avait épousé quelqu'un d'autre. Je me suis allongé près d'elle ; elle a posé sa tête contre moi. Je la sentais détendue. J'ai passé ma main dans ses cheveux. C'est alors que je me suis rendu compte que j'avais une érection. Je ne me sentais pourtant pas contracté comme d'habitude. J'ai senti que mon visage, lui aussi, se détendait, mais je n'osais pas bouger de peur de tout gâcher. J'ai chassé de moi l'idée de faire l'amour, et pourtant ce sentiment de chaleur était toujours là, et je sentais mon pénis gonflé bien que l'érection soit partie.

» Nous nous sommes couchés en nous sentant très proches l'un de l'autre. Puis j'ai eu une nouvelle érection. J'ai pénétré ma femme, mais je n'avais pas envie de bouger. Je suis resté ainsi pendant un certain temps, en pleine érection. Alors j'ai senti ma femme vibrer sous moi; j'ai éjaculé sans faire le moindre mouvement. Je crois, pourtant, qu'elle a éprouvé du plaisir.

— Il n'y a pas de limite à la perfection, et vous avez encore un long chemin à parcourir avant de ne plus faire d'erreurs. Mais nous avons une règle, il faut la suivre et nous demander ce que nous pouvons faire maintenant. Tout d'abord, il faut consolider les acquis, pour pouvoir ensuite les appliquer plus largement. La prochaine fois que vous vous trouverez dans cette situation, renoncez à votre nouvelle façon de faire, et reprenez celle d'avant. Vous augmenterez la réversibilité de chacune d'elles, et le contraste entre les deux sera bien plus grand; cela vous permettra d'être encore plus à l'aise dans votre nouveau comportement, et d'inhiber définitivement la première, sans crainte de la voir réapparaître un jour.

» Si vous avez bonne mémoire, vous remarquerez qu'à cette occasion vos troubles digestifs ont également disparu. Continuez comme cela progressivement, votre contrôle n'en sera que renforcé, et votre santé également.

» Maintenant que vous êtes plus sûr de vous et de votre savoir-faire, nous pouvons continuer à démêler les éléments relatifs au besoin d'approbation de ceux se rapportant à la sexualité. Si vous examinez tout ce que vous m'avez dit, et plus particulièrement la façon dont vous m'en avez parlé, vous vous rendrez compte que vous avez cherché à obtenir mon approbation bien plus que vous ne le croyez. Il fallait, bien sûr, que vous me racontiez ce que vous aviez fait, mais votre manière de le dire trahissait votre désir de passer pour un bon élève qui a bien appris sa leçon et a bien fait ses devoirs. Vous souvenez-vous du maître qui vous a appris à lire et à écrire ? Non ? C'est normal. Il a joué un rôle important dans votre vie, il vous a appris des choses essentielles, et cependant il n'a plus aucune importance pour vous aujourd'hui. Vous ne lui devez rien, sinon un hommage, comme il est coutume de le faire, même si cela ne veut pas dire grand-chose en réalité. Vous ne me devez rien, et j'espère que vous serez un élève aussi appliqué que vous l'étiez à l'école. Quant à moi, j'irai rejoindre vos autres professeurs dans le tréfonds de votre mémoire. Être mûr, c'est agir pour agir, ou parce qu'il faut le faire, et non pour plaire à ses supérieurs, à ses pairs ou à ses subordonnés.

» En ce qui concerne votre femme, vous avez encore besoin d'être approuvé. Vous dites, par exemple, que vous avez "oublié toute fierté", que vous avez agi "pour elle", et ainsi de suite. Tout cela est très bien mais, dans votre cas, ce genre d'attitude revêt la plus grande importance. Vous pouvez, bien entendu, continuer à vous comporter ainsi, soit parce que cela est opportun, soit parce que cela vous fait plaisir. Mais vous devez toujours en être parfaitement conscient. N'oubliez pas que les habitudes ont tendance à se réinstaller à la moindre occasion; il suffit d'un seul élément pour amorcer un retour en arrière. C'est le risque que vous courez, à long terme, et qui finirait par vous faire croire que vous êtes irrécupérable. Alors que, vous le voyez bien et vous le sentez maintenant, la question est uniquement de savoir quoi faire et comment le faire.

» Vous parlez souvent de votre envie de faire "comme les autres". Si vous n'avez pas d'autre ambition, vous êtes comblé, car votre vie sexuelle est déjà bien audessus de celle dont se satisfont un grand nombre de nos contemporains. Vous ne manquerez pas de constater encore pas mal de progrès, étant donné que votre comportement va entraîner une réaction assez importante de la part de votre femme. Elle aura moins souvent mal à la tête, vous verrez. Vous étiez persuadé qu'elle n'avait aucune envie de faire l'amour. Vous l'avez dit. Honnêtement, comment l'aurait-elle pu? Sans doute pourrions-nous améliorer encore la situation en enseignant à votre femme les principes d'une motivation et d'une action correctement accomplie. Elle vous a cédé, mais elle ne s'est pas abandonnée. Les notions de confiance et de sexualité sont étroitement mêlées en elle. Elle doit penser en secret qu'elle n'est pas la femme qu'il vous faut, et que vous seriez plus heureux si vous aviez épousé quelqu'un possédant un plus grand "sex-appeal". Elle se rassure en pensant que vous êtes lubrique et que vous recherchez le plaisir en égoïste. En même temps, vos caresses l'irritent car elle sent que vous vous servez d'elle. En fait, elle a raison ; ne disiez-vous pas vous-même que nous n'éprouviez aucune envie de la caresser, mais que vous le faisiez machinalement, parce qu'il faut bien le faire ?

» Je vous conseille, pendant un certain temps, d'essayer de dégager vos motivations d'autorégulation, sans cesser d'appliquer vos nouveaux principes. Comme vous êtes à la fois moins tendu et moins angoissé, vous améliorerez votre réversibilité, vous remarquerez beaucoup plus de détails et, dans les moments délicats, vous aurez l'intuition de mal faire. Vous cultiverez une plus grande confiance en vous, et vous assumerez la responsabilité de vos difficultés. Votre but est d'établir un équilibre entre les fonctions d'autorégulation et de protection et celles de récupération afin de pouvoir faire pencher la balance dans le sens que vous voulez, selon les circonstances. Vous n'y parviendrez que si vous êtes porté par une motivation suffisamment puissante pour permettre un orgasme complet, spontané et générateur de plaisir extrême. Même votre besoin d'approbation doit satisfaire au principe de la réversibilité, pour que vous sachiez vous en soucier sans lui être pour autant asservi.

» Vous aurez des problèmes chaque fois que vous vous laisserez envahir par des motivations parasites de cette importance. Nous ne pouvons pas les éliminer complètement. Qu'elles soient d'origine sociale, morale ou qu'elles proviennent d'un besoin d'affirmation de soi, elles font partie, quant à certaines d'entre elles, de nos habitudes. Mais nous devons nous attacher à ne pas nous laisser assujettir. Sinon, l'individu que nous sommes a du mal à se reconnaître lui-même et finit par croire que quelque esprit mauvais a pris possession de nous !

» En cas de difficulté, souvenez-vous que le cerveau ne peut agir seul ; il a besoin du corps, dont nous avons appris le contrôle. N'oubliez pas non plus que le mental repose entièrement sur le vécu. Amenez donc à la fois le physique et le psychique à un état de neutralité, tel que vous savez le faire désormais. Cette neutralité doit devenir votre port d'attache, que vous quittez pour l'action, mais auquel vous revenez pour vous préparer à la suivante. Ainsi vous animerez tantôt les fonctions d'affirmation, et tantôt celles de récupération.

» Si vous réussissez à acquérir une plénitude physique, comme celle du ventre et du pénis, l'angoisse disparaîtra. Vous pourrez ainsi agir en fonction de la situation et, pour ce qui est de la sexualité, sa motivation ne sera importante qu'en présence d'une tension réelle. Dans le passé, cette tension vous incitait à agir à tout bout de champ, car il vous était impossible de la dissocier de la nécessité de vous affirmer, que tout concourait à entretenir. Votre problème sexuel occupait le centre de vos pensées. Vous pouvez maintenant simplement lui donner la place qui lui revient. Une fois que vous avez relâché la tension qui vous étreint, rien ne peut plus réveiller cette motivation. Vos fonctions de récupération et d'affirmation peuvent s'exprimer en toute liberté puisqu'elles n'opèrent plus ensemble mais séparément. Vous trouverez un intérêt accru à votre travail, à vos loisirs et à la sexualité, que vous vivrez de manière plus intense. Vous allez enfin *vivre*, et non plus végéter. »

Éjaculation précoce

M. P.X. est un jeune homme costaud et sympathique. Il a le cou fort et raide et il se tient la tête en avant. Son menton est protubérant et son bassin large. Ses pieds rentrent en dedans ; ses orteils remontent légèrement. Il est poli mais gêné. Il commence toujours par se racler la gorge, et passe son temps à s'essuyer le visage avec son mouchoir. Il a le regard doux mais plutôt soumis.

Si on l'examine de plus près, on s'aperçoit qu'il a les pieds plats et les orteils tassées les uns contre les autres. Il n'y a pas d'espace entre son gros orteil et le reste de ses doigts de pied. Ses talons sont légèrement écartés. Il respire mal, le torse lourd et pratiquement immobile, se servant uniquement d'un mouvement latéral des côtes inférieures.

Il est plutôt pâle et un peu myope. Il parle sans bouger la lèvre supérieure qui ne découvre jamais ses dents. Il souffre de constipation chronique, et ses selles diminuent jusqu'à disparaître pendant quelques jours ; puis elles reviennent et le processus recommence.

M. P.X. est un homme sérieux qui n'a guère le sens de l'humour. Il est méthodique, consciencieux, travailleur et très exigeant vis-à-vis de lui-même.

Il se tient raide sur ses jambes et serre les fesses. Ses mouvements sont puissants mais sans grâce. Il se contracte quand il s'agit de faire l'exercice de la roulade en avant. Il se penche mais ne se laisse jamais aller. Il retient son souffle et recule le bassin comme s'il voulait éviter un coup bas. Il rentre les genoux et n'est plus qu'une caricature de lui-même.

Ce jeune homme a beaucoup de mal à parler de son intimité physique, biaisant à tout propos, répondant à côté, et ne sachant pas trouver ses mots. Il a des aventures, mais il est célibataire. Il se plaint de ses rapports sexuels qui sont décevants et trop brefs, surtout au début de ses liaisons. Il a presque toujours une légère crise de foie quand ses rapports sexuels sont trop nombreux. Il est courbatu pendant un jour ou deux, surtout au niveau des lombaires. Mais il arrive aussi, par périodes, que tout se passe bien. Il maîtrise alors parfaitement la montée de son orgasme, et les effets secondaires sont moins marqués que d'habitude. Dans ces moments-là il se sent léger, équilibré, se tient plus droit et plus décontracté. Il se sent vraiment lui-même et ne sait pas comment il en est arrivé là. Mais il sait que, d'ordinaire, quelque chose l'en empêche. Il a l'impression de se trouver dans une ornière dont il ne peut sortir qu'à des moments privilégiés. Il lui semble qu'il lui suffit de ne pas glisser, au tout début, pour être, pour ainsi dire, libre et maître de la situation.

Il se sait faible, et il en souffre. Lorsqu'il s'agit de remettre quelqu'un à sa place, il ne peut le faire que s'il a longtemps médité son intervention. Sinon, il s'apitoie sur lui-même, imagine le mal qu'il pourrait faire et ne peut s'y résoudre. Sur le moment, il préfère souffrir, mais ne cesse ensuite de se reprocher sa faiblesse.

Dans sa jeunesse, il était incapable de prendre la parole en public, fût-ce une simple réunion de famille, même lorsqu'il brûlait d'envie de faire une remarque qui lui semblait pertinente. Aujourd'hui encore, il ne sait pas se défendre quand il est pris au dépourvu alors que, juste après, il sait très bien ce qu'il aurait pu répliquer. Il y parvient beaucoup mieux quand il se sent bien. Mais, justement, l'occasion ne se présente pour ainsi dire jamais.

La rééducation de ce jeune homme intelligent et sympathique fut rapide. Au fond de lui il savait bien qu'il était tout à fait normal, et se croyait même plutôt doué, ce qui était vrai de toute évidence. En même temps, il se trouvait un peu bizarre, mais guère plus qu'un autre, avait-il fini par conclure après avoir regardé autour de lui. Jamais il ne serait allé voir un psychanalyste; il trouvait cela ridicule. Mais il adorait la gymnastique et avait envie d'apprendre à maîtriser son corps.

Je n'eus pas grand mal à lui faire admettre qu'il se tenait mal : il se raidissait chaque fois qu'il s'agissait de faire un mouvement brusque et, de ce fait, écartait les pieds. Il en convenait. Je lui montrai ensuite que lorsqu'il se tenait debout, jambes écartées, il était, bien sûr, plus stable, mais qu'il ne pouvait pas changer de position sans transférer le poids de son corps sur une jambe ou sans se baisser. Il voyait bien qu'il ne pouvait résister à un changement de position qu'en se raidissant et en essayant de garder l'équilibre. Cela l'amena à se poser un certain nombre de questions : qu'est-ce qui l'avait amené à se tenir jambes écartées ? Y avait-il quelque chose à faire ? Et quoi ? Et quel rapport avec l'éjaculation précoce ?

Cette façon de se tenir est typique des enfants, car leur colonne vertébrale n'a pas encore la courbe lombaire de l'adulte. Au cours de la croissance, le bassin acquiert peu à peu sa mobilité, et les hanches leur souplesse. Dans un corps bien développé, le bassin participe à tous les mouvements, et bouge en cadence à chaque pas. Mais cette souplesse ne vient qu'avec le temps. Seules des raisons graves, tels une malformation congénitale, un accident ou un blocage psychologique complexe peuvent avoir raison de ce processus naturel. La préférence accordée à ce mauvais maintien doit correspondre à un besoin précis au niveau de l'individu qui, de toute évidence, s'y complaît.

Ces blocages sont, la plupart du temps, d'ordre psychologique, ct ne sont que temporaires, sauf s'ils ont donné lieu à des dommages irréversibles. Mais ils deviennent permanents si la situation initiale se renouvelle régulièrement. En d'autres termes, le symptôme ne devient tel que s'il est entretenu par le milieu. Et, comme nous l'avons déjà constaté, rien ne peut mieux conditionner une réaction apparemment gratuite qu'une punition attendue mais jamais accomplie.

J'ai également insisté plus haut sur l'importance de voir les choses telles qu'elles sont. Ainsi la peur de tomber nous fait tenir les jambes écartées. C'est la raison pour laquelle un certain nombre d'individus écartent les jambes plus que d'autres, mais ils ne savent pas pourquoi ils le font. C'est une habitude, liée à une peur qui remonte à l'enfance, et qui se perpétue par le manque de confiance en soi que tout contribue à entretenir.

Nous avons la fâcheuse habitude de pousser les enfants à se mettre debout trop tôt ; leurs tentatives sont ponctuées par de lourdes chutes sur les fesses, qui ébranlent leur tête à chaque fois. Face à cette mésaventure, l'adulte réagit en général par de grands cris qui se veulent encourageants pour l'enfant qui vient de tomber, ou qui essayent de lui faire oublier très vite son infortune. Mais les cris ne servent qu'à faire peur à l'enfant, qui sursaute et se contracte. Rien de tout cela n'est dramatique en soi, sauf que les parents prennent un malin plaisir à recommencer, quand ce n'est pas pour faire un numéro devant leurs amis. Il arrive souvent qu'ils faussent ainsi la conception de l'approbation chez l'enfant et contribuent à lui faire associer la notion de ridicule avec celle de douleur. Le danger vient des parents eux-mêmes, qui grondent avec autant d'excès qu'ils félicitent, et soumettent leurs enfants à une pression psychologique trop fréquente et trop vive. Afin d'éviter ces manifestations intempestives, l'enfant renonce à ses expériences et s'en tient à ce qui ne représente que peu de risques. Il ne fait donc plus aucun progrès. Livré à lui-même, il reprendrait aisément le cours de son développement normal. Mais le mal est fait, et toute régression est désormais facilitée par des solutions ou des événements par ailleurs anodins pour d'autres enfants, car ils y trouvent à la fois un certain plaisir et une sécurité qui les rassurent.

Dans le cas de M. P.X., il avait un frère aîné qui prenait un malin plaisir à le pousser de toutes ses forces au fond de sa chaise haute chaque fois qu'on ne le voyait pas. Mon patient, qui était encore trop petit pour se défendre, apprit vite à se raidir et à se pencher en avant chaque fois qu'il voyait arriver son frère. A partir de là, tout l'univers de ce petit garçon s'en trouva bouleversé : dès qu'il voyait ses parents cajoler l'aîné, il s'imaginait qu'ils se liguaient contre lui. Il les enviait d'être si forts et de s'aimer autant. Il était toujours sur le qui-vive et se méfiait de tout.

Il est vrai que, lorsque l'on prend conscience d'une chose, on finit par la voir partout. Il arrive que cela soit justifié, mais il arrive aussi que cela ne le soit pas. C'est le propre des sujets immatures qui se sentent menacés en permanence et font une fixation sur « la lutte pour la vie », le « péril jaune », l'anarchie ou le totalitarisme aveugle.

Chez M. P.X., le besoin d'être « prêt » l'a suivi toute sa vie. Mais en réalité il ne l'est jamais, car il ne sait pas se tenir droit, seule attitude qui permette de se mouvoir sans avoir à s'y préparer. Il croyait jusqu'ici qu'il devait être bien stable sur ses deux pieds, éviter les situations imprévues, et ne se laisser entraîner que dans celles qui sont à sa portée physiquement et le sécurisent. L'environnement, qui avait créé le cercle vicieux, continue de le perpétuer, le transformant en habitude. Ainsi M. P.X. évite-t-il tout ce qui réclame des réactions vives et immédiates comme les jeux, le saut ou tout ce qui nécessite une grande souplesse au niveau des hanches.

Ses rapports avec le monde extérieur reposent sur un

comportement infantile, lui-même fondé sur une notion erronée selon laquelle il faut à tout prix et en toute circonstance faire preuve de force et se sentir ferme sur ses deux pieds. Partant de là, il évitait tout ce qui aurait révélé ces précautions inutiles, et s'en trouvait très bien. Qui plus est, il s'en félicitait, car il s'estimait fort, capable de faire front à toutes les situations, à condition d'avoir eu le temps de s'y préparer — atout majeur à ses yeux lui permettant de prendre sa revanche sur ses amis plus agiles et plus prompts. Malheureusement pour lui, la nature humaine est telle que nous ne pouvons fonctionner longtemps ainsi. Nous sommes faits non pour être figés — fût-ce dans la force —, mais pour évoluer en permanence. Lorsque toutes les conditions sont réunies pour que nous puissions tout réaliser avec la même aisance, nous fonctionnons au mieux et en douceur.

Une fois débarrassés des tensions inutiles (qui répondaient à des besoins spécifiques antérieurs et ne sont plus indispensables maintenant), nous pouvons nous comporter de façon plus simple et plus satisfaisante. Ainsi, en éliminant les notions chères à notre cœur d'adolescent comme la féminité, la virilité, la bienséance ou la fierté, demeurons-nous droits tel que le commandent la structure du corps et les mécanismes nerveux. La chose n'est pas courante, mais elle est à la portée de tous.

Partant du principe que l'expérience physique est indispensable à l'élaboration des circuits cérébraux, bien des gens s'imaginent à tort qu'il faut absolument s'acharner à refaire cent fois la même chose pour y parvenir. Cette idée comporte un élément de vérité, et c'est sans doute la raison pour laquelle elle est si répandue. Pour donner un exemple simple, si nous décidons d'apprendre à faire le poirier de cette façon-là, nous serons vite découragés, car nous n'arriverons pas, au début, à garder l'équilibre suffisamment longtemps. Il faut d'abord savoir apprendre avant d'apprendre à faire. Heureusement, il y a d'autres méthodes, mais celle-ci est la seule qui permette d'apprendre plus et mieux, alors que les autres se contentent d'améliorer ponctuellement tel ou tel détail et nous laissent à nos difficultés futures et à nos interminables exercices d'entraînement.

Le comportement — qu'il soit bon ou mauvais — doit être considéré comme un phénomène dynamique. Cette perspective offre un gros avantage sur le plan théorique. *A priori,* tous les comportements se valent, mais certains se révèlent plus opportuns que d'autres en vertu des circonstances, ce qui leur confère une légitimité, et renvoie les autres au domaine de la névrose. Ce point de vue est particulièrement utile à notre époque où la compétition entre les différentes classes sociales est grande. Aussi certains, pourtant bien adaptés à leur milieu, se retrouvent-ils parfois incapables de s'intégrer à de nouvelles conditions de vie et préfèrent mourir plutôt que de changer leurs habitudes.

19.

LES RAISONS D'ESPÉRER

Il n'existe pas de solutions faciles : de toute évidence nous devons essayer de changer notre système d'éducation ainsi que la société qui l'impose et exerce de tels ravages sur la jeunesse. Les mentalités seraient plus simples à réformer si les habitudes n'étaient pas si profondément enracinées chez les adultes. Mais l'organisation de la société est telle que son changement ne peut être que long et laborieux. Les révolutions elles-mêmes n'ont jamais permis d'accélérer le processus. Sur le plan individuel, nous n'avons pas d'autre choix que d'accepter la situation présente, au même titre que nous acceptons tous les autres maux.

Mais cela n'est pas simple. Du moins ceux qui souffrent refermeront-ils ce livre, je l'espère, en sachant qu'ils n'étaient pas maudits et avec l'espoir de meilleurs lendemains. Toutefois, ils n'y parviendront que s'ils sont prêts à renoncer à leurs chères habitudes et à changer radicalement. Car, aussi paradoxal que cela puisse paraître, les gens veulent à la fois changer tout en restant les mêmes.

Bien qu'il soit de notre devoir de tout faire pour réformer la société, tout porte à croire qu'un tel changement ne saurait se produire tant qu'un nombre suffisant de gens n'auront pas une attitude différente à l'égard du changement lui-même. C'est une entreprise considérable, et la vie est bien courte. Il faudrait donc, en priorité, essayer de ne pas s'angoisser devant le présent, tout en sachant que cela implique un effort d'adaptation à des conditions malsaines. Une tâche bien difficile s'il en est, mais non pas impossible.

Ce changement s'adresse avant tout au système nerveux, ne l'oublions pas. Une fois que nous avons compris cela, nous pouvons modifier un très grand nombre de conditions sans difficulté majeure, et cela nous permettra de changer l'environnement du système nerveux de façon sensible. Il ne s'agit pas, bien sûr, de changer d'air ; cela ne servirait pas à grand-chose. Par changement, nous entendons celui qui a trait à la dépendance relationnelle, qui est le plus important. Toutes vos difficultés viennent de là et, soyez-en sûrs, vous portez encore la marque de cette relation mal vécue qui contribue, encore aujourd'hui, à créer une situation génératrice de problèmes. La dépendance relationnelle façonne toute notre personnalité et établit les tendances de notre développement futur. Ainsi, tout ce qui a trait à la notion de dépendance (comme par exemple tous les facteurs socio-économiques) est capital. Parmi les paramètres importants, citons : le choix du partenaire — d'un niveau social égal, inférieur ou supérieur au nôtre —, et notamment le rôle des critères économiques dans ce choix. Citons également la solitude et la peur de demeurer célibataire.

Sur le plan sexuel, la rééducation d'un individu doit lui apporter une maturité suffisante pour qu'il oublie les notions de bien et de mal au profit de la notion d'utilité.

Les principes que l'homme s'est construits ne sont pas les lois de la nature. Il ne faut pas leur obéir aveuglément et prendre les affirmations d'autrui pour des vérités premières. Ce serait faire preuve d'une grande naïveté. Tant qu'ils ont besoin des adultes, les enfants sont obligés d'accepter ces pseudo-vérités. Après quoi il leur faut grandir et vivre leur vie, et non continuer à entretenir de vieilles légendes, surtout si elles font de leur existence un lit de souffrances.

Rien là de révolutionnaire. L'adulte équilibré, qui aime ce qu'il fait et pour qui surmonter les difficultés fait partie des plaisirs de la vie, ne suit les conseils de sa mère que lorsqu'ils se révèlent utiles.

La meilleure chose à faire, par conséquent, consiste à *apprendre à vivre auprès de ceux qui savent et tenter d'écarter de la route vers la maturité, que nous montrons à ceux qui nous suivent, et les ronces et les pièges.*

TABLE DES MATIÈRES

La photocomposition de cet ouvrage
a été réalisée par
GRAPHIC HAINAUT
59690 Vieux-Condé
☎ 27.25.04.64

Achevé d'imprimer en avril 1990
sur les presses de l'Imprimerie Carlo Descamps
59163 Condé-sur-l'Escaut

Dépôt légal : mai 1990
N° imprimeur : 6313
N° éditeur : 32513